Le grand marin

C'est intéressant de voir la culture américaine vers les yeux d'une française

CATHERINE POULAIN

Le grand marin

ÉDITIONS DE L'OLIVIER

ISBN 978.2.8236.0863.2

© Éditions de l'Olivier, 2016

O you singer solitary, singing by your-self, projecting me,
O solitary me listening, never more shall I cease perpertuing you,
Never more shall I escape, never more the reverberations,
Never more the cries of unsastified love be absent from me,
Never more leave me to be the peaceful child I was,
Before what there in the night,
By the sea under the yellow and sagging moon,
The messenger there arous'd the fire, the sweet hell within,
The unknown want, the destiny of me.

Walt Whitman

Il faudrait toujours être en route pour l'Alaska. Mais y arriver à quoi bon. J'ai fait mon sac. C'est la nuit. Un jour je quitte Manosque-les-Plateaux, Manosque-les-Couteaux, c'est février, les bars ne désemplissent pas, la fumée et la bière, je pars, le bout du monde, sur la Grande Bleue, vers le cristal et le péril, je pars. Je ne veux plus mourir d'ennui, de bière, d'une balle perdue. De malheur. Je pars. Tu es folle. Ils se moquent. Ils se moquent toujours – toute seule sur des bateaux avec des hordes d'hommes, tu es folle… Ils rient.

Riez. Riez. Buvez. Défoncez-vous. Mourez si vous voulez. Pas moi. Je pars pêcher en Alaska. Salut.

Je suis partie.

Je vais traverser le grand pays. À New York j'ai envie de pleurer. Je pleure dans mon café au lait, puis je sors. Il est très tôt encore. Je marche le long de grandes avenues, désertes. Le ciel est très haut, très clair entre les tours qui s'élèvent comme des folles, l'air est cru. Des petits stands-caravanes vendent du café et des gâteaux. Assise sur un banc, en face d'un building qui miroite enflammé par le soleil levant, je bois le grand café insipide avec un muffin énorme, petite éponge douceâtre. Et doucement la joie revient, une légèreté diffuse dans les jambes, le désir de se relever, la curiosité d'aller voir, au coin de la rue, et puis derrière jusqu'au suivant… Et je me lève

9

et je marche, la ville s'éveille, les gens paraissent, le vertige commence. Je m'enfonce dans le vertige jusqu'à l'épuisement. Je prends le car. Un car Greyhound avec un lévrier dessus. Je paye cent dollars pour tracer la route d'un océan à l'autre. On quitte la ville. J'ai acheté des biscuits et des pommes. Enfoncée dans mon siège, je regarde les highways multiples, les flots du périphérique qui se croisent, se séparent, se rejoignent, s'entrecroisent et se perdent. Parce que cela me donne mal au cœur, je mange un biscuit.

J'ai un petit sac de l'armée pour tout bagage. Je l'ai brodé et recouvert d'étoffes précieuses avant de partir. On m'a donné un anorak couleur ciel d'un bleu déteint. Je le recouds tout au long du voyage : les plumes volettent autour de moi comme des nuages.

– Où allez-vous ? me demande-t-on.

– En Alaska.

– Et pour quoi faire ?

– Je vais pêcher.

– Vous l'avez déjà fait ?

– Non.

– Vous connaissez quelqu'un ?

– Non.

– *God bless you…*

God bless you. God bless you. God bless you… Merci, je réponds, merci beaucoup. Je suis contente. Je pars pêcher en Alaska.

On traverse des déserts. Le car se vide. J'ai deux sièges pour moi, je peux m'allonger à moitié, la joue collée contre la vitre froide. Le Wyoming est sous la neige. Le Nevada aussi. Je mange des biscuits trempés dans de longs cafés clairs au rythme des McDo et des haltes routières. Je couds et disparais dans les nuages de l'anorak. Puis c'est la nuit encore. Je ne dors plus. Des casinos clignotent de chaque côté de la route, des roues de néon qui scintillent, des cow-boys lumineux brandissent un pistolet... s'allument, s'éteignent... Au-dessus, un croissant de lune très ténu. Nous passons Las Vegas. Pas un arbre, la caillasse, des buissons brûlés par l'hiver. Le ciel s'éclaire très vite à l'ouest. À peine le pressent-on que le jour est là. La route est droite devant nous, des montagnes enneigées au loin, et puis, toute seule sur le plateau désert, une ligne de voie ferrée qui s'en va vers l'horizon, s'en va vers le matin. Ou vers nulle part. Quelques vaches mornes nous regardent passer. Elles ont froid peut-être. Et l'on s'arrête encore pour déjeuner, dans une station-service où rugissent des camions chromés. Un drapeau américain flotte au vent, contre une pub de bière géante.

En chemin, je commence à boiter. Clopin-clopant, je monte et descends du car. *God bless you*, me dit-on avec plus de souci. Un vieil homme boite lui aussi. Nous nous regardons avec une vague reconnaissance. Dans une halte routière une nuit, des clochards s'assemblent autour de moi.

– *Are you a chicano? You look like a chicano, you look like my daughter*, dit l'un.

Et l'on repart. Je suis une chicano aux joues rouges, aux joues cramoisies, qui boite, qui mange des biscuits dans un nuage de plumes en regardant la nuit sur le désert. Et qui s'en va pêcher en Alaska.

Je retrouve un ami pêcheur à Seattle. Il m'amène sur son bateau. Depuis des années il m'attend. Ma photo est sur les murs. Le voilier porte mon nom. Plus tard il pleure. Ce gros homme qui m'a tourné le dos, qui sanglote sur sa couchette. Dehors il fait nuit et il pleut. Peut-être que je devrais partir, je pense.

Peut-être que je dois partir... je murmure.

C'est ça, il dit, pars maintenant.

Il fait si sombre et froid dehors. Il pleure encore et moi aussi. Puis il dit tristement :

– Je devrais peut-être t'étrangler...

J'ai un peu peur. Je regarde ses deux grosses mains, je le vois qui regarde mon cou.

– Mais tu ne vas pas le faire ? je demande d'une toute petite voix.

Non, il ne va peut-être pas le faire... Lentement je remplis mon sac. Il me dit de rester pourtant, de rester cette nuit encore.

On prend le ferry, il fixe la mer de ses yeux rougis, il ne parle pas, je regarde l'eau, son visage fermé, mes mains dont je caresse les contours, indéfiniment. Puis nous marchons dans les rues. Il m'accompagne jusqu'à l'aéroport. Il est devant moi, je m'essouffle à le rattraper. Il pleure. Et moi je pleure derrière.

LE CŒUR DES FLÉTANS

Il fait très beau à Anchorage. J'attends derrière la vitre. Un Indien me tourne autour. Je suis arrivée au bout du monde. J'ai peur. Et je réembarque dans un tout petit avion. L'hôtesse nous donne un café et un cookie et puis on s'enfonce dans la brume, on disparaît dans le blanc et l'aveugle, tu l'as voulu ma fille, ton bout du monde. L'île apparaît entre deux écharpées de brouillard – Kodiak. Des forêts sombres, des montagnes, et puis la terre brune et sale qui paraît sous la neige fondue. J'ai envie de pleurer. Il faut aller pêcher maintenant.

Je bois un café en face d'un grizzli haineux dans le hall du petit aéroport. Des hommes passent, leur baluchon sur l'épaule. Larges carrures, visages tannés, marqués. Ils semblent ne pas me voir. Dehors le ciel blanc, des collines grises, des mouettes, partout sans cesse qui passent en gémissant.

J'appelle. Je dis Allô, je suis l'amie du pêcheur de Seattle. Il m'a dit que vous étiez au courant, que je peux dormir chez vous quelques nuits, et puis je trouverai un embarquement.

La voix neutre d'un homme – il dit quelques mots – *Oh shit!* J'entends une femme répondre. *Welcome Lili* je pense. Bienvenue à Kodiak. *Oh shit*, elle a dit.

Une petite femme maigre est sortie d'un pick-up, cheveux fins et jaunes, visage tiré, mince bouche pâle qui ne sourit

pas, yeux de porcelaine bleue. Elle conduit. Elle ne dit rien.
On roule sur une route très droite entre des rideaux d'arbres,
puis le paysage est nu. On longe la mer, on traverse de petits
bras d'eau crispés par le gel.

Tu dormiras là. On me désigne un canapé dans le séjour.

– Oh merci, je dis.

– Nous fabriquons des filets pour les pêcheurs. Des sennes*[1].
On connaît tout le monde à Kodiak. On demandera du travail
pour toi.

– Oh merci.

– Et puis assieds-toi, fais comme chez toi, ici c'est les
chiottes, là la salle de bains, ici la cuisine. Quand t'as faim tu
te sers dans le frigo.

– Oh merci.

On m'oublie. Je m'assieds dans un coin. Je sculpte un
bout de bois. Puis je sors. Je voudrais me trouver une cabane.
Mais il fait trop froid. La terre brune et la neige souillée. Le
grand ciel gris sur les montagnes nues, si proches. Quand je
rentre ils mangent. Je m'assieds sur le canapé, j'attends que
ça passe, j'attends la nuit pour qu'ils disparaissent, pour me
dénouer et dormir peut-être.

On me dépose en ville. Sur un banc, face au port, je mange
du pop-corn. Je compte mes sous, les billets et les petites pièces.
Il me faudrait trouver du travail bientôt. Un gars me hèle
sur le dock. Sous le ciel blanc, il est beau comme une statue
antique qui se découperait sur l'eau grise. Des tatouages lui

---

1. Les définitions des termes suivis d'un astérisque se trouvent dans
un glossaire en fin d'ouvrage. *(N.d.E.)*

remontent jusque dans le cou, sous le casque sombre et frisé de ses cheveux rebelles.

– Je suis Niképhoros, il dit. Et toi, d'où viens-tu?

– De loin, je réponds, je suis venue pêcher.

Il semble étonné. Il me souhaite bonne chance.

– À plus tard peut-être? lance-t-il avant de traverser la rue.

Je le vois gravir trois marches de ciment nu sur le trottoir d'en face, pousser la porte d'un bâtiment de bois austère et carré – *B and B Bar* est écrit au-dessus – entre des baies vitrées, dont l'une des deux est fendue.

Je me lève. Je descends la passerelle. Un gros homme m'appelle depuis le pont d'un bateau:

– Tu cherches quelque chose?

– Du travail…

– Monte donc à bord!

Nous buvons une bière dans la salle des machines. Je n'ose pas parler. Il est gentil et m'apprends à faire trois nœuds.

– Maintenant tu peux aller pêcher… me dit-il. Mais surtout parle avec assurance quand tu vas demander du travail. Que les hommes autour de toi sentent à qui ils ont affaire.

Il me tend une autre bière alors je me souviens d'un bar enfumé.

– Il faut que j'y aille, je dis dans un souffle.

– Reviens quand tu veux, il dit, si tu vois le bateau à quai n'hésite pas.

Je repars le long des docks, de bateau en bateau je demande:

– Vous n'avez besoin de personne à bord?

On ne m'entend pas, mes mots hachés s'en vont avec le vent. Je dois répéter longtemps avant que l'on me réponde:

— Tu as déjà pêché?

— Non… je bafouille.

— Tu as tes papiers? Carte verte… licence de pêche?

— Non.

On me regarde étrangement.

— Va voir plus loin, tu finiras bien par trouver… me dit-on encore gentiment.

Je ne trouve pas. Je rentre dormir sur mon canapé, le ventre gonflé de pop-corn à en éclater. On me propose des jobs de nanny – garder les enfants de ceux qui partiront pêcher. C'est une humiliation terrible. Je refuse avec un entêtement doux, tête basse, que je secoue de gauche à droite. Je demande où il y a des cabanes. On me répond d'un ton évasif. Alors je vais aider mes hôtes à fabriquer les filets.

Et puis je trouve enfin. On me propose deux places de matelot le même jour : pêche au hareng le long des côtes sur un seiner*, ou embarquer sur un palangrier pour la morue noire, au large. Je choisis le deuxième parce que cela sonne plus beau, *long-lining**, que cela va être dur et dangereux, que l'équipage sera composé de matelots endurcis. Le grand gars maigre, en m'embauchant, pose sur moi un regard étonné et doux. Quand il voit mon sac bariolé et moi devant, il dit seulement : C'est beau la passion. Puis son regard se raffermit.

— Il va falloir faire tes preuves dès maintenant. Nous avons trois semaines pour préparer le bateau, remettre les lignes en état, appâter les palangres. Ton seul but dans la vie maintenant sera de travailler pour le *Rebel*, jour après nuit.

Je voudrais qu'un bateau m'adopte, je murmure dans le silence venteux de la nuit. Nous travaillons depuis des jours dans un local humide, derrière des baquets de fer-blanc où sont enroulées les palangres. Nous réparons les lignes, changeons les anpecs* arrachés et les hameçons tordus. J'apprends à faire les épissures. À côté de moi un homme travaille en silence. Il est arrivé en retard, l'œil vague. Le skipper a gueulé. Il sent la vieille bière. Il chique du tabac. De temps en temps il crache, dans la tasse infiniment sale posée devant lui. En face de moi, Jesus me sourit. Jesus est mexicain. Il est petit et trapu, visage rond et doré, joues d'abricot. Un gars sort d'une pièce obscure, suivi d'une fille très jeune et grosse. Elle est indienne. Lui baisse la tête d'un air gêné en passant devant nous.

— Tiens, Steve a été chanceux hier soir… ricane le skipper.

— Si tu appelles ça être chanceux… répond mon voisin. Et puis il me dit sans détourner les yeux de son baquet ni même ciller : Merci pour la statue.

Je le regarde sans comprendre. Le visage est grave mais les yeux noirs semblent rire.

— Je veux dire que c'est une belle statue… La Liberté. C'est bien vous Français qui nous en avez fait cadeau, non ?

Des chansons de country passent à la radio. Quelqu'un fait du café que l'on boit dans des tasses vaguement essuyées dans un pan de vêtement.

— Il faudra penser à ramener de l'eau dans les jerricans, dit John, un grand blond très pâle.

— Mon nom c'est Wolf, comme le loup, murmure mon voisin.

Il me dit encore qu'il pêche depuis quinze ans, qu'il a fait trois fois naufrage, qu'il aura son bateau à lui un jour, peut-être même à la fin de la saison, tiens, si la pêche est bonne, s'il ne va pas trop peindre la ville en rouge. Je ne comprends pas.

— La ville ? En rouge ?

Il rit, et Jesus avec lui.

— Ça veut dire aller se cuiter.

Je voudrais bien y aller moi aussi, repeindre la ville en rouge, il l'a compris. Il promet de m'emmener, dès notre retour de pêche. Et puis il me donne une boulette de tabac.

— Tiens, tu la places comme ça... contre ta gencive.

Je suis contente, je n'ose pas cracher, alors j'avale. Ça me brûle l'estomac. On n'a rien sans rien, je pense.

Jesus me ramène au soir. J'ai peur de la mer, il dit, mais il me faut aller pêcher parce que ma femme va avoir un enfant. On ne gagne pas assez aux conserveries. Et je voudrais vraiment quitter le mobil-home où nous vivons à plusieurs en ce moment. Prendre un appartement rien qu'à nous deux et pour le bébé.

— Moi je n'ai pas peur de mourir en mer, je réponds.

— Tais-toi, il ne faut pas parler comme ça, il ne faut jamais dire ces choses.

On dirait que je l'ai effrayé.

Le grand gars maigre s'appelle Ian. Il m'a fait venir chez lui, une maison au sortir de la ville, perdue dans des bois sombres. Les autres font une drôle de gueule. Ils pensent que le skipper sera chanceux ce soir. Sa femme ne vit plus ici, elle s'est trop ennuyée en Alaska, elle vit au soleil avec les enfants, dans l'Oklahoma. Lui les rejoindra après la pêche lorsque la maison sera vendue. Déjà elle est presque vide : ne restent plus que quelques matelas dans des pièces désertes, un grand fauteuil rouge en face d'un poste de télévision – son fauteuil –, une cuisinière et un frigo duquel il tire des steaks énormes.

– Mange, carcasse de moineau ! Jamais tu tiendras autrement…

Je laisse les trois quarts de la viande. Il me renvoie au frigidaire à merveilles où je trouve des multitudes de glaces. Couchée sur mon plancher, je regarde la fenêtre. C'est la nuit sur l'Alaska, et moi dedans je pense, avec le vent, les oiseaux dans les arbres, oh faites que cela dure, faites que l'Immigration ne m'attrape jamais.

Chaque soir mon skipper loue un film que l'on regarde en mangeant, lui son steak, moi ma glace. Il trône dans son beau fauteuil rouge, je m'assieds sur le matelas entourée de coussins. Ian raconte. Il parle jusqu'à perdre haleine, emporté par le récit, son visage vibre, un long visage triste d'adolescent trompé qui s'anime ou s'éclaire au souvenir d'une image, d'un geste. Il rit alors. Il me raconte les beaux navires qu'il a menés, un si joli bateau le *Liberty*, celui qu'il a coulé un jour de gros temps en février, mer de Béring, au large des îles Pribilof, et comment pas un de ses hommes ne fut perdu, coulé parce qu'ils étaient trop chargés en crabes (mais trop chargés en crabes ou en cocaïne, les avis restent partagés en ville). Il rit de lui-même et de ses vingt ans, lorsqu'il n'avait pas encore rejoint les Alcooliques Anonymes, qu'il buvait jusqu'à se faire traîner hors des bars, par les pieds peut-être.

Les jours passent. Nous travaillons sans discontinuer. Quelquefois, avec Wolf, nous allons déjeuner au Safeway, le gros supermarché du coin. Sur le chemin du retour, il me reparle du bateau qu'il aura un jour. Il est grave et ne sourit plus. Il me demande d'embarquer à son bord.

– Oui, peut-être, si tu ne me hais pas après la saison, je réponds.

Il raconte encore une amie qu'il aimait et comment elle l'a quitté un jour. C'est depuis qu'il a des insomnies, il ajoute tristement.

– Tout ce temps perdu... il dit encore.

– Oui, je réponds.

– Il te faut ta licence de pêche pour embarquer, il reprend après avoir craché sa chique. C'est la loi, il y a souvent des contrôles et les troopers ne te feront jamais de cadeau...

Ce soir-là, nous descendons en ville ensemble jusqu'au magasin de chasse. Le vendeur me tend une fiche. Il n'a pas l'air d'entendre lorsque Wolf me souffle ma taille en pieds et en pouces, un numéro d'identification sociale qu'il vient d'inventer et qu'il murmure à mon oreille. Je mets une croix dans la case « résidente ». Le vendeur me tend ma carte :

– Voilà, t'es en règle... C'est trente dollars.

Nous rejoignons le port et suivons les quais jusqu'au B and B. Les grandes vitres nues reflètent le ciel du port. L'une d'elles est toujours fendue. Un homme se tient en haut des marches, ses gros bras en arceaux autour du torse, large poitrail, ventre bombé, cuissardes rabattues jusqu'aux mollets, un stetson de feutre enfoncé sur les mèches rousses. La boucle de son ceinturon brille. Il nous salue d'un hochement de tête, grimace un sourire cigarette aux lèvres, s'écarte pour nous laisser passer.

– Ça veut dire *Beer and Booze**, me dit Wolf en poussant la porte.

Des hommes nous tournent le dos, accoudés au comptoir de bois, le cou rentré dans les épaules. Nous nous trouvons un tabouret. La serveuse chantait quand nous sommes entrés, la voix claire et puissante montait dans la fumée. Ses cheveux noirs tombent lourdement jusqu'à ses reins. Elle joue à en faire rouler la masse sombre dans son dos quand elle se retourne. Puis elle marche vers nous d'un pas balancé.

– Bonjour Joy, dit Wolf. On prendra deux bières.

Un gros homme s'est approché de Wolf. Il tient un verre de fort, de la vodka peut-être. C'est Karl, le Danois, me dit Wolf.

– Je te présente Lili… en se tournant vers lui.

Karl a des cheveux jaunes noués à la va-vite en une petite queue de cheval raide, un visage large et marbré de rouge, des paupières lourdes sous lesquelles filtre un regard de Viking bleu liquide.

– On repart demain. Si tout va bien, dit-il entre deux claquements de langue, son verre aux lèvres. On est prêts. La pêche devrait être bonne, si les dieux le veulent bien.

Wolf acquiesce. Ma bière est finie. Dans l'ombre du bar, une femme aux cheveux très rouges finit son verre. Elle se lève et passe de l'autre côté du comptoir, vient vers nous. La serveuse aux cheveux noirs a pris sa place.

– Merci Joy, dit Wolf, on reprend la même chose, avec un petit schnaps pour accompagner…

– Elles s'appellent toutes Joy ? je demande à mi-voix quand elle s'éloigne.

Wolf rit.

– Non, pas toutes… La première c'est Joy l'Indienne, elle

c'est Joy aux cheveux rouges, et il y en a encore une, la grande Joy, qui est très grosse, elle.

— Ah, je dis.

— Et quand les trois Joy sont au bar ensemble, les mecs rasent les murs… Ça peut durer jusqu'à cinq jours d'affilée quand elles sont parties à boire. Et elles ne leur font pas de cadeau.

Karl est fatigué. Il finit son verre, en redemande un. Remet sa tournée. Joy-cheveux-rouges pose un jeton de bois devant mon verre encore plein.

— J'ai rencontré un mec ce soir, reprend Karl d'une voix traînante, il revient du Pacifique Sud, il pêchait la crevette… En tee-shirt et en short ils pêchent là-bas… En short, tu m'entends? Et il vient pour la morue! Savent rien, ces petits bâtards… *Working on the edge**, connaissent pas ça eux, travailler sur le fil du rasoir, c'est nous, c'est rien que nous, le Pacifique Nord en hiver, la glace sur le bateau qu'il faut casser à coups de batte de base-ball, et les bateaux qui partent au fond… Il n'y a que nous pour savoir cela!

Il éclate d'un rire tonitruant, s'étouffe un instant, se calme. Son visage se fend d'un sourire béat. Ses yeux s'enfoncent dans le vague. Il se souvient de moi:

— C'est qui la petite?

— On travaille ensemble, dit Wolf. Elle embarque sur le *Rebel* pour la saison de morue noire. Elle n'en a pas trop l'air mais elle est costaud.

Karl se lève en titubant, il passe deux bras énormes autour de mes épaules.

— Bienvenue à Kodiak, il dit.

Wolf le repousse gentiment.

– On y va maintenant. N'oublie pas ton jeton Lili, garde-le dans ta poche, t'as droit à un coup à boire avec ça. Y a pas meilleur mec au monde que lui, me dit Wolf en sortant, mais je voulais pas que t'aies peur. Et puis faut laisser personne te toucher, c'est ça, le respect.

La nuit est tombée. Nous changeons de bar. Il fait encore plus sombre au Ship's. Dans l'arrière-salle carrée et nue des hommes jouent au billard sur des tables vétustes, sous l'éclat blanc d'un vieux néon. Une grosse fille tire le cordon d'une cloche quand on entre. Les gars hurlent.

– On arrive au bon moment, dit Wolf, tournée générale…

On se fait une place dans la mêlée. Wolf se réveille. Son regard s'allume, sa mâchoire s'est durcie, ses dents brillent dans la pénombre, deux crocs très blancs.

– *The Last Frontier**, c'est ici, il murmure.

La serveuse nous sert deux petits verres d'un liquide incolore.

– C'est la mienne, dit-elle.

Le rouge de sa bouche a débordé dans les rides fines de sa lèvre supérieure, le bleu de ses paupières froissées jaillit dans le visage large et blanc, aux traits lourds, fatigués.

– Mon nom c'est Vickie… C'est un pays dur ici, ajoute-t-elle quand Wolf me présente. Y a pas que des anges qui traînent leurs bottes par là. Fais attention à toi… Si t'as un problème je suis là.

Nous buvons trois verres. Puis nous quittons la taverne sombre, la serveuse amie, les gars déchaînés, les tableaux de femmes nues au-dessus du billard, leurs croupes rondes et soyeuses qui semblent jaillir des murs sales, les vieilles Indiennes saoules, assises en ligne au bout du comptoir, impassibles, un semblant de sourire qui affleure parfois au pli hautain de leur bouche. Au Breaker's on me demande une pièce d'identité. Je sors ma licence de pêche. La serveuse fait la gueule.

— Faut une photo…

Je trouve mon passeport.

— Tu as le droit de te saouler maintenant… dit Wolf.

— Tu sais, si j'ai de la chance on fera naufrage, je dis au grand gars maigre un soir, et vous en réchapperez tous, sauf moi. Parce que je repense à Manosque-les-Couteaux chaque jour et chaque nuit. Je ne veux pas qu'on ait ma peau.

— T'as pas besoin de mourir. Reste en Alaska, c'est tout.

— On m'attend là-bas.

— Ne rentre pas, il continue. J'aimerais reprendre le *Rebel* pour une saison de crabe sur la mer de Béring, cet hiver, je n'ai pas encore mon équipage. Si tu fais tes preuves je peux t'embarquer.

— Tu me prendrais pour aller pêcher le crabe?

— Ça va être très dur. Le froid, le manque de sommeil, travailler vingt heures par jour très souvent… Dangereux aussi. Les coups de gros temps avec les creux de vingt ou trente mètres, le brouillard qui fausse jusqu'aux radars et alors le risque de se prendre un rocher, un bloc de glace ou un autre bateau… Mais je pense que tu vas y arriver. Et même que tu vas aimer ça terriblement, aimer ça à accepter le risque d'en mourir.

— Oh oui, je murmure.

Les grands pins noirs geignent au-dehors. Ian est allé se coucher à l'étage. Je m'endors sur le plancher, dans le sifflement des vents qui nous arrivent de la mer. Je me réveille toujours la première. Le ciel est encore sombre au-dessus des arbres. Je me lève et roule mon duvet. Je prépare le café dont je remplis une thermos rouge. Je monte l'escalier sur la pointe des pieds, je pousse la porte de la chambre où Ian dort, dans la pièce nue, sur un matelas à même le plancher. Je n'aime pas le réveiller, je pose la thermos à son chevet. Il ouvre un œil noir. Je disparais.

– Je vais te montrer quelque chose qui devrait te plaire, un vieux film qu'un matelot avait oublié sur le bateau. Il l'avait fait lui-même quand il pêchait sur le *Couguar*. La qualité n'est pas au top mais ça te donnera toujours une idée de ce qu'est la pêche au crabe par mauvais temps. Enfin, mauvais temps...

La maison est silencieuse. Le vent est tombé. Ian sort d'un carton un vieux DVD qu'il introduit dans le lecteur. De temps en temps, le frottement d'une branche contre le toit fait comme un bruit d'ailes, glissement furtif d'un oiseau qui s'égare. Ian éteint la lumière et se rassied dans le fauteuil rouge, je replie les genoux contre ma poitrine. Nous fixons l'écran dans l'obscurité. Il y a d'abord des zébrures blanches qui font mal aux yeux, l'océan noir qui roule, l'avancée lente de la houle. L'horizon oscille violemment, puis c'est la lisse et le pont luisant sur lequel éclatent des gerbes d'eau. Des gouttes viennent se poser sur l'objectif. Il fait nuit. Des hommes sans visage se meuvent sous l'éclat des lampes à sodium, formes sombres éclairées à peine par les cirés orange. Un casier ruisselant surgit des flots, on croirait un monstre tiré hors de ses abysses. Car ce sont des abysses obscurs et redoutables qui encerclent le bateau, les hommes. Ils s'ouvrent puis se referment comme une bouche vorace. Le casier s'élève dans un ciel bouleversé, accroché au filin, se balance lourdement. La masse brute semble hésiter avant de redescendre, oscillant entre le pont et l'eau. Deux hommes à la lisse, frêles et souples, le guident vers un support d'acier qui vient de s'élever. Les crabes semblent jaillir de la gueule béante, un grouillement lorsqu'un matelot relève le battant et les fait basculer dans un bac, le corps introduit de moitié dans la cage de fer et de mailles. Il tient une boîte d'appâts, décroche l'ancienne, la lance sur le pont, accroche la nouvelle, se retire, rabat le volet, les hommes à la lisse renouent les sangles, le support s'élève jusqu'à faire basculer le casier par-dessus bord. Le tout n'a pas duré une minute.

Il y a une cadence et un rythme intangibles dans le ballet obscur et silencieux, presque fluide. Car les hommes dansent sur ce pont battu par les vagues. Chacun connaît sa place et son rôle. L'un s'écarte pour éviter le casier dans un entrechat souple, l'autre bondit, leurs jambes sont des ressorts, les corps savent d'instinct le geste pour guider la force imbécile, ce casier menaçant, force noire surgie des flots, les quatre cents kilos aveugles et brutaux qui se balancent dans le ciel opaque. Autour d'eux, la lave de l'océan ne cesse de rouler.

Le décor change, c'est à peine si je respire. Il fait jour à présent, la mer est calme. Le bateau est posé dans la lumière pure. Bleue. Elle rayonne depuis l'horizon. La proue avance entre des fragments de glace. Ian parle alors et je sursaute. Ce temps était plus dangereux que le précédent, dit-il, le *Couguar* avait perdu dix casiers ce jour-là pour les avoir laissés se prendre dans l'océan gelé. Oui, je dis dans un souffle, oui... Puis il fait froid, très froid, des embruns givrants ont recouvert le bateau, casiers, lisse, château, d'une croûte de plus en plus épaisse. Le *Couguar* boursouflé de glace est méconnaissable. J'entr'aperçois un visage congestionné, comme brûlé, une barbe hirsute où vapeur d'eau ou morve sont devenues glaçons. Le film s'arrête sur les lames sombres, elles roulent sur un fond noir. On pourrait croire que l'histoire va reprendre, les hommes sur le pont, la bête de fer qui ouvre ses mâchoires encore sur un grouillement de crabes, l'océan… Mais l'écran s'est vidé soudain. Nous restons silencieux. Ian se lève pour rallumer la lumière. Il s'étire et bâille.

– Ça t'a plu ?

– Et si je me faisais passer pour morte ? je lui demande le lendemain soir. Tu écris en France, tu leur dis que je me suis noyée.

Il fronce les sourcils, il n'aime plus mes histoires :

– Tu n'imagines pas comme ils vont souffrir ?

– Oh, un peu c'est sûr. Ils pleureront, ils penseront que ça a dû être très froid au moment du plongeon, et puis un jour ça ira mieux. Ils se diront que je l'ai un peu cherché… Je leur donnerai une mort aventureuse, et au moins je serai casée, ils n'auront plus à s'inquiéter pour moi. Et personne ne m'attendra plus jamais enfin.

Il ne veut même plus m'écouter. Il me traite de lâche et va dormir. Je m'allonge sur mon plancher en riant. L'Immigration ne m'aura peut-être pas.

Wolf s'en va. Le jeune loup de mer. Il pose une main sur mon épaule. Je baisse les yeux. Je file sur Dutch Harbor. Je vais me trouver un nouvel embarquement. Ailleurs. Il me sourit gentiment :

— Tu es sur un bon bateau. Il se rembrunit. J'ai pas aimé ce que le skipper a dit de moi quand je mesurais la ligne... Soi-disant que l'envergure de mes bras ne ferait pas la brassée... Il l'a fait exprès. Me diminuer devant les autres. Je ne pardonne pas ces mots. Je suis un bon pêcheur, j'ai plus d'expérience que lui sur les palangriers. Faut que je m'arrache.

Mâchoire serrée, il dit ces derniers mots avec rage.

— Oui, je réponds.

Le ton de sa voix se radoucit. Il a un rire bref et triste. Ses yeux regardent au loin comme s'il avait quitté déjà la terre.

— Un jour ici, un jour là... tu ne sais jamais où tu seras demain. C'est pas grave de partir tu sais, c'est la vie qui veut ça. Faut toujours s'arracher. Quand tu dois y aller, faut y aller... Mais on ira repeindre la ville en rouge le jour où l'on se revoit. Dans trois mois, dix mois ou vingt ans, c'est pareil. Fais attention jusque-là... Fais attention à toi.

Une dernière accolade. Il attrape son sac qu'il jette en travers de ses épaules. Je le vois disparaître sur la route, étrange silhouette que la brume avale.

La maison est vendue. Le grand gars maigre s'en va chercher le *Rebel*, en révision sur un chantier de l'île voisine.

— C'est le plus beau, tu verras, me dit-il la veille au soir. Je serai de retour dans deux jours. Tu dormiras sur le *Blue Beauty* en attendant. C'est le bateau préféré d'Andy, notre armateur, celui qu'il va mener pour la saison de morue. Je t'y conduirai demain avant d'attraper le ferry pour Homer.

Le port est désert. Des oiseaux livides balayent le ciel. Un remorqueur franchit les premières bouées. Encore lointain, on entend à peine le bourdonnement de son moteur. J'ai de belles bottes trouvées à l'Armée du Salut. Elles sont noires et vieilles. Les vraies sont vertes et chères. Mes pas sonnent sur le ponton de bois.

– Attention tu vas glisser avec cette saloperie que tu as aux pieds.

Je proteste et je manque tomber. Il me rattrape de justesse.

– Tu vas gagner un paquet de fric, tu t'achèteras toutes les bottes que tu veux…

– Oh moi… Suffit que j'aie assez pour me payer un bon sac de couchage, des chaussures de marche, et qu'il me reste trois sous pour tenir la route jusqu'à Point Barrow…

– Point Barrow ? C'est quoi cette histoire encore ?

– J'irai à Point Barrow quand la saison sera finie.

– Qu'est-ce tu veux foutre là-bas ?

Je ne réponds pas. Un goéland juvénile nous regarde passer depuis le bastingage d'un seiner.

– Tu crois que je vais faire un bon pêcheur ? je demande.

– On en voit tous les jours qui arrivent du plus profond des States, qu'ont jamais vu que les bois, la grande prairie ou la montagne et qui lâchent tout pour venir ici. Des mecs ou des nanas qu'étaient représentants, camionneurs ou paysans. Peut-être même des call-girls, est-ce que je sais… Ils embarquent. Ils se font traiter comme de la merde tant qu'ils sont *green**, qu'ils ne connaissent rien à rien, et un jour ils ont leur propre bateau.

– Va me falloir un vrai sac de marin alors, comme les autres…

31

– Sûr… Je te vois déjà, ton duffle-bag sur l'épaule, arpenter les docks de Kodiak à Dutch pour te trouver un embarquement.

Sur notre gauche un bateau bleu ciel, le *Blue Beauty*. Le pont est désert, en chantier encore avec les pans d'aluminium qui serviront à construire l'auvent, des montants métalliques sur les côtés. On monte à bord. Ça sent le caoutchouc humide et le gasoil. Ian jette mon sac sur une couchette, dans un réduit obscur, la cabine de couchage de l'équipage. Nous ressortons. Ian veut m'aider à me recevoir sur le dock quand j'enjambe le bastingage. Je me dégage d'un coup de coude. Je suis bientôt un vrai marin. Déjà j'ai ma couchette et je chique du tabac.

Le *Rebel* entre au port. C'est le plus beau, le grand gars maigre avait raison. La coque d'acier noire est relevée d'une bande jaune, éclatante. Le château est blanc. Je suis la première de l'équipage à le visiter, après Jesse le mécano qui est revenu à son bord, et Simon, un étudiant très jeune et blond arrivé de Californie, qui cherchait à embarquer sur les quais de Homer. Le skipper s'est installé dans le profond fauteuil de la timonerie, face aux multiples cadrans. La rangée de vitres placées en demi-cercle nous fait surplomber le port.

– C'est ma place à partir d'aujourd'hui, dit Ian, mais vous les gars, vous vous la partagerez quand vous prendrez vos quarts.

Le moteur tourne, il ne s'arrêtera plus pendant des semaines. Je regarde le port s'allumer. J'ai posé mon bagage dans l'espace exigu, la cabine des matelots, sur la première des quatre couchettes superposées.

– Premier arrivé, premier servi, dit le grand gars maigre qui m'a proposé de dormir dans la sienne.

Car il a sa propre cabine. J'ai pas voulu.

On m'a donné un vélo bleu. Un vieux vélo rouillé et trop
petit pour moi. Dessus est écrit *FREE SPIRIT**. Je traverse
la ville, joues cramoisies, dans un ciré plus orange qu'orange,
plus orange que tous les vrais cirés de mer. Les gens rient en
me voyant passer. Et je pédale du bateau au local, du local
au bateau. La pluie ruisselle sur mon visage, coule dans mon
cou, j'arrive en courant au bateau, je descends l'échelle quatre
à quatre, me rattrape au bastingage, l'eau est grise et verte en
bas, le skipper prend peur, il avance un bras qu'il n'a su retenir,
qu'il reprend pourtant en ravalant sa salive. Je ris. Je ne suis pas
tombée encore. Il baisse les yeux très vite quand je le regarde
ainsi. Je suis invulnérable, je lui dis. Il hausse les épaules :

— Tu mourras comme tout le monde.

— Oui. Jusqu'à ma mort je suis invulnérable.

Je me lève aux aurores. Je saute au bas de ma couchette.
Ça m'appelle. Le dehors, l'air d'algues et de coquillages, les
corbeaux sur le pont, les aigles dans le mât, le cri des mouettes
sur les eaux lisses du port. Je prépare le café pour les deux
hommes. Je sors. Je cours sur les docks. Les rues sont désertes.
Je rencontre le jour nouveau. Je retrouve le monde d'hier. La
nuit l'a caché puis rendu. Je rentre au bateau hors d'haleine,
Jesse et Ian se lèvent à peine. Les gars qui seront de l'équipage
ne vont pas tarder à arriver. Je bois le café avec eux. Mais qu'ils

33

sont lents. Mon pied remue sous la table. Je pourrais pleurer d'impatience. Attendre est une douleur.

Le port entier s'est mis au travail. La radio marche à fond sur les ponts encombrés, des chansons country se mêlent à la voix rauque de Tina Turner. Nous avons commencé à appâter les lignes. Le va-et-vient est incessant sur les docks. On hisse à bord des caisses de calamars ou de harengs gelés qui serviront d'appâts. Des étudiants venus de loin et qui espèrent trouver un embarquement s'offrent à travailler pour la journée.

On est complets, dit le grand gars maigre. Simon l'étudiant pose sur nous un regard froid, mais qui s'affole aux premiers aboiements du skipper. Le cousin de Jesus viendra. Luis. Et David, un pêcheur de crabes qui nous regarde du haut de son mètre quatre-vingt-dix, ses larges épaules déployées, souriant de toutes ses dents, régulières et blanches.

Nous appâtons des journées entières, debout contre une table à l'arrière du pont. Jesus et moi rions de tout.

– Mais arrêtez de faire les gosses… dit John agacé.

L'homme-lion arrive. Il monte à bord un matin accompagné du grand gars maigre. Il cache son visage dans une crinière sale. Le skipper est fier de son homme.

– Voilà Jude, dit-il, un pêcheur de palangrier expérimenté.

Un grand buveur peut-être aussi, je pense quand il passe devant moi. Le lion fatigué est plutôt timide. Il se met au travail sans un mot. Une violente quinte de toux le secoue quand il allume une cigarette. Il crache à terre. J'entrevois son visage mangé par la barbe. Un regard doré et perçant. Je fuis les yeux jaunes. Je ne ris plus avec Jesus. Je me fais toute petite. Il est à sa place ici. Pas moi.

Tard dans la soirée, les gars rentrent chez eux. Jude est resté. Nous ne sommes plus que trois sur le pont. Il nous faut amener les palangres appâtées au freezer de l'usine. Nous chargeons les baquets à l'arrière du truck, les arrimons solidement. Je m'écarte dès que Jude approche. Il fronce les sourcils. Nous roulons jusqu'aux conserveries dans l'air du soir. Assise entre les deux hommes, je regarde la route droite entre les collines nues et la mer. Nous roulons vers le ciel ouvert. Le skipper passe les vitesses du bout des doigts pour ne pas m'effleurer, je me serre davantage à droite. Je sens contre la mienne la cuisse de l'homme-lion. Ma gorge se noue.

Nous déchargeons les palangres. Les baquets sont glacés et lourds.

– *Tough girl*, dit Jude.

– Oui, elle n'est pas épaisse mais elle est costaud, répond Ian.

Je me redresse. Nous faisons la chaîne pour ranger les baquets dans la pièce glaciale. Nos doigts restent collés au métal. Il est tard lorsque nous repartons. Le truck roule dans la nuit, les collines ont disparu dans l'ombre. Seule reste la mer. Les deux hommes parlent du départ. Je ne dis rien. Je sens mon corps endolori, ma faim, la chaleur de la cuisse de Jude, l'odeur de son tabac, celle de nos vêtements humides sur lesquels sont restés collés des lambeaux de calamars.

Nous longeons la mer, quelques chalutiers dorment contre les docks où l'on se ravitaille en carburant. Et l'on passe encore

leur sommeil obscur. Devant nous l'horizon s'est teinté de
halos fauves qui palpitent dans le ciel assombri.

– Est-ce que c'est une aurore boréale ? je demande.

Ils ne comprennent pas. Je répète plusieurs fois. Le lion rit
à voix basse, un roulement rauque et feutré.

– Elle a dit « aurore boréale ».

Le skipper rit à son tour.

– Non. C'est le ciel c'est tout.

Je suis plus rouge que ces lueurs dont je ne connaîtrai
jamais le nom. J'aimerais que cela dure toujours, avancer dans
la nuit entre le grand gars maigre et le lion brûlé.

– Laisse-moi au Shelikof's... dit Jude quand nous arrivons
en ville.

Déjà il nous quitte et entre dans la taverne. Ian ne lui en
tient pas rigueur. Il se tourne vers moi :

– Je crois qu'il boit pas mal, mais c'est l'homme qu'il nous
fallait.

Nous rentrons au bateau. Il y fait chaud. Jesse fume un
joint dans la salle des machines.

Adam est matelot sur le *Blue Beauty*, amarré à nos côtés.
Je l'entends plaisanter avec Dave :

– Oui... et quand tes mains te font si mal que tu ne peux
même pas dormir les trois heures qui te sont données... et
quand tu prends ton quart et que tu vois des bouées partout...
que tu as beau te frotter les yeux, les bouées ne cessent de
réapparaître.

Ils rient.

– Tu crois que j'y arriverai ? je demande à Adam.

– Continue de travailler comme tu le fais et ça va le faire.

Une nouvelle fois pourtant, il me met en garde contre le danger.

– Mais à quoi exactement je dois faire attention ?

– À tout. Aux lignes qui s'en vont dans l'eau avec une force qui t'emporterait si tu te prends le pied, le bras dedans, à celles que l'on ramène qui, si elles se brisent, peuvent te tuer, te défigurer… Aux hameçons qui se coincent dans le vireur et sont projetés n'importe où, au gros temps, au récif que l'on n'a pas calculé, à celui qui s'endort pendant son quart, à la chute à la mer, la vague qui t'embarque et le froid qui te tue…

Il s'arrête. Ses yeux déteints sont tristes et fatigués. Ses traits s'érodent et se creusent :

– Embarquer, c'est comme épouser le bateau le temps que tu vas bosser pour lui. T'as plus de vie, t'as plus rien à toi. Tu dois obéissance au skipper. Même si c'est un con – il soupire. Je ne sais pas pourquoi j'y suis venu, il dit encore en hochant la tête, je ne sais pas ce qui fait que l'on veuille tant souffrir, pour rien au fond. Manquer de tout, de sommeil, de chaleur, d'amour aussi, il ajoute à mi-voix, jusqu'à n'en plus pouvoir, jusqu'à haïr le métier, et que malgré tout on en redemande, parce que le reste du monde vous semble fade, vous ennuie à en devenir fou. Qu'on finit par ne plus pouvoir se passer de ça, de cette ivresse, de ce danger, de cette folie oui ! Il rugit presque, puis il se calme : Il y a de plus en plus de campagnes pour décourager les jeunes de la pêche, tu sais…

– Parce qu'ils pourront plus décrocher ?

– Parce que c'est dangereux surtout.

Il tourne la tête. Il regarde au loin. Ses maigres cheveux

tremblent dans un souffle d'air. Les coins de sa bouche sont amers et tombants. Une douceur rêveuse passe sur ses traits quand il continue, les yeux perdus dans le vague :

— Mais cette fois c'est fini… C'est bien fini. J'ai une petite maison sur la péninsule de Kenai, dans la forêt, près de Seward. Je devrais gagner assez avec cette saison de morue noire pour y retourner. Et y rester cette fois. J'y serai avant l'hiver. Je veux me construire une deuxième baraque. Plus jamais je refous les pieds ici. J'y ai assez donné ma vie.

Il se tourne vers moi :

— Viens me voir dans les bois le jour où tu es fatiguée.

Il est retourné appâter ses palangres. Dave et moi échangeons un regard. Dave hoche la tête :

— Il dit toujours ça. Et puis il revient.

— Pourquoi il revient ?

— Tout seul dans les bois. C'est long au bout d'un moment… Adam, il lui faudrait une femme.

— Il n'y en a pas beaucoup ici.

— Non, guère plus, il rit. Mais quand il pêche, il n'a plus le temps d'y penser. Et ils sont si nombreux à être seuls ici que ça ne leur fait pas pareil.

— Ici il a le bar quand il est à terre ?

— Il a eu sa part d'alcool… Il a arrêté il y a deux ans. Alcooliques Anonymes. Comme Ian, notre skipper.

— Oh c'est triste alors, je murmure.

— Et bientôt ils vont tous être après toi, ces mecs solitaires… Vont entrer en chasse… il cligne de l'œil. Sauf moi. Je ne peux plus. J'ai une copine, je veux pas la perdre.

Le grand gars maigre conduit et parle comme un enfant

surexcité. Je l'écoute. Je dis : Oui. Oui. Et quand il se gare devant les docks, à côté du B and B, que l'on descend du truck et se dirige vers le bateau, je lui dis comme ça : *Let's get drunk, man*, j'apprends vite l'américain. Il se retourne interloqué, l'air de ne plus me reconnaître.

– Oh c'est rien, c'était pour rire, je réponds très vite en haussant les épaules.

Un jour il dit qu'il m'aime et il me donne un morceau de défense de mammouth qu'il gardait depuis très longtemps.

– Oh merci, je dis.

On déplace le *Rebel* jusqu'aux docks des usines. On hisse à bord palangres et provisions de calamars gelés. On a fait le plein d'eau, de glace. J'écarquille les yeux devant la montagne de vivres, des dizaines de cartons que Safeway a livrées jusqu'au ponton. Les gars apportent leurs sacs à bord.

– Mais il n'y a que six couchettes ? On est neuf… je dis au skipper.

– Le bateau est assez grand pour tous.

Je n'insiste pas. Il crie sans cesse maintenant.

Nous quittons Kodiak un vendredi. *Never leave on Friday*, ils disent. Mais le grand gars maigre ricane, il n'est pas superstitieux. Et Jesse le mécano se moque aussi :

– C'est comme les bateaux verts… De la connerie.

Mais Adam m'a mise en garde sur le quai :

– La superstition c'est imbécile, j'suis d'accord, mais j'en ai trop vu de ces bateaux verts qui avaient dérivé vers la côte sans qu'on comprenne pourquoi, s'étaient pris un rocher et partaient au fond avec tout l'équipage… Tu comprends, le vert c'est la couleur des arbres et de l'herbe, ça va attirer ton rafiot vers la terre. Et partir un vendredi c'est pas bon non plus. Nous on attendra minuit et une minute.

Les hommes défont les amarres en criant. J'ai la gorge serrée. Surtout ne pas être sur leur passage. Je me fais petite et finis d'arrimer les baquets sur le pont. Simon court, les yeux lui sortent de la tête, lui non plus ne comprend rien à rien. Il me bouscule, manque s'écraser sur le pont en gravissant péniblement l'échelle de métal qui mène à la passerelle, un cordage du diamètre de son poing enroulé sur l'épaule. Je love l'amarre que Dave a lancée en détachant la proue. Le skipper hurle. Je m'arc-boute quand même en tentant de traîner l'aussière je ne sais où, jusqu'au caisson du pont supérieur peut-être… Elle est trop lourde. Ian hurle encore.

– Je n'y arrive pas, je ne comprends pas, je bredouille.

Il se radoucit.

– Eh bien attache-la derrière la cabine!

J'ai envie de rire, de pleurer. On quitte enfin la terre, je sais déjà que je n'en reviendrai jamais. Le bateau met le cap plein sud. Il longe la côte avant de virer vers l'ouest.

Le lion s'est couché et déjà il dort. Jesus s'allonge à son tour.

– Ils ont raison, dit Dave qui revient de la timonerie, faut dormir autant qu'on peut, après on sait pas.

Mais quand je rejoins la cabine, les quatre couchettes sont prises. Mon duvet est jeté au sol. John ronfle sur la mienne. Je sors sur le pont. Simon regarde la mer. Il tourne vers moi un visage ébloui.

– Me voici sur le grand océan… il murmure.

– Ils m'ont pris ma couchette, je dis.

40

– J'en ai pas non plus.

Je rentre. Je ramasse mon duvet. Je m'assieds sur les talons dans l'encoignure de la coursive. L'homme-lion s'est réveillé. Il se redresse, passe trois doigts dans ses boucles raides. Ses yeux se posent sur moi.

– Où est-ce que je vais dormir ? je demande d'une voix faible, mon sac de couchage entre les bras.

Il me regarde très gentiment.

– Je ne sais pas, il répond doucement.

Je me relève, je monte voir le capitaine, le grand gars maigre face à ses cadrans. J'ai toujours mon duvet entre les bras, que je serre fort.

– Où est-ce que je vais dormir ? Tu m'avais dit premier arrivé, premier servi, et moi j'étais vraiment la première, c'est la loi des bateaux tu disais…

Et puis je ne dis plus rien. Il regarde au loin d'un air vague. Le ciel s'assombrit sur les grands monts de Ketchikan à l'ouest.

– Je ne sais pas où tu vas dormir, il dit pour finir, à mi-voix. Je t'avais proposé ma cabine… Tu n'en as pas voulu. Mais il y a de la place sur le bateau. Pour ce qu'on va dormir de toute façon… Laisse ton duvet derrière mon siège si tu veux.

J'ai posé mon duvet, ai redescendu l'escalier de la timonerie. Luis s'est allongé sur la banquette du carré. Je rejoins Simon sur le pont. Il m'offre une cigarette. Nous regardons la mer sans un mot. Le vent se lève à mesure que la terre s'éloigne. Déjà la côte n'est plus qu'une bande sombre qui toujours s'amoindrit. Le *Rebel* prend de la gîte et roule un peu. Simon pâlit. Nous rentrons dans le carré. Luis nous fait une place sur la banquette. La nuit est tombée. Nous attendons sous le néon.

Les gars se réveillent et il nous faut essayer nos combinaisons de survie. Jude a préparé le repas. Il porte une copieuse assiette de pâtes au skipper qui n'a pas quitté la barre. Ils redescendent ensemble.

— Prends ma place un moment, Dave.

Il se sert du café. Sa parole est tranchante.

— Ce soir les gars, dormez, vous allez avoir besoin de vos forces. Lever demain à cinq heures.

Il se tourne vers Jude :

— Dave prendra le premier quart. Tu prends la relève deux heures plus tard. Jamais plus de deux heures les quarts, on est assez nombreux. Jesus vient après toi. Puis Jesse. Les autres dorment. Ils auront le temps par la suite… Réveillez-moi s'il y a quoi que ce soit… On reste sur pilote automatique, sauf incident. Toujours à deux milles des côtes au moins. N'oubliez pas de faire un tour dans la salle des machines à la fin de votre quart, vérifiez que le moteur auxiliaire tourne bien et graissez l'arbre. Ça risque d'être de plus en plus agité, jetez un œil sur le pont de temps en temps, les palangres sont bien attachées, mais par sécurité…

— OK.

Jude baisse les yeux. Il ramasse les restes du repas sans plus un mot. Jesus se lève, le remercie, retrousse ses manches sur le petit évier de zinc. Je le rejoins. Je n'ai pas mes jambes de marin. Ça bouge.

— Merci pour le repas, c'était très bon, je murmure à Jude en passant.

— Ouais, il répond.

John se lève à son tour.

– Merci Jude.

J'aide Jesus à faire la vaisselle.

– Celui qui a fait le repas mange toujours en dernier, c'est la règle, il me dit à mi-voix, mais il n'a pas à faire la vaisselle, jamais, et on le remercie toujours. Enfin, normalement. Des fois tu fais ton quart, puis tu fais la bouffe pour ceux qui dorment encore, puis tu retournes à la barre et quand tu redescends personne ne t'a rien laissé et faut filer sur le pont…

– On m'a pris ma couchette, je réponds.

– C'est pas bien, c'est pas correct ce que John a fait là. Faut que tu te défendes. Mais pour l'instant t'es *green*.

Les gars sont retournés dormir. Dave me prête son couchage. Il me réveille gentiment deux heures plus tard.

– Mon tour…

Je me lève et manque tomber. Je dors à moitié. La cabine est encombrée de vêtements et de bottes. Le moteur gronde, le bateau roule fort à présent. Je chancelle dans la coursive, mon duvet dans les bras. Le carré est toujours éclairé par son néon blafard. Luis dort sur la banquette. Je me couche à l'autre bout, je m'entortille dans mon duvet, mon cocon, ma tanière sur ce bateau hurlant. Le matin nous trouve endormis les uns contre les autres sur le plancher de la timonerie, Luis, Simon et moi, sous l'œil indifférent de Jesse qui a pris son quart.

Enfin nous pêchons… Le jour s'est levé avant cinq heures. Le jour : une aube grise, un ciel glauque et plombé sur nos têtes. La lueur d'un soleil peut-être fait une trouée pâle dans la brume. Autour de nous l'océan à perte de vue. Il fait froid. Simon a lancé la balise depuis le pont supérieur, puis la bouée. La ligne se déroule. On s'écarte. Dave lâche l'ancre. Les premières palangres s'en vont à l'eau dans le grondement du moteur qui s'emballe, un tournoiement de mouettes qui tentent de saisir nos appâts avant qu'ils disparaissent dans les flots. J'apporte les baquets à Jude. Il noue l'extrémité des lignes les unes après les autres. Le vent siffle à nos oreilles. Il jette sur le pont les baquets vides d'un geste rapide et violent. Je les débarrasse aussitôt. Mon cœur bat terriblement. Les hommes hurlent dans un fracas de catastrophe. Jude se tient devant les flots bouillonnants, campé sur ses cuisses drues, reins bandés, le corps tout entier tendu vers l'urgence, la mâchoire dure, serrée, regard fixé sur la ligne qui se déroule, bête folle, monstre marin hérissé de milliers d'hameçons. Parfois l'un reste accroché à la gouttière. La ligne se tend dangereusement. En un instant il saisit la canne au bout de laquelle est fixé un couteau. Il crie encore : Écartez-vous ! et il coupe l'anpec qui liait l'hameçon à la ligne.

Dernière palangre ! il rugit pour prévenir le skipper. Qui toujours l'entend malgré le hurlement des choses et des hommes. L'orin nu se déroule encore, Dave lâche une ancre, la corde court jusqu'à la bouée finale et la balise. Le bateau ralentit. La tension qui nous raidissait retombe d'un coup. Un rire fuse. Je reprends mon souffle. Jude allume une cigarette. Il semble nous voir à nouveau. Il plaisante avec Dave qui se tourne vers moi :

– Ça va ?

– Oui, je murmure.

Je n'en suis pas revenue encore. Gorge nouée, je mets de l'ordre dans les baquets. Je n'ai rien compris à rien. Les cris des hommes m'ont terrorisée. Jesus a un bon sourire.

– Ça viendra… il me dit.

Je passe un coup de jet sur le pont. Le skipper paraît.

– Et maintenant les gars, nous sommes en pêche. Allez prendre un café, c'est parti!

On m'a trouvé des bottes qui traînaient à bord. Des vraies celles-là. Elles sont très grandes et percées dans le pli de la cheville. Je prends l'eau. Il fait froid. On m'a aussi trouvé un ciré de pêche – la salopette et la veste – plus large et plus solide que mon ciré de clown.

Je monte dans la timonerie avec mon café. Je croise Jesse, je me rabats contre le mur. Il me bouscule. Le grand gars maigre est adossé nonchalamment dans son fauteuil de capitaine.

– Ça se passe bien, le moineau?

– Oui. C'est quand que je prendrai mes quarts comme les autres?

– Faudra en parler à Jesse.

– Quand?

– Dès que tu peux le coincer.

Le ciel est opaque. La brume nous enrobe. Les hommes ont déployé les stabilisateurs de roulis de chaque côté du bateau, comme deux ailes de fer dont il ne resterait que l'ossature. Le *Rebel* balance étrangement, un oiseau trop lourd qui ne parvient pas à prendre son envol, rasant les flots. Des vagues lourdes font rempart, le bateau qui veut les franchir reste un instant en suspens sur la crête avant de redescendre dans des creux verdâtres. Une pluie fine et serrée tombe en rideaux obliques. Nous ressortons dans le froid. En silence nous enfilons cirés et gants de caoutchouc, nous bouclons nos ceintures. Ian est tendu, Dave ne sourit plus, Jesus et Luis semblent gris sous leur teint hâlé. Jesse aiguise sa lame. Je croise des regards qui ne me voient pas. Simon se cramponne aux montants des casiers, prêt à bondir au premier cri des hommes. Dans ses yeux la même angoisse qui me noue le ventre.

Le skipper s'est placé dans le renfoncement du château, contre le pavois. Les mains sur les leviers des commandes extérieures, il augmente la vitesse quand il aperçoit la bouée, le bateau vire, il ralentit, cherche le meilleur cap par rapport à la dérive. Jude a brandi une perche, attrape la balise qu'il hisse à bord.

– Tirez !

Et tous de s'accrocher à l'orin. La tension est extrême. Ian réduit la vitesse encore, avance légèrement, se place au-devant de la palangre, la ligne se détend. Dave la hisse dans la gorge de la poulie du vireur. Les hommes hurlent. Le skipper crie : Dénouez la balise et la bouée ! Vite ! Le moteur hydraulique se met en route. On reprend son souffle. Le corps de ligne remonte régulièrement. Ian accélère l'allure. Jude love. Je lui fais passer un baquet vide lorsqu'une palangre est toute remontée à bord. Vite je la dénoue de la suivante. Je range le baquet dans le violent roulis. Il est très lourd, gorgé d'eau et de vieux appâts. Jesus et Luis découpent les calamars à l'arrière. Le roulement des moteurs et celui de la houle sont assourdissants. Le vent bourdonne à nos oreilles. Les hommes se taisent. Ian se rembrunit. Les hameçons qui nous reviennent vides pendent tristement. De loin en loin, une petite morue noire tressaille au bout de l'un d'eux et glisse sur la table de découpe. Jesse lui ouvre le ventre de son couteau superbement affûté. Il l'éviscère avec colère et la lance au bout de la table, dans l'orifice qui rejoint la cale. Plusieurs heures ainsi. Quand la balise paraît enfin, le skipper jette ses gants furieusement, retire sa combinaison, quitte le pont sans nous adresser un mot. On donne un coup de jet. On remet tout en place. Le bateau a repris de la vitesse dans un sursaut de fureur. Jude allume une cigarette. Dave me sourit.

— Pas terrible, hein?

Nous recommençons à appâter longtemps, très longtemps, jusqu'à rejeter les palangres à la mer, appâter encore jusqu'à les ramener à bord, et ainsi, sans fin.

Et puis il n'y a plus de jours ni de nuits, mais des heures qui s'égrènent, le ciel qui s'assombrit, l'obscurité qui recouvre l'océan, il faut alors rallumer les lumières du pont. Dormir... Quelquefois on mange. Un petit déjeuner à quatre heures de l'après-midi, un déjeuner à onze heures du soir. Je dévore. Les saucisses qui baignent dans leur huile, les haricots rouges trop sucrés, le riz collant, je pense que chaque bouchée va me sauver la vie. Les hommes rient.

— Mais qu'est-ce qu'elle avale!

On tombe sur le banc de morues noires la troisième nuit. La mer ne s'est pas calmée. Simon et moi continuons de perdre l'équilibre, au gros de l'effort, et d'aller nous écraser contre les angles des casiers sous le regard excédé des hommes. On se relève sans un mot, comme pris en faute. Mais ce soir-là on n'en aura pas le temps. La première palangre arrive à bord et c'est une déferlante de poissons qui jaillit à nous en un flot presque ininterrompu. Les hommes hurlent de joie.

— Regarde, Lili, des dollars, tout ça c'est du dollar! crie Jesse en m'attrapant l'épaule.

Mais non, pas des dollars... des poissons bien vivants... des créatures très belles qui happent l'air de leur bouche stupéfaite, qui tournoient follement sur l'éclair blanc de l'aluminium, aveuglées par le néon, se cognent encore et encore à cet univers cru où tout contour est tranchant, toute sensation blessante. Non, des dollars, pas encore.

Il faut faire vite, la table en est déjà couverte. On me tend un couteau. Simon s'insère entre John et moi. Jesse revient en courant, brandissant le couteau qu'il aiguisait, pointe en avant dans les sursauts du bateau. Je croise le regard de Jude : une lueur de colère froide s'allume un instant à la vue du petit homme insensé, un imperceptible haussement de sourcils. Le sang jaillit, les corps noirs frémissent et se tordent.

La nuit est avancée. Notre lassitude a disparu dans l'excitation de l'urgence. Jude et Vick tranchent les têtes des morues encore vivantes puis les éventrent. Nous les vidons Simon et moi. Elles sursautent, elles se débattent quand nous raclons l'intérieur des ventres avec une cuillère. Cela fait un son rauque. Je le ressens jusque dans ma moelle. Les poissons sont lancés dans la cale à un rythme qui ne faiblit pas. Jesse sourit sauvagement. Dollars, dollars… murmure-t-il toujours comme un imbécile. John est absent, vaguement dégoûté. Jude travaille mâchoire serrée, le front résolument baissé, il ignore le monologue de Jesse. Il est le plus rapide. Ses mains puissantes tranchent, pourfendent, arrachent. Cela me fait peur. Mes yeux glissent, furtifs, depuis ses mains lourdes jusqu'au visage massif, imperturbable. J'ai moins peur. Mes muscles sont gourds, mes épaules en feu. Puis je ne les sens plus.

Le skipper hurle, je sursaute, mes yeux courent des uns aux

autres, on me crie quelque chose que je ne comprends pas. Simon prend les devants et retire précipitamment le baquet plein, en tend un vide à Dave qui love les palangres.

— Il faut que tu aies des yeux derrière la tête!

Je retiens mes larmes. Le lion a levé vers moi un regard courroucé, ce regard perçant qui me paralyse. Simon reprend le travail à mes côtés. Je le sens secrètement fier. Il plonge sa cuillère dans le ventre béant et racle, hagard, une espèce de rage semble l'habiter. Un sourire mécanique déforme ses traits. Mais de quoi se venge-t-il, de qui? Je veille à changer les baquets à temps. Simon guette. Je le devance et le bouscule s'il se met sur mon passage, lui arrache son fardeau quand il est plus rapide. C'est mon travail, ma tâche à moi. Je dois me défendre si je veux conserver ma place à bord.

Mes pieds sont gelés. L'eau sanguinolente imbibe mes manches. Nos cirés sont couverts de viscères. J'ai faim. J'avale furtivement la poche de laitance du poisson que je viens d'ouvrir. Goût d'océan. C'est doux et fondant sur la langue. Mon bonnet a laissé échapper des mèches poisseuses que j'écarte d'un revers de manche. Elles restent collées à mon front. Je porte à ma bouche une autre poche nacrée. Dave a surpris mon geste. Il pousse une exclamation d'horreur.

— Lili! T'es pas folle?

Les hommes relèvent la tête.

— Elle mange ça!

Moues de dégoût. Je baisse le front, cramoisie sous mon masque de sang.

La dernière palangre remonte à bord. Un petit vent glacé nous transperce. Je vacille et m'endors debout. Arrivent enfin l'ancre, la bouée, le pavillon… Ian se tourne vers nous avant de remonter dans la timonerie :

– On remet ça les gars… On renvoie le matos !

Chacun a repris son poste. Je fais appel à toutes mes forces et toute ma rage. J'empoigne les baquets avec plus de vigueur, une énergie farouche et nouvelle. Quelque chose se réveille en moi, violent désir de résister et de me battre toujours plus, contre le froid, la fatigue, vaincre les limites de ce petit corps. Aller au-delà. Les palangres défilent par-dessus le tableau arrière, dans le ciel qui pâlit. La dernière balise est jetée. Le jour va paraître. L'horizon s'est teinté d'une longue bande rouge. Coup de jet sur le pont.

– Repos, dit le skipper.

On s'asperge d'eau glacée pour rincer les cirés. La fatigue est telle, on se sent comme saouls. Les hommes font des estimations :

– Douze mille livres ?… Quinze ?

Dave me gronde gentiment :

– Tu peux mourir à manger du poisson cru.

– J'avais faim, je proteste faiblement et sur un ton d'excuse.

– Allez, va te laver la gueule et dormir un peu… il répond en riant.

– Elle est pas mal cinglée mais bon Dieu, qu'est-ce qu'elle est marrante ! se moque encore John.

Chacun a fini par trouver son coin pour la nuit. Simon dort sur la banquette du carré. Luis et Jesus se partagent une couchette. J'ai le sol de la timonerie tout à moi. Celui qui prend son quart m'enjambe pour passer. Quand je lève les yeux, je vois le ciel derrière la rangée de vitres embuées. Je me sens en sécurité sous l'œil vigilant du veilleur de mer. Ils rient et me traitent de folle quand je leur dis que j'aime ma place.

Je me réveille avant l'heure. Je m'extirpe du duvet et le roule en boule dans un coin. Je m'assieds sur le caisson des combinaisons de survie. Je regarde la mer et nous qui avançons. Quelquefois l'homme-lion est là, à fixer les flots ardoise de son regard impénétrable. Je ne veux pas le déranger. Je regarde les flots que nous franchissons, les creux profonds, la houle qui roule et se déroule jusqu'aux confins de l'horizon. Je voudrais qu'il m'explique le fonctionnement des leviers, la signification des radars. Je n'ose pas demander. Je rêve qu'Ian nous prendra à son bord cet hiver. Nous ne quitterons plus l'océan. Nous travaillerons ensemble dans le froid, le vent et le souffle éperdu des vagues, moi entre ces deux hommes, le grand gars maigre – et Jude, l'homme-lion, le grand marin que je regarderai exister et pêcher sans jamais me mettre sur son chemin surtout, sans jamais désirer plus que ces silences ensemble, quelquefois, face à l'océan qui avance.

La nuit est froide. Il est très tard. Ou très tôt. Les reflets de la lune dansent sur la mer à l'horizon, un puits d'or miroite. Nous appâtons les lignes, l'éclat violent du néon sur nos traits creusés. Ian est sorti de la timonerie. Quelque chose le contrarie. Il parle à mi-voix avec Jesse. J'entends les mots «vedette» et «Immigration». Il quitte le pont et retourne aux commandes.

Je me débarrasse de mes gants, jette mes cirés à l'entrée de la cabine, je monte quatre à quatre l'escalier, j'arrive devant Ian essoufflée et les joues en feu.

– C'est à cause de moi que tu as peur? Les mecs de l'Immigration vont se pointer?

Son visage est blafard sous le spot de la timonerie, les plis de sa bouche tracés au couteau.

– Un bateau tourne dans les environs. J'arrive pas à savoir qui c'est. On se demandait avec Jesse si ça serait pas les gardes-côtes...

– T'en fais pas, je dis dans un souffle, t'en fais surtout pas à cause de moi, si c'est l'Immigration je me jette à l'eau.

Il a l'air alarmé soudain.

– Tu ne peux pas faire ça Lili, l'eau est bien trop froide... Tu mourrais tout de suite.

– Justement. Ils ne m'auront pas vivante. Jamais ils ne m'auront! Jamais ils ne me renverront en France!

Alors il me sourit, inquiet pourtant. Il dit presque doucement:

– Retourne sur le pont, retourne travailler maintenant... Ce n'est sûrement pas l'Immigration.

Plus aucun signe de la terre où nous avons vécu un jour. La brume encore, toujours. Il fait nuit. La mer ne s'est pas calmée depuis que nous avons quitté Kodiak. Froid aux pieds déjà dans ces bottes qui n'ont pas séché. Les doigts gourds se battent pour tenter de refermer les cirés. Jude avale une poignée d'aspirine.

– Tu as mal à tes mains ? je demande dans un mauvais américain.

Il lève sur moi un regard surpris, un regard lointain qui perd de son aplomb et vacille un instant. Mais se raffermit aussi vite. Le skipper gueule. Jesse disparaît lâchement dans la salle des machines. John n'est pas prêt, jamais, il a le mal de mer. Jesus et Luis échangent quelques mots en mexicain d'un air morne. Leur teint bistre a viré au vert. Ian enfile nerveusement ses gants avec le regard de celui qui va se faire battre. Je regarde les bourrasques d'eau frapper les carreaux, solidement plantée sur mes jambes – mes jambes de marin, enfin. Le poids de mon corps oscille de l'une à l'autre. Je sens sous mes paumes la rondeur de mes reins durcis qui jouent avec le va-et-vient de la gîte. Ils ne résistent plus aux coups de boutoir qui ébranlent les flancs du bateau, ils dansent et jouent avec.

Dave pousse la porte, le vent s'engouffre. Nous le suivons sur le pont. Je pense au café auquel nous n'avons pas eu droit. Le skipper nous rejoint, sa tasse fumante à la main. Nous sortons couteaux, gaffes et crocs, détachons la poulie du vireur, basculons le rouleau-guide par-dessus l'hiloire. Ian manœuvre le *Rebel* jusqu'à la bouée qui disparaît dans les creux. Jude saisit la perche, ramène la balise à bord. Le moteur hydraulique se met en marche. La pêche a repris. L'orin remonte. Le skipper gueule. Tout n'est que routine à présent.

La pêche miraculeuse ne dure pas. Plusieurs fois Dave a posé la main sur l'orin pour en sentir la tension. Trop tendue… a-t-il murmuré d'un air soucieux lorsque j'ai croisé son regard. Le skipper a stoppé le bateau et le moteur hydraulique. Quelque chose n'allait pas. La ligne s'enfonçait à l'oblique dans l'eau. Jude s'était penché au-dessus des flots qu'il scrutait d'un air terrible. Ian avait son visage des mauvais jours. Soudain un claquement sec, des cris, des jurons, la ligne s'était rompue. Tout s'est passé en un instant. Je n'ai pas compris, j'ai fait comme les autres, je me suis ruée sur la corde qui filait. On n'a pas eu le temps de la retenir, elle nous a glissé entre les doigts.

Le skipper était livide. Il n'a rien dit. Les hommes se taisaient. Ils ont baissé la tête c'est tout. Je n'avais rien compris encore, sauf que des centaines de mètres de palangres étaient peut-être perdues. Ian a jeté ses gants sur le pont, n'a pas pris la peine de retirer sa combinaison pour rejoindre la timonerie. Le bateau a repris brutalement de la vitesse. On a vite eu fait de rejoindre l'autre extrémité de la ligne. Le skipper a réapparu. Il avait repris quelques couleurs. Je l'ai regardé, ses yeux ont croisé les miens, il a eu un petit sourire, une grimace furtive et pitoyable. J'ai compris que ça allait mal.

Jude a attrapé balise et bouée, en jurant parce qu'elles avaient failli lui échapper. On a fait repasser l'orin sur la poulie.

Le moteur hydraulique est reparti. Cela n'a pas duré. Deux palangres plus tard, la ligne s'est rompue à nouveau.

– C'est foutu cette fois, a murmuré John.

– Si on avait seulement le temps de draguer les fonds… a répondu Dave à mi-voix. Là on va en être pour notre poche. On s'est remis au travail. Le skipper a regagné son bastion. Peut-être qu'il pleure, j'ai pensé une seconde. Simon est descendu dans la cale et m'a tendu les boîtes de calamars gelés. Dave et Jude parlaient à voix basse de la ligne trop oblique, sa tension anormale, la maladresse d'Ian qui n'aurait pas su manœuvrer. On a perdu quinze palangres, ça va nous coûter quelque chose, Andy va vouloir qu'on rembourse au prix fort.

– Cette merde qu'il nous a refilée… les semaines que ça nous a prises pour tout remettre en état !

– Ouais, mais le skipper a des risques, il a bien dû voir sur le sonar* que le fond n'y était pas.

J'aiguise mon couteau sur la pierre. Je la tends à Jesus. Nos regards se croisent. Il a un sourire d'impuissance, cet air naïf qui lui est propre. Je me retiens de rire. J'ai ouvert les boîtes d'appâts et pique du nez dans les calamars gelés, les tranche jusqu'à en faire un tas que je pousse au milieu de la table. Dave s'est tu. La cigarette de Jude lui pend au coin des lèvres, la fumée monte dans ses yeux et le fait grimacer. Luis et John font la gueule. Nous appâtons depuis des heures.

– Hé Simon, si t'allais nous préparer quelque chose à bouffer, le temps qu'on s'occupe de ça ?

On a droit à notre riz brûlé une heure plus tard, des saucisses, trois boîtes de maïs. C'est bon malgré tout. Les hommes mangent en silence. Simon, debout dans l'angle du fourneau, cramoisi, attend que l'on ait fini pour manger à son tour. Le skipper lève les yeux de son assiette, se rappelle son existence. Il l'envoie dans la cale recouvrir les poissons de glace fraîche.

— Mais il n'a pas mangé! je dis.

Jude me lance un regard glacial, Dave semble étonné mais il fronce les sourcils, Jesus a l'air gêné. Les autres n'ont pas bronché. Ian me lance d'une voix mordante :

— Ta gueule Lili. C'est son boulot aussi, non ?

J'ai baissé un front brûlant. Je me ramasse dans un coin de la banquette. Quelques larmes me viennent aux paupières. La gorge nouée, j'étouffe un hoquet de rire nerveux tandis qu'une bouffée de colère me surprend.

Les hommes sont ressortis. Jesus et moi faisons la vaisselle. Il rit.

— Tu ne dois jamais rien dire au skipper. Tu sais que tu peux te faire virer pour ça ? Le skipper a toujours raison.

— Mais Simon n'avait pas mangé !

— C'est le skipper qui décide, Lili, et ça t'arrivera plus d'une fois si tu continues dans le métier. On n'en meurt pas tu sais, on mange mieux la fois d'après, c'est tout.

John passe en coup de vent. Il est en retard comme toujours. Il ouvre un tiroir et attrape deux Bounty avant de sortir.

— Je peux moi aussi ?

Jesus rit. Je mets les restes au chaud pour Simon. Nous rejoignons les hommes sur le pont.

Des poissons très rouges bondissent sur la table. Corps rugueux, nageoires acérées, les yeux saillants et stupéfaits semblent jaillir des orbites.

— Pourquoi ils tirent la langue, Jesus?

— Ils tirent pas la langue, c'est leur estomac.

— Ah...

— C'est la décompression qui fait ça. On les appelle les poissons idiots. À cause de leurs yeux qui sortent et de leur langue, comme tu dis.

Le sang ruisselle sur les corps écarlates. Gorge béante, nous les jetons au bout de la table, je les pousse dans le trou de la cale. Jesus travaille à mes côtés. Il hoche la tête d'un air préoccupé.

— Simon n'est pas ressorti, il murmure. J'espère qu'il fait attention.

— À quoi?

— Aux *idiot fishes**. Ces poissons sont dangereux. T'as pas vu leurs nageoires? Il y a du poison dans les pointes. Paraîtrait même que c'est mortel si on se fait piquer dans le cou.

Le skipper nous regarde. Jesus se tait. Nous attendons Simon. Il ressort enfin de la cale, regard furtif et inquiet dans son visage amaigri. Le vent a tourné. Il fait presque beau.

Nous finissons très tard dans la nuit. Je remonte dans la timonerie quand je vois Simon aux commandes du bateau, Jesse lui expliquant longuement la signification des cadrans. Coup de couteau dans le cœur. Il s'est vu accorder son premier quart de veille.

— Et moi? je murmure. Et moi alors?

Ian m'a trahie. Je retiens mes larmes, un pêcheur ça ne pleure pas, il m'avait dit que j'étais un pêcheur, que bientôt j'en serai un... Il m'a parlé comme à une enfant, pour me faire rire et rêver... Je redescends précipitamment l'escalier. Les gars sont allés dormir. Ian et Dave parlent quotas devant un café.

Je les interromps, d'une voix tremblante que je voulais rugissante. Ian en oublie d'être furieux :

— Qu'est-ce qui t'arrive le moineau ?

— Je suis pas un moineau et Simon est de quart...

Ma voix s'étrangle, je triture mes mains en reprenant mon souffle.

— Et moi, c'est quand ? Tu m'avais dit que j'étais capable, que ce serait mon tour bientôt. Tous les matins quand vous dormez, je m'entraîne, je veille avec celui qui est à la barre... Je jure que je m'endormirai pas !

Dave sourit :

— Faut savoir attendre, Lili.

— C'est Jesse qu'il te faut voir, pas nous, dit Ian. Le bateau c'est comme son enfant. Va te coucher le moineau. Va dormir, ton tour viendra.

Je ne reste pas davantage. S'ils me voient pleurer ils ne me donneront jamais mon quart. Je remonte me terrer dans le recoin le plus sombre de la timonerie. Simon trône dans le fauteuil de capitaine. Il ne me jette pas un regard.

Au matin le skipper m'a prise à part. Il m'attrape par la manche quand j'essayais de l'éviter.

— J'ai parlé à Jesse. Ce soir tu prends le premier quart.

— On est sur pilote automatique... Dès que quelque chose te semble anormal, réveille-moi ou réveille le skipper.

Jesse est allé dormir après l'éternelle recommandation. Très droite dans le fauteuil je trempe un morceau de chocolat dans mon café. La mer est belle. Des vaguelettes courtes glissent contre l'étrave. Rien ne paraît sur le radar, à part nous, un

point brillant au centre de cercles concentriques et d'étincelles
éphémères. Nous sommes à des dizaines de milles de toute
côte. Des centaines de brassées de profondeurs obscures en
dessous de nous. Un oiseau pâle surgit dans le faisceau blanc
de la proue. Ses ailes immenses battent l'air silencieusement.
Il tourne et virevolte lentement sur lui-même. Dormait-il ou
n'est-il qu'un rêve ? La radio grésille, parfois quelques paroles
deviennent audibles. Elles semblent naître de la nuit, messages
d'autres vivants qui eux aussi parcourent le grand désert. Les
cieux et la mer ne font qu'un. On avance dans la nuit. Les
hommes dorment. Je veille sur eux.

Le grand gars maigre, assis face à la mer, absent du skipper
qu'il était. Ses longs membres dégingandés qu'il a relâchés
mollement pendent de chaque côté du fauteuil. Ses traits sont
pâles et fatigués, mâchoire anguleuse et fine, bouche entrouverte, le regard triste et très lointain.

– T'es triste ? je demande.

Ses yeux déteints reviennent. Il se tourne vers moi. Il sourit,
doux-amer, passe une main sur son front, de longs doigts dont
la finesse m'étonne toujours.

– Tu as des mains de pianiste.

– Oh Lili… il soupire.

Il n'y a rien d'autre à dire. Le temps s'est levé à nouveau.
Peggy à la météo marine n'annonce pas d'accalmie. Fort coup
de vent, augmentant en cours de journée pour devenir alerte à
la tempête. Des lames verdâtres rehaussées de traînées d'écume
malmènent le *Rebel* dans des tourbillons d'embruns. Boire un
café est périlleux, cuisiner presque impossible. Simon s'essaye

encore à brûler du riz, et bien qu'il attache le manche des casseroles dans les tringles du fourneau, l'eau verse, le gaz s'éteint.

— Il va tous nous faire sauter, grogne Jude, qui prend sa relève.

John a le mal de mer et reste couché souvent. Luis râle.

— Déjà qu'il foutait rien! Pas vrai *bro**?

Et Jesus de sourire. Jesse commence à regarder le grand gars maigre d'un œil torve, depuis l'incident des lignes perdues.

— Le torchon brûle… dit Dave qui a pris froid.

Il a la fièvre et tousse et crache et ne rit plus jamais. Simon supporte stoïquement les engueulades des hommes. Jesus reste égal à lui-même. Nous nous lançons toujours des regards amis par-dessus la table, quand il fait tard et froid.

— Tu deviens bonne, me dit-il un jour. Tu commences à tout comprendre. Et vite.

Le skipper ne me reprend plus que rarement. Les hommes crient moins, peut-être. Je n'ai plus le temps de penser à Manosque-les-Couteaux. D'ailleurs c'est oublié. Mais l'urgence de tout n'a pas faibli, ni la violence de lorsque l'on pêche. Ni la peur panique qui déferle en nous, Simon et moi, celle d'être engloutis par la colère des hommes quand tout se déchaîne sur le pont.

La pêche est bonne pendant deux jours, puis la chance tourne à nouveau. Par deux fois les lignes restent prises dans les fonds rocheux. Elles rompent aux deux extrémités. Le coup est dur. Ian a perdu toute arrogance. Dans ses yeux quelque chose chancelle. Les hommes n'ont rien dit. On s'est remis à appâter sans un mot sur le pont rincé par les vagues.

J'interroge Jesus à mi-voix:

— Mais pourquoi est-ce si terrible ?

— Nous allons devoir rembourser les lignes à l'armateur, c'est beaucoup d'argent, qui va être pris directement sur notre part. Avec tout le boulot qu'on a fait à terre pour remettre les lignes en état... Trois semaines c'est ça ? Si nous continuons de perdre du matos, c'est nous bientôt qui devrons de l'argent au bateau. Et toi en plus, tu ne vas toucher qu'une demi-part.

— Eh bien je retournerai pêcher ! je dis en haussant l'épaule.

Le skipper hurle depuis la timonerie. Temps d'aller virer les lignes. Cette fois nous ne semblons pas être pris. La ligne remonte sans difficulté. Les hommes se détendent. Ils osent un rire bref qui pourtant trahit leur nervosité. Penché au-dessus des flots, la main sur le levier de commande, Ian fixe la ligne intensément. Une fois de plus je plonge mon couteau dans les ventres blancs. La chair lisse et tendue résiste un instant, puis cède. La lame s'enfonce d'un coup — le sang jaillit dans un éclair et inonde la table. Il coule sur le pont en rigoles écarlates. Nous sommes les tueurs des mers, je pense, les mercenaires de l'océan et nous en portons la couleur. Visage et cheveux poisseux de sang, je tranche la chair pâle. Quelquefois des œufs. Je mords dans les poches de corail. Ce sont des perles d'ambre rouge qui s'égrènent dans ma bouche, des fruits limpides pour ma soif.

Je n'ai pas vu la petite morue passer entre les gardes d'acier, le décroche-poisson qui devait la retenir. Je crie quand elle se prend dans la poulie du vireur. Ma voix se perd dans le vacarme des moteurs, le sifflement du vent, le roulement des vagues. Je m'égosille en vain. Dave relève la tête et gueule. Le skipper remonte le levier précipitamment. Les hydrauliques s'arrêtent. Jude déprend les lambeaux de morue. Je m'écrase sous l'orage.

– Lili! Mais qu'est-ce tu fous bordel? Pourquoi t'as rien dit?

– Mais je l'ai dit! J'ai crié... Personne n'a entendu.

– Personne ne t'entend jamais de toute façon, personne ne comprend rien à ce que tu dis!

Le moteur repart. J'ai la gorge brûlante, le cœur affolé. Je ne lâche plus la ligne des yeux, prête à rabattre le clapet de fer si un poisson passe entre les montants. Je change le baquet au plus vite quand une palangre est remontée à bord, la dénoue de la suivante, charrie le plein à l'autre bout du pont. Je ne tombe plus. Je retourne à la table de découpe sans perdre un instant.

Un jeune cabillaud repasse entre les gardes alors que je remplaçais un baquet. À nouveau il se prend dans la poulie. La ligne se prend dans l'hameçon, s'entortille et se tend dangereusement, d'autres hameçons claquent et sont projetés à l'autre bout du pont. Je crie, Jude crie plus fort, Ian arrête tout. Je me précipite pour dégager la ligne, le poisson broyé tombe.

– Lili! Mais bordel de merde Lili, tu dors?

– J'pouvais pas voir, je bredouille, je débarrassais la palangre...

– Si t'es pas capable de faire le boulot, t'as rien à foutre ici! il braille encore, avant de réenclencher une vitesse.

Je baisse la tête. Ma vue se brouille. J'attrape une morue que j'éventre. Ma lèvre inférieure tremble, je la mords sauvagement. Colère et révolte me submergent. Je ne veux plus du sang des poissons, de ces hommes imbéciles qui m'ont pris ma couchette. Ils se moquent de moi, ils crient et alors je tremble. Je ne veux plus tuer ni avoir peur d'eux. Je veux être libre, courir à nouveau sur les docks, m'en aller à Point Barrow...

Je n'ai pas vu le poisson très rouge arriver sur moi, la nageoire dorsale hérissée de piques déployée comme une aile qui vient se planter dans ma main. Dave a manqué l'ouverture de la cale. La douleur est fulgurante, une punition à ma rébellion peut-être. Les larmes jaillissent pour de bon. Je retire mes gants, des pointes se sont fichées à la base du pouce. J'en retire trois, profondément enfoncées, une autre traverse la chair de part en part. Je l'extirpe avec mes dents. Le beau poisson gît gorge ouverte. Jesus fait un signe au skipper. On me montre le carré d'un geste de la main.

– Va désinfecter la plaie… Je t'ai dit qu'il y avait du poison dans ces nageoires, murmure Jesus, qui semble avoir mal pour moi.

Je quitte le pont dans la honte. Ma main semble paralysée quand je retire mon ciré. Je m'assieds sur la banquette du carré. Je m'adosse, ferme les yeux. La douleur arrive par saccades, remonte en vagues brûlantes depuis la paume jusqu'à l'épaule. Mon cœur fait des embardées, ma vue se brouille. Je me balance lentement comme si j'allais basculer. Les hommes sont sur le pont, peut-être pour des heures encore, il me faudrait les rejoindre. Je me lève. Je vais rincer la plaie. La tête me tourne. J'ai peur de m'évanouir. Alors je sors sur le pont supérieur, en passant par la timonerie pour que personne ne me voie. Le ciel s'est découvert. Un pâle soleil fait briller la crête des vagues. J'allume une cigarette en m'y reprenant longtemps. Contre le canoë de survie il y a moins de vent. Je pleure un peu, c'est presque bon. Les hommes pêchent. Je devrais être avec eux. Ils n'ont pas dû comprendre pourquoi je suis partie. Jude doit être furieux. Pire, il me méprise. C'est bien une femme, il doit penser. Bien sûr il ne faut pas écouter la douleur. Et la douleur que m'importe. Mais quand même… D'ailleurs je vais mourir puisque le poisson était empoisonné. L'océan s'étend sans fin. Le grondement du pont parvient jusqu'à moi, les baquets qui heurtent les étagères d'aluminium et s'entrechoquent, des cris parfois, par bribes. Je fume ma cigarette au soleil. Est-ce que mourir va durer longtemps ? Je renifle et me mouche entre deux doigts. C'est triste, je pense en regardant le ciel, la mer, c'est tellement dommage de mourir. Mais sans doute que c'est normal aussi, s'en être allée si loin et seule, si loin vers le si Grand Nord, là où on l'appelle « *the Last Frontier* », la dernière frontière, et l'avoir franchie, la frontière, avoir trouvé son bateau et se retrouver transportée de joie sur l'océan, à y penser le jour et la nuit, à n'en dormir presque plus sur son coin de plancher sale. Connaître des jours, des nuits, des aubes belles à en renier son passé, à y vendre son âme. Oui, avoir osé la franchir, la frontière, ça ne pouvait être que pour y trouver la mort, y pêcher sa fin très rouge et très belle, un poisson ruisselant de mer et de sang, venu se ficher dans ma main comme une flèche flamboyante. Je revois mon départ, la traversée des déserts dans le car au lévrier bleu, le ciel de l'anorak et ses nuages de duvet autour de moi… C'était donc pour cela que je partais, cette force qui me donnait toutes les audaces, gagner ma mort. Je revois Manosque-les-Couteaux où je ne mourrai pas, enfin, traquée dans une chambre obscure. Je ne pleure plus. Je redescends dans le carré. Ma main est devenue inerte. Une fois de plus je me sens fautive en voyant les hommes s'affairer sur le pont. Je me recroqueville dans la coursive. Il y fait sombre et chaud. Je serre ma main contre mon ventre.

Le skipper m'a retrouvée là, ramassée dans l'ombre. Je ne l'avais pas entendu approcher. Peut-être m'étais-je assoupie. J'ai sursauté. Il n'a pas crié.

– Mais qu'est-ce que tu fais là ?

Il s'est agenouillé. Il n'y avait pas de colère dans sa voix.

– Je… je vais retourner sur le pont, j'ai dit, je me reposais juste un peu.

– Ça fait très mal ?

– Assez.

– Attends…

Il est entré dans le cabinet de toilette, a fourragé dans l'armoire à pharmacie et m'a rapporté une poignée de Tylenol.

– Avale ça, et repose-toi encore, on a presque fini le set*. On va tous faire une pause-café.

Les hommes sont rentrés. Ils n'avaient pas l'air furieux, au contraire, même Jude, qui m'a souri. Dave ne cessait de s'excuser. Le skipper était redevenu le grand gars maigre. Jesus restait soucieux :

– Il te faudra quand même aller à l'hôpital quand on rentre à terre.

J'ai fini par oublier que je devais mourir ce jour-là. J'étais heureuse au milieu d'eux. Ma main faisait encore très mal. Les hommes se sont levés et je me suis levée avec eux.

– Tu n'es pas obligée de venir tout de suite, a dit Ian.

– Ça va très bien, j'ai dit.

Et l'on est retournés sur le pont. Je voulais être avec eux toujours, que l'on ait froid, faim, et sommeil ensemble. Je voulais être un vrai pêcheur. Je voulais être avec eux toujours.

Je ne veux pas rentrer. Je ne veux pas que ça finisse. Pourtant aux abords de la côte, l'odeur de la terre me surprend. La neige a fondu sur les Old Women's Mountains. Les collines verdissent. Des effluves de feuilles, des relents de souche et de vase m'effleurent, comme des impressions très lointaines du temps où l'on était terriens. En approchant encore de la côte, les notes d'un oiseau qui appelle m'étonnent et me remuent le cœur. J'avais oublié. Je ne connaissais plus que le cri rauque des mouettes, les longues plaintes des albatros, leur tournoiement geignard autour des palangres. Ma poitrine se gonfle d'amour, je respire à pleins poumons la terre. Je suis heureuse et on repart au soir.

Les hommes relèvent les bras des stabilisateurs de roulis. Le *Rebel* franchit la bouée de l'île aux macareux. Nous sortons les aussières des caissons, renouons les défenses au bastingage. Les docks des conserveries ne sont plus loin. Haute mer. Dave, à la proue, lance la touline* à un ouvrier sur le quai, qui tourne l'amarre sur un bollard*. Ian manœuvre, point mort, marche arrière, le flanc du *Rebel* vient s'accoler au dock, je joue des bouées pour le protéger des heurts, Jude à la poupe lance l'aussière à l'ouvrier qui la bloque sur un autre bollard. John bouscule Simon, lui arrache le cordage qu'il fixe lui-même à quai. Déjà Jesus et Luis ont retiré les capots de cale.

Le skipper nous a laissés pour rejoindre les bureaux. Un ouvrier nous envoie un énorme tube que Luis plonge dans la glace fondue, où surnagent des poissons éventrés.

– Hé frère ! crie Jesus à l'homme. Tu peux envoyer…

Bruit de succion. Notre cargaison est pompée lentement. Jesus et moi nettoyons la cale. Dave dilue la poudre de chlore et me tend le seau. Nous grattons chaque recoin, tenant la brosse à bout de bras. L'écume chlorée dégouline sur nos visages. Les yeux piquent. Je ris. Simon me balance le tuyau.

– Fais attention ! Tu nous l'envoies dans la gueule !

– Lili ! On va en ville, si tu veux profiter du truck...

Je me suis débarrassée de mon ciré, j'enfouis cigarettes et porte-monnaie dans mes bottes. Je grimpe l'échelle quatre à quatre. J'ai rejoint Simon et Jude à l'arrière du truck, coincés déjà entre des bouées.

– Tu devrais aller à l'hôpital, me conseille le skipper avant de prendre le volant. Qu'ils te fassent une injection d'antibio.

Je m'allonge sur le plateau arrière, la tête calée contre un cordage. L'air est doux. Les bourgeons sont sortis. J'ai fermé les yeux. Je respire à pleins poumons les relents des cheminées d'usine et l'odeur des arbres, bouffées lourdes et violentes, presque tièdes après l'âpre rudesse du large. Je ris. Je me redresse pour sentir encore les vagues de cet air nouveau qui vient nous gifler la face. Simon a repris son aplomb. Jude m'observe. Ses yeux fuient quand je croise son regard. Il s'est tassé dans l'angle du truck. On dirait que son corps est trop pesant ici, il ne sait plus le porter, ni qu'en faire, ni pourquoi. Il redresse le front, regarde par-delà les montagnes d'un air redoutable. Il me fait peur à nouveau. Je tourne la tête et referme les yeux.

Ian nous laisse devant la poste. Une petite maison jaune bâtie sur une armature de remorque a été garée sur le terrain vague pendant notre absence – « À vendre ». Je m'arrête. Oh... je dis. Je cours pour rejoindre les gars. Poste restante. Simon a une lettre. Nous ressortons. Jude nous quitte devant le Tony's :

– Rendez-vous dans deux heures ici…

Il pousse la porte du bar. Nous marchons dans les rues Simon et moi. Nous sommes fiers de nous. Nous revenons de mer. Notre pas est balancé, quelquefois un vertige nous prend et le sol semble se dérober. Mal de terre? Nous rions. Puis Simon me laisse.

Je m'en vais le long du port. La ville est claire. Je mange du pop-corn face aux quais, assise sous le mémorial du marin mort en mer. Un homme s'arrête. Niképhoros. Il a relevé ses manches. Une ancre sur l'avant-bras droit, l'étoile du Sud sur le gauche. Des sirènes et des vagues qui s'enroulent autour.

– Tu manges toujours du pop-corn? rit-il. Et ton bateau, tu l'as trouvé?

– Je suis sur le *Rebel*. On vient de décharger. On repart ce soir.

Il a un sifflement surpris.

– Le *Rebel*! Tu commences dur, dis-moi…

Il prend mes mains, les inspecte longuement.

– Des mains d'homme, il dit.

Je ris.

– Elles ont toujours été fortes, elles ont grossi encore.

Il passe un doigt sur les coupures que le sel n'a cessé de creuser.

– Soigne-les, mets de la crème, garde pas ça. Ça s'infecte trop vite en mer, surtout avec les appâts pourris et le sel.

Il voit encore les trous tuméfiés du pouce et fronce les sourcils :

– Et ça?

Je lui raconte le poisson rouge.

– Va à l'hôpital.

Je ne réponds pas.

Luis et Jesus manquaient à l'appel. J'ai eu le vertige lorsque les hommes ont défait les amarres et que j'ai senti le *Rebel* s'ébranler vers la haute mer, un vent de panique m'a traversée. J'ai respiré fort, tourné la tête vers le large. C'est passé. J'ai compris qu'il fallait que je garde confiance en eux, toujours, quoi qu'il arrive. On est partis. J'ai lové les cordages et les ai rangés dans le caisson. Jude semblait soulagé de reprendre la mer. Sa poitrine s'est dilatée. Il s'est redressé, a raffermi le menton qu'il tenait haut à présent. Il était l'homme-lion à nouveau et j'ai baissé les yeux sous son regard. Il fixait la mer très très loin, par-delà les détroits de tous les continents du monde. Puis il a craché longuement et s'est mouché entre deux doigts.

La pêche a repris. La houle nous malmène. Elle arrive en lames amples et longues du plus loin que portent nos regards. Simon a pris la couchette de Jesus, il m'a laissé mon plancher. Je m'y suis faite, c'est ma place à bord, sous les multiples fenêtres par lesquelles je vois toujours le ciel. Les hommes dorment, corps abandonnés, membres épars, dans les entrailles chaudes du bateau, le grondement sourd des moteurs, l'odeur moite et lourde des vêtements qu'ils n'ont pas quittés, le relent âcre des chaussettes qui traînent à terre.

Ma main enfle. Elle rougit. Nous pêchons. Les hommes

interrogent silencieusement les flots. Le poisson a filé ailleurs. La mer semble vide et nous nous épuisons en vain. Jude a apporté un vieux magnétophone qu'il a noué à un montant d'acier. Une country douce et triste vient bercer le temps interminable où il nous faut réappâter. Le ciel s'éclaircit un soir. L'homme-lion est face à moi. La cuisse repliée contre sa poitrine, le pied droit sur la table pour soulager ses reins, il s'acharne patiemment à démêler une palangre que la mer nous a rendue en un amas de nœuds. Un rai de soleil s'est posé sur son front, éclaire la crinière sale, enflamme ses pommettes déjà brûlées. Un peu de sel colle aux paupières et reste en suspens sur ses cils. Nous baignons dans la lumière du soir, la musique s'échappe en vagues, le va-et-vient régulier de l'eau sur le pont qui s'écoule par les écoutilles pour revenir l'instant suivant lorsque le bateau oscille, bruit de ressac, un souffle lent, le rythme égal du flux et du reflux. Chant d'éternité. Je tourne la tête vers la mer, elle est rousse des cuivres de la fin du jour. Peut-être va-t-on toujours aller ainsi, jusqu'à la fin de tous les temps, sur l'océan roussi et vers le ciel ouvert, une course folle et magnifique dans le nulle part, dans le tout, cœur brûlant, les pieds glacés, escortés d'une nuée de mouettes hurlantes, un grand marin sur le pont, visage apaisé presque doux. Quelque part encore… des villes, des murs, des foules aveugles. Mais plus pour nous. Pour nous, plus rien. Avancer dans le grand désert, entre les dunes toujours mouvantes et le ciel.

Et nous appâtons, des heures et des heures jusqu'à la nuit très sombre, traçant notre route d'écume, sillage éphémère qui déchire les flots et disparaît presque aussitôt, laissant le grand océan vierge et bleu, puis noir.

Ma main est rouge et tuméfiée. Je pense à l'hôpital où je n'ai pas voulu aller. Pour du pop-corn, pour errer en ville et boire des bières avec les gars… Jude me surprend à vider la boîte d'aspirine.

– Tu as mal ?

– Un peu.

Puis sur le pont. Je grimace et lâche un hameçon. Les yeux jaunes m'observent.

– Montre-moi ta main.

Il regarde la chair violette et tendue :

– J'ai quelque chose contre l'infection…

Plus tard il m'amène à sa couchette, tire une trousse à pharmacie de derrière la combinaison de survie qui lui sert d'oreiller. Il sort méticuleusement des tubes et boîtes en tout genre, en choisit deux :

– Prends ça, de la pénicilline, et ça encore… céfalexine. C'est bon contre toutes les saloperies qu'on peut choper en mer.

Il me montre les cicatrices blanches de ses doigts noueux. Il me raconte les hameçons plantés, coups de couteau, blessures de pêche et de mer. Je regarde ces mains qui lui font si mal qu'elles le réveillent la nuit. Je ne suis pas fière de moi, petite femme maigre échappée d'un bourg poussiéreux et lointain. Je cache ma main dans une manche sale. Pour être digne de rester à bord près de Jude, je ne me plaindrai jamais. Pour son respect plutôt mourir.

– Au fait Lili, ta main, ça va ?

J'ai laissé traîner un bras distrait sur la table. Nous mangeons.

– Oui, je réponds à Ian qui regarde ailleurs.

J'espérais que quelqu'un voie. Personne n'a vu. À part les yeux jaunes qui doublent la dose de pénicilline.

Le vent et le froid ont repris de plus belle. Agenouillée sur le pont je travaille à démêler une palangre, mes gants percés depuis longtemps, emplis d'un jus glacé de calamars pourris et d'eau saumâtre. Je me suis baissée pour ne pas tomber. Je pleure de colère et de douleur. La pluie cache mes larmes. Vient la pause enfin. Le skipper parle :

– Réchauffez-vous les gars. Mangez. Prenez des forces. On n'arrêtera pas cette nuit. Le temps presse.

Alors je vais mourir, je pense. Je vois des bourrasques d'eau crépiter contre les carreaux et s'écraser sur le pont. Les élancements ont gagné l'épaule. Je ne regarde même plus cette main difforme, peau tendue à en éclater. Je finis mon café. Il faut y retourner. Les gars se lèvent. Je les suis. La pêche reprend. Nous travaillons dans la grisaille, cieux et flots confondus. Les hommes sont avares de leurs cris, gestes mécaniques et précis, l'esprit engourdi bientôt autant que les corps. La brume s'épaissit jusqu'à devenir opaque. Alors c'est la nuit qui vient. Nous n'avons pas cessé. Le bateau continue sa route.

À trois heures, Ian nous fait rentrer :

– Ça suffira pour aujourd'hui.

– Tu avais dit…

– Continue toute seule si tu veux.

Les hommes n'ont plus la force que de rire. Ils disparaissent un à un dans la cabine pour leur couchette où ils s'enfoncent, rompus. Je retrouve mon bout de plancher sous l'œil gentiment narquois de Dave.

– Bonne nuit petite Française… Tu sais que tu te débrouilles de mieux en mieux ?

– Bonne nuit, je murmure.

Je suis en train de perdre la bataille. Ça ne va plus être long avant que quelque chose arrive. J'enfouis la tête dans mon duvet. Je voudrais brailler comme un enfant. Je mords ce poignet qui me fait tant souffrir. Je voudrais l'arracher, être libre à nouveau de tous les commencements, comme aux premiers temps à bord. Le sommeil ne vient pas, ou par bribes confuses. Je suis les différentes veilles des hommes. Elles se succèdent dans un demi-rêve douloureux. À sept heures le skipper reprend la barre. Il nous faut y retourner. Je pousse la porte qui mène au pont. Jude me retient.

– Montre ta main… Tu ne peux plus travailler. Il faut montrer ta main à Ian.

– Il va me renvoyer à terre.

Je détourne mon regard du sien et fixe l'extrémité de mes bottes.

– Tu dois en parler au skipper.

– Non, je réponds. Il va me renvoyer à terre.

Et je secoue la tête avec obstination.

– Si tu ne lui en parles pas c'est moi qui vais le faire.

Ils sont revenus ensemble. Ian fronce les sourcils :

– Pourquoi t'as rien dit bordel ?

– Je pensais que ça allait passer… Jude me donnait des antibios.

– Elle dit qu'elle veut pas rentrer à terre, murmure Jude.

Les hommes ont repris sur le pont. Il y fait glacé et brutal. Dave m'a prêté sa couchette et son walkman. Et moi

je retournerai parmi eux bientôt, ils prennent soin de moi
et ma main va guérir. J'ai tenu bon. Jesse a dit que j'étais
«Super-Tough», comme les vraies bottes de pêche dont c'est
la marque. Ils m'ont laissé une couchette… Mon cœur se
gonfle de gratitude.

Les toilettes prennent l'eau. Je retire les chiffons dont on a
bourré la cuvette, m'assieds sur la cuvette et reçois une giclée
d'eau de mer. Je me redresse le cul trempé. Le bateau est lourd
à présent, un reflux s'engouffre à chaque creux de vague. Je
me vois dans la glace, sous la lumière très blanche du néon.
Au coin des paupières et sur les pommettes, de fins tracés
blancs s'écaillent. Ma main reste prise dans un lacis de boucles
et de nœuds durcis par le sel, collés par l'écume et le sang
séché. C'est en passant les doigts dans ma crinière hirsute que
je découvre la ligne rouge. Elle part de la paume et remonte
jusqu'à l'aisselle. Je me souviens qu'on meurt quand elle rejoint
le cœur.

Je regarde tourner les oiseaux à l'avant du bateau, un
nuage gémissant et las. L'énorme ancre rouillée semble fendre
la brume. Des rouleaux menaçants avancent avec nous.
Le skipper décroche l'émetteur. Il cherche un moment sur
les ondes pour joindre l'hôpital. Puis il appelle les bateaux
alentour.

— Prépare tes affaires, ton duvet. Le minimum. Le reste tu
le récupéreras plus tard. Le *Venturous* fait route vers Kodiak
pour décharger. On ramène le matos à bord et on file à sa
rencontre. Une chance. On a perdu assez de fric pour la saison.
On peut pas se permettre de rentrer déjà.

Le grand gars maigre est bref. Il se radoucit :

— Va te recoucher, on en a bien pour deux ou trois heures.

Je baisse la tête, je regagne la couchette. La mer me berce. J'ai tout perdu. Loin du bateau et de la chaleur des hommes je vais me retrouver bête orpheline, feuille au vent dans l'insupportable froid du dehors. J'entends les hommes sur le pont. Je ne les ai pas encore perdus. Je songe à me cacher… Cela ne changerait rien, on ne me veut plus à bord. On ne garde pas une incapable qui crèverait dans un placard. Mais peut-être vais-je mourir avant. Si la ligne atteint le cœur avant qu'ils terminent de virer les palangres.

Le *Venturous* n'est plus loin. Je suis remontée dans la timonerie. Ian est aux commandes. Dave se tient à ses côtés. Je porte mon duvet et ma petite besace. J'écrase mes larmes de ma main valide. Le skipper me regarde doucement.

— Tu as de l'argent ?

— Oui, je hoquette, j'ai cinquante dollars.

— Prends ces autres cinquante… et écoute-moi, il dit lentement. Si dans deux ou trois jours c'est fini, tu peux nous rejoindre. Va à l'usine, adresse-toi aux bureaux, on communique par radio chaque jour. Tu leur dis qu'il te faut rejoindre le *Rebel*, que tu fais partie de l'équipage. Ils te trouveront un bateau qui revient dans les parages.

— Oui, je dis.

J'essuie mon visage dans une manche sale. Je renifle.

— Où est-ce que je peux dormir ? je demande encore, comme au premier jour.

— Va au shelter*, l'abri du frère Francis, ou plutôt non, va au local où l'on a bossé sur les lignes. Il y a déjà un gars qui

75

y dort, Steve, le mécano d'Andy, un bon gars. T'as dû le voir
là-bas déjà… Tu as tout retenu ?

— Oui, je crois.

Les deux hommes me regardent avec une douceur triste.

— Tu vas nous manquer, dit Dave.

Je ne réponds pas. Je sais bien qu'il ment. Comment quelqu'un
qui a failli aux autres pourrait-il leur manquer ? Il me traite en
enfant. Pas en travailleuse de la mer. Assise dans un coin de la
timonerie, comme avant, au temps des premiers matins à bord,
je fixe l'océan sans un mot. Déjà le *Venturous* paraît.

Et j'ai sauté vers les flots gris. La mer était houleuse, d'épaisses
trainées d'écume roulaient avec les lames. Le grand navire s'est
approché du *Rebel* le plus qu'il lui était possible. Jude penché à
l'avant, giflé par les bourrasques et les rafales d'eau, maintenait
les bouées entre les deux géants, la manœuvre rendue périlleuse
par la violence des vagues. Le skipper m'a donné une
accolade, Dave une forte poignée de main, Jesse qui ne se
départait jamais d'un gilet de sauvetage lorsqu'il travaillait sur
le pont me l'a passé autour de la poitrine. Une dernière fois
j'ai tourné la tête vers eux, puis vers l'homme-lion congestionné par l'effort, j'ai pensé que je ne les reverrais jamais
plus, et les hommes m'ont lancée vers le *Venturous* comme si
le bateau me rejetait. Ils étaient trois à ouvrir les bras en face,
penchés sur la lisse, prêts à me rattraper si j'avais glissé. Je n'ai
pas glissé. Un instant plus tard nous filions sur Kodiak.

Personne ne crie sur le *Venturous*. Brian, le skipper, me
sert un café. Le grand homme pose sur moi des yeux bruns et
pensifs. Il me donne un cookie.

– Je viens de les faire, il dit.

– Je veux retourner pêcher, je dis. Vous croyez qu'ils vont me laisser repartir ?

Il ne sait pas. Il ne faut pas que je m'inquiète, je dois me reposer à présent, des bateaux il y en aura toujours. Mais moi je pense au *Rebel*, qui vogue vers quel horizon à cette heure. Je mange le cookie. Brian m'a tourné le dos, penché sur le fourneau. Il y a des jolies photos aux murs : le *Venturons* recouvert de glace, des hommes qui la brisent… un enfant sur une plage sourit de sa bouche édentée, une femme rit sous un parapluie… Un homme est venu s'asseoir à la table. Il est encore plus grand mais blond. Ses cheveux sont noués par un bandana rouge.

– C'est Terry, l'*observer**, me dit Brian. Il travaille pour le gouvernement et contrôle notre pêche.

– Tu devrais dormir, me dit l'homme. Je te passe ma couchette si tu veux.

– Je ne suis pas trop sale ?

– Non tu n'es pas trop sale. Il rit.

Sa couchette sent l'après-rasage. Il y a même un hublot. Je regarde les vagues déferler en rouleaux sombres sous un ciel très bas. Quelqu'un rentre parfois, ressort. Je n'ouvre pas les yeux de peur de croiser le regard d'un homme qui revient du pont. Il doit faire très froid dehors. Les gens sont gentils à bord. Ils m'ont prêté une couchette. Ils me laissent dormir pendant qu'ils travaillent. Combien de temps jusqu'à Kodiak, combien d'heures, combien de jours ? Arriverons-nous avant la ligne rouge au cœur ? Mon front est brûlant. Ils m'ont donné du café et un cookie.

Je me réveille. La nuit est tombée. Les élancements sous l'aisselle sont devenus plus violents. Je ne vois que l'obscurité au travers du hublot et la crête blanche des vagues qui semblent avancer très vite. Je me lève et mes jambes vacillent. Les hommes pêchent toujours. L'*observer* se tient dans la coursive. Je lui demande :

— Est-ce que la ligne rouge arrive vite au cœur ?

Il sourit gentiment.

— Je suis un peu médecin, il dit, laisse-moi voir… Allons dans la salle de bains, il y a plus de lumière.

Je le suis. Il referme la porte. Il soulève mes innombrables pulls et sweat-shirts enfilés les uns sur les autres. Il tâte les ganglions du coude, ceux de l'aisselle. Ses belles mains sont douces sur ma peau. Je lève les yeux parce qu'il est très haut. Je le regarde avec confiance. Je l'écoute. Lui aussi prend soin de moi.

— Tu n'es pas grosse, il dit.

Je baisse les yeux vers mon torse blanc. Les côtes font une ombre bleue à la naissance des seins. Je regarde ce corps avec étonnement, je l'avais oublié si léger. Il rabat mes pulls précipitamment. Quelqu'un est entré. Je me sens honteuse et je ne sais pas pourquoi.

Nous retournons dans le carré. Une jeune femme se sert du café et nous en propose. Je regarde autour de moi. Les photos et notes qui recouvrent les murs. On se sent au chaud comme dans une maison. La jeune femme a suspendu ses gants au-dessus du fourneau. Elle passe de la crème sur son visage, puis ses mains. Je regarde avec étonnement ses cheveux propres et bien attachés, la peau très lisse du visage, les doigts fins et blancs. Elle a l'air de ne craindre personne. Puis c'est un gars qui arrive de la salle des machines. Il tient un seau rempli d'huile noire. Je me tasse sur la banquette. Il fronce des sourcils roux dans son visage étroit. Il est très jeune. D'autres hommes poussent la porte, le vent s'engouffre avec eux un instant. Ils soufflent dans leurs mains gonflées et rouges. Chacun se sert du café et vient s'asseoir à la table. Une femme descend de la timonerie, elle échange quelques mots avec le skipper qui promène un doigt lent sur sa joue, ses lèvres, s'étire longuement avant de monter la remplacer. Elle prépare un thé et vient s'asseoir parmi nous. Les gars veulent voir ma blessure et ma ligne rouge.

– Elle fait ses débuts dans le métier, dit l'un.

Tous racontent des histoires effrayantes de plaies infectées, de membres arrachés, visages défigurés par des grappins d'acier.

– La sienne est pas mal… dit l'autre.

Les femmes acquiescent. Je rougis. Je suis fière de moi.

– Temps de rentrer à terre, dit le jeune aux sourcils roux, on n'a plus de cigarettes depuis trois jours.

– Il m'en reste encore plein !

Et j'extirpe de ma manche un paquet froissé. Pour la première fois il sourit.

– Allons en griller une sur le pont !

Un homme est sorti avec nous. Des bourrasques nous rabattent sous l'auvent. Ils fument à grandes bouffées. Le matelot roux, Jason, finit sa cigarette, en allume aussitôt une autre. Il pousse un long soupir d'aise. L'autre est rentré. L'air est glacé. Je pense aux visages des hommes à bord du *Rebel*, que le froid dévore à cette heure. Est-ce qu'ils m'ont oubliée déjà ?

– Je veux retourner sur le *Rebel*, je dis à Jason, tu crois qu'ils vont me garder longtemps à l'hôpital ?

– Ils ne te garderont peut-être pas, peut-être qu'ils vont seulement te faire une injection, te donner quelques cachets, et demain tu seras repartie. Le *Venturous* te ramènera même au *Rebel*, nous pêchons dans le même secteur. Et s'il te faut rester quelques jours à terre, tu peux toujours aller sur le *Milky Way*. C'est mon bateau, le *Milky Way*, je l'ai acheté avec ma paye de *crabber** de l'hiver passé.

Il sourit sauvagement en disant cela.

— Vingt-huit pieds… Tout en bois. Bientôt je pars pêcher à son bord, peut-être le tourteau cet été… Brian devrait me refiler des casiers.

Le ton de sa voix est saccadé, ses yeux brillent en fixant la mer, il se tourne vers moi.

— J'suis comme toi, tu sais, j'suis pas d'ici. J'ai grandi à l'est, dans le Tennessee. J'foutais rien de ma vie. Un jour j'ai fait mon sac, j'ai dit salut à tout le monde, j'suis parti… Je suis venu ici à cause des ours, les plus gros du monde, ça m'a plu… Brian m'a embarqué pour le crabe. Maintenant je ne veux faire rien d'autre que pêcher.

Ses yeux s'allument à nouveau, il émet comme un petit rugissement – mais de lionceau.

— Le froid, le vent, les vagues dans la gueule et cela, pendant des jours, des nuits… Se battre! Tuer du poisson!

Tuer du poisson… je ne réponds pas. Ça, je ne sais plus. Nous rentrons au chaud. Des hommes sont allés dormir. La femme du skipper mange. L'*observer* se tait. La belle fille boit un thé. Ils me font parler de la France.

— On dit chez nous que les Américains sont de grands enfants, je dis.

Les yeux de Jason flamboient à nouveau sous les cils transparents.

– Alors ceux d'Alaska sont les enfants les plus sauvages!,
et il rit comme s'il allait mordre. Le *Venturous* devrait arriver
très tard dans la nuit, il dit encore. C'est moi qui te conduirai
à l'hôpital. Je t'emmènerais bien boire des White Russians,
ils sont si bons chez Tony… Une autre fois mon amie. C'est
promis.

Nous prenons un taxi dès l'arrivée au port. Le chauffeur est
philippin. Ses yeux noirs brillent dans l'obscurité.
– La pêche a été bonne? il demande.
La radio grésille en arrière-fond: on l'appelle pour une
autre course. Il prend note.
– Pas trop mal, répond Jason, on a dépassé les vingt mille
livres cette fois. Mais mon amie a été blessée. Il faut qu'elle
aille à l'hôpital. Et qu'on la soigne vite: ils ont besoin d'elle à
bord.
Je souris dans l'ombre. On passe la ville et ses lumières,
les bars qui brillent. Le taxi s'enfonce entre les grands rideaux
d'arbres. Le ciel est profond au-dessus de nos têtes. Je serre
mon duvet entre mes mollets, ma besace contre moi. Je reconnais
la route de terre qui menait au local où nous travaillions aux
lignes. Le taxi ralentit, on tourne à gauche, un bâtiment de
bois blanc à l'orée d'une forêt, éclairé par deux lampadaires.
Jason ne veut pas me laisser payer.
– Au revoir mon ami, il dit au chauffeur.
Le petit hôpital est désert. Jason m'a laissée dans la salle
d'attente. Une infirmière m'emmène tout de suite
– Vous voilà enfin… On commençait à s'inquiéter.
– Quand est-ce que je peux retourner pêcher?

On m'a allongée sur une table. Deux infirmières examinent longuement ma main, mon bras, palpent les ganglions des aisselles. On me fait une injection d'antibiotiques.

— Vous croyez que je peux repartir demain ?

Les femmes sourient.

— On verra... Il était grand temps que vous arriviez. On s'est vraiment inquiété. Empoisonnement du sang, on en meurt rapidement, vous savez.

— Oui, je sais... Mais combien de temps vous allez me garder ?

— Deux ou trois jours peut-être, répond l'une.

— Mais dites, c'est vrai que l'on vous a jetée à l'eau, dans une combinaison de survie, pour vous faire passer d'un bateau à l'autre ? demande l'autre.

On fait une radio. Une arête caudale est restée fichée contre l'os du pouce.

— Il va falloir que l'infection se résorbe avant de la retirer, dit le médecin.

Je n'irai pas boire des White Russians ce soir. Jason est reparti. Je suis seule dans une chambre, entre des draps très propres et blancs. L'infirmière place la perfusion. Elle est douce et lente. Elle rajuste un oreiller, me dit de ne pas m'en faire. Elle va sortir.

— Quand est-ce que je pourrai partir ?

Elle se retourne, elle ne sait pas.

— Demain ?

— Peut-être... elle répond.

Je m'endors. Je pense au *Rebel*, aux hommes endormis dans son ventre, au roulement des moteurs comme un cœur furieux, et eux qui les habitent, ce ventre et ce cœur, dans le balancement sans fin des flots. À celui qui veille. J'ai froid seule sur terre. On m'a arrachée à eux et me voilà soudain loin de ce temps irréel où nous pêchions ensemble. Je pense au chant des vagues, aux longs frissons de la houle, océan et ciel basculés. Ici tout est fixe.

C'est déjà le lendemain. Un médecin vient me voir. Il essaye de me faire rire et m'apporte des cigarettes.

– Prenez la perfusion avec vous et allez fumer dehors. On doit vous garder encore un peu. Vous ne pouvez pas ressortir avec ça dans la main.

– Je ne fume pas beaucoup.

– Allez fumer quand même, ça vous fera du bien.

Il fait beau sous les pins noirs. Je devine l'océan au-delà des arbres. J'allume une cigarette et soudain Jason est là. Il est descendu d'un taxi qui n'a pas arrêté son moteur. Il tient un livre et un bout de corde qu'il me tend.

– Tiens, c'est pour toi… Pour apprendre les nœuds de pêche. Je n'ai pas le temps de te parler plus longtemps, le *Venturous* quitte le port bientôt et je suis déjà en retard…

Il accepte quand même une cigarette.

– On se revoit plus tard, juré… Au petit port de la baie des Chiens, troisième ponton, le *Milky Way*… Courage mon amie, je préviendrai ceux du *Rebel* par radio. Je leur dirai aussi que tu seras bientôt de retour.

Jason est reparti. Il n'y a plus que la route nue et les grands pins noirs. Je regagne ma chambre. Par la fenêtre les mouettes. Je me suis recouchée. J'attends.

La sonnerie du téléphone éclate dans le silence des quatre murs. J'ai décroché avec l'espoir fou que ce soit le grand gars maigre qui m'appelle depuis la timonerie.

– Allô! je m'exclame.

C'est une voix d'homme impersonnelle qui répond :

– Allô, ici l'Immigration… Nous avons appris que vous travailliez illégalement à bord d'un vaisseau de pêche…

J'ai bondi, je fais le tour de la pièce du regard, mes yeux reviennent se poser sur mon bras, la perfusion est une chaîne qui me lie à ces murs.

– Non, ce n'est pas vrai… pas vrai du tout… je bredouille.

Le pêcheur de Seattle éclate de rire à l'autre bout du fil.

– Il ne faut pas… il ne faut jamais dire des choses pareilles, je balbutie, et les larmes étranglent ma voix tout à fait.

Il s'est longuement excusé avant de raccrocher. Je reste à la fenêtre jusqu'à ce que le ciel s'obscurcisse. Le *Rebel* n'a pas appelé.

On me porte un hamburger, une salade, un petit gâteau rouge et crémeux. Je pleure en silence sur le gâteau. Le *Rebel* s'éloigne chaque jour davantage. Ils ne me reprendront plus à bord. Je ne demande plus rien aux infirmières. Je n'espère plus que l'on me délivre. On m'apporte seulement à manger. Perfusions. Cigarettes. La nuit j'ai froid. Je gémis dans mes rêves.

Un matin on me laisse sortir pourtant. Mais je dois revenir trois fois par jour pour les soins. Un embout de plastique blanc est piqué sur le dos de ma main. L'arête est toujours là. Les infirmières me regardent partir comme des mères.

– Vous serez au chaud et dans un endroit propre ? Vous n'allez pas à l'abri du frère Francis au moins ?

– Oh non je n'irai pas. Mon skipper m'a dit d'aller au hangar, là où l'on travaillait pour le bateau. Il y a une petite chambre. Et je m'en vais dans le jour blanc. La besace tape contre ma hanche, je serre mon duvet dans mes bras. La pluie commence à tomber, en gouttes fines et serrées. Je me hâte vers le chemin de terre que j'aperçois dans le virage.

Les casiers à crevettes défoncés et rouillés, les bouées crevées recouvertes de mousse, les vieux trucks et le bateau bleu qui pourrit lentement, rien n'a bougé. Je fais coulisser la lourde porte métallique. Steve n'est pas là. Le vaste hangar est vide et humide, froid à en pleurer, mais c'est l'abri des lignes du *Rebel*. Les hommes reviendront. Je retrouve l'odeur des palangres, d'appâts pourrissants, la lumière crue du néon sur l'atelier sale. J'ai traversé le hangar jusqu'à la machine à café. J'allume la radio très doucement. Il reste de l'eau au fond du jerrican. Je me suis fait du café que je bois face à la porte laissée grande ouverte. Devant moi le terrain vague. Les arbres hauts et le bateau abandonné tanguent lentement, vus du rocking-chair d'où je me balance. C'est le fauteuil rouge du grand gars maigre qu'il avait rapporté, sa maison une fois vendue. Il avait aussi fait cadeau de sa thermos, que j'ai remplie et posée à terre. Je bois mon café dans une tasse très sale, les traces de doigts et trainées brunâtres doivent dater de ces jours où nous travaillions tous ensemble. Par la porte ouverte le ciel inchangé au-dessus des feuillages qui ont seulement pris un vert plus intense. Mes yeux reviennent se poser sur la tasse et ses marques noires d'un temps lointain et la thermos rouge, celle que je portais chaque matin à la tête du lit d'un grand gars maigre. Je me balance dans son fauteuil. Je pourrais encore croire qu'il va revenir, sa silhouette se découpant soudain dans l'encadrement clair de la porte et sur le terrain vague désert, dire quelque chose comme «C'est beau la passion», et me ramener à son bord.

Un pick-up s'est arrêté devant la porte. Je me suis ramassée dans l'ombre. Steve est descendu. Il est entré. J'ai reconnu le gars au sourire doux et timide, celui qui sortait de la chambre le premier matin au local, la jeune Indienne le suivant en baissant la tête. Il semble surpris de trouver quelqu'un là. Je m'excuse très vite, il balbutie trois mots. Nous sommes embarrassés l'un et l'autre.

— Il y a deux lits dans la chambre, tu fais comme chez toi, il dit en détournant le regard.

— Je t'ai pris du café... Je vais en ramener un paquet.

— Tu fais comme chez toi... il dit encore.

Il ne sait plus que faire. Il a tourné sur place et puis il s'en sert une tasse. Nous regardons tomber la pluie par la porte ouverte.

— La saison de la morue devrait bientôt se clore autour de Kodiak, dit-il à voix très basse, presque dans un murmure, les quotas ont été atteints.

— Alors je ne repartirai plus? Tu es sûr de cela? C'est fini pour moi?

Ses yeux osent enfin me fixer. Il sourit pour la première fois, d'une façon très gentille et douce.

— Je parlais juste des quotas d'ici. Beaucoup vont continuer de pêcher dans le Sud-Est. Il y a de fortes chances pour que le *Rebel* file là-bas... Ça m'étonnerait qu'ils s'arrêtent déjà.

— Oh je l'espère! Comme je l'espère...

Je regarde par la porte, au-delà du terrain vague. Derrière ces arbres il y a la mer. Sur la mer avance mon bateau.

Il est ressorti. J'ai traversé le hangar jusqu'à la petite pièce sans fenêtre, posée comme un cube à l'intérieur du vaste atelier. Le néon a hésité longtemps avant de s'allumer. Je me suis fait un passage entre les sacs-poubelle qui encombraient le sol, gonflés de vêtements qu'on y avait fourrés à la hâte. J'ai buté sur un cendrier plein qui s'est répandu sur la moquette grise. Dans l'angle un lit, à côté d'un poste de télévision qu'on avait oublié d'éteindre, un sac de couchage roulé en boule sur des oreillers nus et gris. J'ai posé mon duvet sur l'autre lit. Je me suis assise. J'ai tenté de ramasser les mégots éparpillés. La moquette était si poisseuse que je me suis découragée, je n'ai retiré que le plus gros. J'ai essuyé mes doigts sur le bas de mon jean. J'ai mangé une petite chips qui sortait d'un paquet éventré, sur une table basse devant moi. Elle était molle et un peu rance. J'ai soupiré : Allez, ça ira… D'abord j'aurais eu trop froid à dormir dans un des trucks.

Je me suis levée. J'ai éteint la télévision. Je suis sortie. J'ai marché jusqu'au grand magasin, le Safeway où nous avions l'habitude de déjeuner. Il faisait chaud, tout brillait jusqu'à la musique, les gens semblaient heureux et drôles. Je me suis promenée longtemps entre les rayons. Mais c'était bientôt l'heure de retourner à l'hôpital. J'ai acheté des céréales et du café, du lait et des biscuits mexicains, petites galettes de farine et d'eau – ceux que Jesus aimait tremper dans son café.

La pluie avait cessé quand je suis ressortie. L'air sentait le poisson, non pas l'odeur fraîche et puissante, vivante, de lorsque l'on pêchait, mais une autre, plus lourde et morbide, les relents nauséabonds que soufflaient les conserveries et que

les vents du sud rabattaient sur la ville. J'ai marché jusqu'à
l'hôpital. La perfusion, très vite. Je suis retournée au local
m'asseoir dans le fauteuil rouge. Je me suis préparé un bol
de céréales que j'ai calé sur mes genoux. La radio égrenait les
chansons douces du temps passé. J'ai regardé le terrain vague
jusqu'à la nuit. J'attendais le *Rebel*.

Et ainsi des jours et des nuits. Je m'endormais dans l'obscurité du cagibi. Je rêvais. Un homme, un animal sautait dans
mon dos, ses dents s'enfonçaient dans mon cou, ses griffes
lacéraient mes épaules, le creux des aisselles, le tendre de l'aine.
Des flots de sang s'écoulaient en cascade. Ils me submergeaient.
Steve rentrait très tard dans la nuit. Je l'entendais buter contre
les sacs de vêtements. Il me sauvait des cauchemars comme
on tire un naufragé hors de l'eau.

– Ah c'est toi… je disais en reprenant mon souffle. Merci
de me réveiller…

Il riait doucement dans l'obscurité. Il était saoul peut-être.
Très vite il dormait. Les cauchemars reprenaient. Je gémissais.
Il se réveillait et il écoutait. Il n'osait rien dire.

Steve dormait tard le matin. Je me levais dès le lever du jour.
J'allais retrouver mon poste dans le fauteuil rouge, la thermos
pleine à mes côtés. Une fois réveillé, il restait longtemps dans
la chambre obscure. Il allumait la télévision et passait de son
lit au fauteuil. Les cendriers débordaient, et de plus en plus.
Il sortait enfin, plus pâle que jamais. Il souriait faiblement. Le
jour entrait à flots par la porte grande ouverte, il clignait des
yeux. Il partait travailler en vacillant sous la lumière.

Steve est parti travailler. J'ai retrouvé mon vélo dans un coin de l'atelier. Je fouille dans le placard à peinture, j'ai déjà sorti un pot de bleu et du jaune, j'aperçois le rouge quand un pick-up se gare sur le terrain. Je tends l'oreille. Je m'approche prudemment. Un homme décharge des palangres. Des boucles noires retombent sur son front cuivré. Regard sombre de latino. Je sors de l'ombre, je m'avance. Bonjour, je dis bravement. C'est à peine si l'homme me remarque. Il dépose les baquets devant la porte du hangar. Empilés les uns sur les autres il se fait une table de fortune, une planche posée en travers. Il se met au travail. Il vide à terre le contenu puant du baquet, une palangre ramassée en un amas compact de nœuds et d'hameçons, de vieux appâts déliquescents.

— Ils n'ont pas utilisé de calamars, eux ? je demande.

— Non. Le hareng c'est moins cher. Mais ça pourrit plus vite.

Il défait les hameçons un par un, les met de côté, jette les appâts dans un baquet vide. Je m'approche. Il lève sur moi un regard agacé.

— Si tu ne fais rien, tu peux m'aider. Andy donne vingt dollars pour la palangre remise en état.

— Je sais pas si je devrais.

— Pourquoi ça ?

— Ma main. Je me suis fait mal. Ils m'ont dit de faire attention à l'hôpital. Faut la garder propre. Autrement ça pourrait recommencer.

Il montre de la tête un petit ruisseau saumâtre qui coule à la limite du terrain entre la ferraille et les bouées crevées.

— T'en as de l'eau. Partout. T'as qu'à aller te rincer la main de temps en temps. Le plus tôt on a fini, le mieux c'est. Ces palangres, c'est le *Blue Beauty* qui les a laissées la dernière fois qu'ils ont déchargé. Andy les veut pour quand ils repassent.

– Quand même, je ne crois pas, je murmure.

Je me mets au travail pourtant. Je n'oserai plus repeindre le *Free Spirit* en face de l'homme et sous son regard noir.

– Steve dort ? il dit.

– Oh non, il travaille bien sûr.

– Il est encore rentré saoul hier soir ?

– Je ne sais pas.

– Il travaille pour Andy, Steve. Mécano. Un jour il va se faire virer.

– Mécanicien ? Mais le *Blue Beauty* et le *Rebel* sont en mer.

– Il a d'autres bateaux, Andy, il en a un paquet. Et faut bien des mécanos à terre aussi. Il a du fric Andy… Remarque, vaut mieux pour lui, avec toutes les femmes qu'il a eues et pour lesquelles il doit banquer. Six… et les mioches en plus.

– Ça va mieux, dit le docteur. L'infection est résorbée. Bientôt on pourra retirer l'arête.

Alors je retournerai pêcher, je pense. Si le bateau ne rentre pas avant. S'ils veulent toujours de moi.

Je suis retournée au hangar. Il fait grand soleil. L'homme est parti manger. Les baquets pourrissent au soleil. Je m'assieds dans le fauteuil rouge. Des essaims de mouches tournent dans l'encadrement doré de la porte, gorgées de lumière et du jus pourri. Je suis bien ici, je pense, à part la nuit où j'ai peur.

L'homme des baquets revient. Je ne bouge pas.

– Tu ne reprends pas ?

– Non, je réponds. C'est pas bon pour ma main. Je veux retourner pêcher.

Il hausse les épaules. Je suis gênée qu'il ne me croie pas. Je me lève et m'avance jusqu'à lui. Il reste penché sur son travail.

– Regarde, je dis, tu crois pas qu'il vaut mieux…

J'écarte le bandage. Il a un regard excédé :

– Me dérange pas tout le temps.

Mais son visage change soudain. Il ravale une gorgée de salive.

– Oui, oui… arrête-toi, t'en as déjà fait pas mal…

Je vais chercher alors les peintures bleue et jaune. Je prends la verte et la rouge aussi. Je sors le *Free Spirit* au soleil. Je le repeins longuement, en bleu pour le cadre, les jantes étoilées des autres couleurs. Je prends soin de ne pas recouvrir son nom. Des mouches viennent se poser parfois sur la peinture fraîche, j'essaye de les retirer alors mais je ne parviens qu'à prendre leurs ailes. L'homme lève la tête. Pour la première fois je l'entends rire. Je pose délicatement les ailes par terre, je ne sais plus qu'en faire. Je regarde l'homme, il sourit.

– Ce petit vélo de merde a enfin meilleure allure.

– Oh oui je dis.

J'ai tendu le pouce en direction du port. Un truck a freiné, un énorme filet rouge à l'arrière. Un homme m'ouvre la portière. Le vent s'engouffre par les fenêtres ouvertes. Le soleil que l'on a de face m'éblouit. Je me laisse aveugler et gifler par le vent.

– Vous descendez à votre bateau ?

– Oui, on se prépare. La pêche au saumon devrait ouvrir d'ici trois semaines.

– Vous n'avez besoin de personne?

Il sourit.

– Peut-être quelqu'un pour garder les enfants. Ma femme vient avec moi.

– De toute façon j'en ai pas besoin, je réponds très vite, je repars avec mon skipper.

– Tu pêches le hareng?

– La morue noire. Enfin, je pêchais…

Je lui montre ma main. Il a compris.

– Ça devait pas être beau à voir.

– Oui, je réponds.

Et j'ai rien dit. J'aurais rien dit de toute façon parce que je voulais rester à bord.

– Mais au moins tu vas pouvoir venir à notre fête annuelle, la fête du crabe.

– Peut-être que je repartirai avant.

– Ça m'étonnerait, c'est demain la fête.

Il m'a laissée devant le B and B. J'ai relevé la tête et j'ai passé très vite les grandes baies vitrées. Je me suis arrêtée au petit *liquor store* pour des pop-corns puis j'ai filé vers les usines. J'ai longé des casiers et de vieux trémails. Des pans d'aluminium étaient entassés çà et là, des bâches bleues qui claquaient au vent. En face, les containers frigorifiques attendaient, rangés les uns contre les autres, entassés comme des cubes pour enfants dans le bourdonnement continu des groupes électrogènes. Sitôt que j'ai dépassé les hautes façades des premières usines, j'ai rejoint les docks. Des palangriers étaient amarrés et semblaient dormir. Le pont était désert. J'ai reconnu le *Topaz* et le *Midnight Sun*. Des crêtes d'écume couraient sur les vagues. Le *Mar Del Norte* partait. Il atteignait Dead Man's Cape. J'ai pensé qu'il filait vers le sud-est.

Je me suis assise sous la grue. J'ai regardé l'horizon longtemps. J'ai pensé que quelque part derrière ce bleu et dans un bleu plus profond encore, plus bruyant et plus agité, il y avait un bateau noir, rehaussé d'une fine bande orange, et qui ne cessait d'avancer. Qu'il m'avait été donné le plus grand bonheur, la plus belle fièvre, le plus grand effort aussi, que nous partagions dans les cris et ma peur, que nous partagions parce que nous n'étions rien sans les autres. On m'avait donné un bateau pour que je me donne à lui. J'étais du voyage et l'on m'avait jetée en route. J'étais revenue dans un monde de rien où tout s'éparpille et s'épuise en vain.

Je pensais aux hommes qui travaillaient à cette heure, à Jude, Jesus, Dave et Luis, Simon, le grand gars maigre… Et aux autres, qui travaillaient encore et toujours. Ils étaient vivants, eux, et le sentaient à chaque instant. Ils étaient dans la vie magnifique, luttant au corps à corps avec l'épuisement, avec leur propre fatigue et la violence de l'au-dehors. Et ils résistaient, ils dépassaient leur peine jusqu'à ce que vienne l'heure très lente où l'on avance dans le ciel obscur vers le repos peut-être enfin pour certains – mais qui était peine encore, pour celui qui avait pris son quart, lutte encore, contre le sommeil, les yeux qui se ferment, les demi-rêves qui emplissent l'espace étroit de la timonerie, celui qui était seul à porter la vie de tous les corps abandonnés à bord, seul à seul avec l'océan et ses humeurs, face au ciel et aux oiseaux fous tournant dans le halo blanc de la proue, porté par le rugissement des moteurs, le roulement incessant de la vague et la conscience de tous ceux qui dorment dans le monde à cette heure. Comme s'il était l'unique éveillé de l'univers entier, vigile qui ne doit pas faiblir, ses amours terriennes devenues des galets brûlants qu'il caresse en lui et qui brillent dans la nuit.

Ils étaient dans la vraie vie. Et moi au port, en rade, dans ce rien quotidien ponctué de règles, le jour, la nuit, divisés. Le temps captif, les heures morcelées en un ordre fixe. Manger, dormir, se laver. Travailler. Et comment s'habiller et pour avoir l'air de quoi. Se servir d'un mouchoir. Les femmes : cheveux domestiqués autour d'un visage rose et lisse. Des larmes me sont venues. Je me suis mouchée entre mes doigts. J'ai regardé encore longtemps la mer. J'attendais le *Rebel*. L'horizon restait nu. Alors je me suis relevée et j'ai marché vers la ville. Des hommes déroulaient un chalut sur le vaste terre-plein des docks. Ils m'ont fait un signe de la main. J'ai répondu. L'*Islander* était en train de décharger. Des ouvriers très bruns s'affairaient devant les conserveries d'Alaskan Seafood. Un clark qui arrivait dans mon dos m'a fait sursauter. Il a émit un bip-bip péremptoire qui m'a fait me ranger. J'ai repris Cannery Row, la route humide entre les usines et les piles de casiers, des odeurs mêlées d'ammoniaque et de poisson me piquaient le nez, le moteur des containers frigorifiques bourdonnait toujours quand je suis passée, j'ai marché et j'ai marché encore.

Des stands achevaient de se monter devant le bureau du port, j'ai détourné la tête. Je ne voulais pas voir la fête qui se préparait – la mienne était en mer et d'ailleurs elle était finie. Je passais le pont de la baie des Chiens quand une voiture s'est arrêtée. Une petite femme brune m'a ouvert la portière.

– Tu vas loin ?

– Juste à l'hôpital.

– Monte donc. Je t'y laisse. Je vais jusqu'à Monashka Bay.

J'aurais pu croire que c'était un enfant qui tenait le volant tant elle était menue, mais il y avait ces rides fines autour de ses yeux, les deux grands plis obliques qui encadraient sa bouche.

– Tu t'es blessée ?

– Oui.

J'ai écarté le bandage et lui ai montré la plaie.

– Empoisonnement du sang, un poisson, c'est ça ?

– Oui.

– Ça arrive.

– Vous croyez que la pêche à la morue noire va bientôt fermer ?

– Je pourrais pas te dire. J'ai plus le temps de suivre tout ça de près. Du temps où j'étais skipper j'aurais su tout de suite.

– Ah… vous étiez skipper ?

Je fixais les poignets délicats, les mains fines et soignées qui tenaient le volant.

– Les femmes aussi peuvent mener un bateau ?

– J'ai arrêté quand j'ai été enceinte. J'ai toujours le bateau mais c'est quelqu'un d'autre qui le mène.

– Et comment on fait ?

– Pour quoi ? Pour être skipper ? On travaille. J'ai commencé matelot, comme toi. Tu dois bien le savoir, l'important c'est pas la grosseur des muscles. L'important c'est de tenir bon, regarder, observer, de se souvenir, d'avoir de la jugeote. Ne jamais lâcher. Jamais te laisser démonter par les coups de gueule des hommes. Tu peux tout faire. L'oublie pas. N'abandonne jamais.

– Ils gueulent toujours sur le *Rebel*, et j'ai sacrément la trouille, mais je donnerais tout pour pouvoir repartir avec eux.

– T'es *green* c'est normal. On est tous passés par là. C'est comme ça que tu gagneras d'abord leur respect, et surtout le tien. Marcher le menton haut parce que tu sais que tu as vraiment tout donné de toi.

Son visage s'est durci, la voix a baissé d'un ton, elle hésite un instant avant de continuer :

– Et il peut arriver que tu aies à donner beaucoup plus que ce que tu croyais possible.

Elle fait une pause, hésite encore, reprend :

– J'ai eu un autre bateau il y a dix ans, ou presque… C'est moi qui le menais. On pêchait le crabe. Temps de merde. Incendie dans la salle des machines, une nuit… Mon mec travaillait avec moi. Le bateau n'a pas tenu longtemps. Les gardes-côtes nous ont presque tous repêchés, douze heures plus tard. On avait dérivé énormément dans nos combinaisons de survie. Ils l'ont jamais retrouvé lui.

Le vent s'est levé. Steve est rentré tard. Comme chaque nuit. Comme chaque nuit il a buté dans les sacs de vêtements, s'est cogné à la table. Une tasse a roulé sur la moquette.

– Tu dors ? il a murmuré.

– Oui… Non. Je fais encore des cauchemars, ça ne veut plus s'arrêter.

Il s'est assis sur mon lit. Les coudes posés sur les genoux, le torse penché en avant, il a longuement passé ses mains sur son visage, les paumes largement ouvertes, les doigts écartés qui semblaient vouloir voiler ses yeux. Puis il a laissé tomber ses mains, le regard tendu dans l'obscurité.

— Alors tu vas repartir pêcher ? il a dit.

— Oh je l'espère, je l'espère tant et tant.

— Ça va être triste quand tu seras partie. Je vais redevenir seul comme avant, il soupire. Des fois je vais à l'abri du frère Francis, quand j'en peux plus d'être ici, ou que je veux un repas chaud avec du monde autour, ou quand j'ai plus un sou... D'autres fois, si je suis riche, je vais passer la nuit au motel, le Star. Je commande une pizza et je regarde la télé. Je m'ennuie aussi mais ça change. Des copains passent de temps en temps. Mais autrement j'aime bien ici, je suis tranquille.

— Oui, je dis. C'est quand même pas mal. Moi j'aurais bien dormi dans un des trucks pourris qu'il y a sur le terrain parce que je trouve qu'on est un peu enfermés ici. Mais il aurait fait trop froid. Et ça aurait pas été poli pour toi.

Il rit à voix basse. On parle très doucement comme s'il ne fallait pas réveiller le bâtiment silencieux. Je m'extirpe de mon duvet et m'assieds à côté de lui. J'attrape une cigarette à tâtons sur la table. Il sort son briquet. La flamme éclaire la courbe de sa joue, l'ombre longue des paupières.

— Merci. Prends-en une...

— Je fume trop tu sais — mais il en allume une. Je bois trop aussi.

— Qu'est-ce que je vais devenir si le bateau ne revient pas ?

— T'en trouveras un autre. C'est bientôt la saison du saumon.

— Mais moi, c'est le *Rebel* que j'attends. C'est avec ceux qui sont à bord que je veux continuer la pêche.

— La saison finie, ils partiront de toute façon.

– C'est vrai. Alors j'irai à Point Barrow.

– Qu'est-ce tu veux foutre à Point Barrow?

– C'est le bout. Après y a plus rien. Seulement la mer polaire et la banquise. Le soleil de minuit aussi. Je voudrais bien y aller. M'asseoir au bout, tout en haut du monde. J'imagine toujours que je laisserai pendre mes jambes dans le vide… Je mangerai une glace ou du pop-corn. Je fumerai une cigarette. Je regarderai. Je saurai bien que je ne peux pas aller plus loin parce que la Terre est finie.

– Et après?

– Après je sauterai. Ou peut-être que je redescendrai pêcher.

Il rit doucement: C'est un peu fou ton histoire. On ne dit plus rien. Steve a baissé la tête. Il fixe le sol à présent. Le vent au-dehors siffle sous le toit de tôle et fait claquer des bâches. Je pense à la nuit limpide et glacée, le bateau noir qui doit rouler terriblement sous le ciel immense et qui poursuit sa route, les hommes malmenés sur le pont, et nous deux qui murmurons dans cette chambre obscure, une petite boîte sale cachée dans une boîte plus grande, posée sur un terrain vague, le bateau abandonné sur ses cales qui nous sert de vigile, les fantômes endormis des trucks épaves.

– Ça doit bouger en mer, je murmure.

– Ouais. Pas mal.

– Et toi? Tu restes toujours à terre?

Il a un rire gêné.

– J'ai le mal de mer tu sais… J'suis plutôt un terrien. On n'est pas obligé d'être marin pour aimer ce pays.

– Tu viens d'où?

– Du Minnesota. Bientôt deux ans que je suis arrivé.

– T'as quel âge?

– Vingt-six ans. J'ai pas bougé de chez moi jusqu'à vingt-quatre ans. Quelquefois un tour à Chicago, et puis c'était tout. La campagne, quoi. Mes parents avaient – enfin ont – un ranch. J'ai toujours vécu auprès des chevaux. Ça c'était bien… Ses yeux s'allument dans l'obscurité. Je suis bon dans les rodéos. Y avait toujours des concours chez nous. Je gagnais souvent.

– Pourquoi t'es parti, alors?

– J'avais, enfin j'ai quatre sœurs. J'étais un peu seul face à la grande prairie – il rit doucement. Il fallait que je parte tu comprends, mon avenir était là devant moi, sans question, sans surprise; comme l'horizon il était, plat et droit comme la grande prairie qui s'étendait de tous les côtés. Je reprendrais le ranch, pour mes parents ça ne posait pas de question, pour mes sœurs non plus, elles se marieraient et elles iraient vivre en ville. Ça arrangeait tout le monde au fond. Alors je suis parti.

– Mais pourquoi en Alaska?

– Je voulais devenir un homme. Il n'y avait nulle part d'autre où aller. Ailleurs j'aurais été perdu, ça aurait toujours été trop près, toujours été pareil. Le ranch m'aurait manqué… Je suis arrivé à Kodiak tout de suite. Et je me suis juré de ne plus jamais remettre les pieds là-bas. Jamais. Ils n'ont pas compris, à la maison. Ils pensent que je vais revenir un jour. Ils m'écrivent de temps en temps. Pour la première fois ils se font peut-être du souci pour moi – il a un petit hoquet triste – mais ça ne change plus grand-chose à rien. À rien, il murmure encore. Maintenant je suis ici, j'ai appris la mécanique des bateaux, je

me débrouillais déjà bien sur les machines de mon père, je suis
un bon mécano. Andy est content de moi… Il est exigeant,
Andy, il est pas commode, mais il travaille dur et il a du respect
pour ceux qui bossent. Il est un peu comme mon père.

Il s'est tu. Il a rallumé une cigarette.

– Quelquefois je vais voir le lever du soleil. On pourrait y
aller si tu veux… C'est dans quelques heures, ça nous laisserait
le temps de dormir un peu. Souvent je vois des chevreuils.

On a roulé jusqu'au bout de la route, une dizaine de miles
plus au nord. La piste de graviers s'arrêtait net devant les bois.
Je suis descendue du truck avec étonnement, j'avais oublié qu'il
existait un monde après le port. On a marché sous les arbres.
On parlait peu. Puis nous avons longé la côte. Une biche s'est
enfuie devant nous. Et tout de suite, le soleil a percé les flots.

On est redescendus en ville pour déjeuner. Au Fox's la jeune
serveuse de sucre et de porcelaine m'a reconnue. Elle m'a jeté
le même regard torve que lorsque j'étais venue avec Wolf, le
matin où il s'envolait pour Dutch. Qu'est-ce qu'elle doit s'en
envoyer des mecs, elle avait l'air de penser.

Steve m'a laissée. Il allait travailler.

– Ce matin j'arriverai plus tôt que d'habitude, il a dit
gaiement, j'arriverai avant tous les autres. De toute façon on
n'a pas grand-chose à foutre en ce moment, tous les bateaux
sont dehors. Des petites réparations de merde, s'occuper quoi…

Il a tourné la tête, a pointé du doigt la maison de l'autre
côté de la route.

– Tiens, tu vois, c'est là le shelter, l'abri du frère Francis.

Le vent, le vent… J'ai descendu la rue Shelikof, les mouettes criaient et tournaient en vol bas. Des aigles planaient au-dessus du port, le vent sifflait dans les mâts. Les maisons de bois faisaient des taches vives sur la montagne de plus en plus verte. J'ai mangé les baies des rubus qui poussaient le long du talus. Elles n'étaient pas mûres et la poussière crissait sous mes dents. J'ai rejoint le port. Les bateaux dansaient, tiraient furieusement sur leurs amarres comme s'ils avaient voulu s'arracher aux docks pour rejoindre la haute mer. Qui devait être forte. Déjà au sortir de la rade des crêtes d'écume chevauchaient les vagues, annonçant le gros temps au large.

Les stands de la fête étaient tous montés à présent. Des femmes riaient, le vent faisait tournoyer leurs cheveux en tous sens. J'ai traversé la route. Le cabinet médical ouvrait.

On m'a incisé le pouce. L'arête est sortie toute seule. Je l'ai gardée précieusement, cette grosse aiguille qui semblait être en verre, celle qui aurait pu me tuer, disaient-ils.

– Rendez-vous dans cinq jours pour retirer les points. Gardez votre main au sec et au propre.

J'étais bonne pour retourner pêcher.

Je suis remontée au local. Presque je courais. J'ai refait mon bagage, une besace et un sac-poubelle pour fourrer duvet et cirés. Les bottes, je les avais aux pieds. Je me suis servi un dernier café, la thermos rouge, le fauteuil cramoisi. Je suis ressortie. J'ai couru jusqu'au port. J'ai retrouvé mon poste de la veille sur le quai des conserveries de Western Alaska. J'attendais sur le dock en fixant la mer, à mes pieds le sac-poubelle que mon couteau Victorinox* venait de percer. Un pick-up a freiné dans mon dos. Un homme en est descendu et a claqué la portière violemment. Il avait l'air très pressé. Il se dirigeait vers les bureaux quand il m'a vue.

— *Do you want to go fishing, girl?*

— Ohh… j'ai dit dans un murmure.

J'ai hésité. J'étais prête pourtant. Je ne suis pas partie avec lui, c'était mon bateau que je voulais. Je l'ai attendu longtemps encore. Il n'arrivait pas. J'ai fini par me lever et j'ai marché vers la ville.

Je traîne à la fête du crabe. Mes sacs m'encombrent. J'ai mangé une cuisse de dinde au barbecue des gardes-côtes. Des jeunes mères de famille mangent de la barbe à papa pendant que des enfants jouent dans la poussière, derrière les cuisses roses et dodues d'une adolescente qui rit très fort au bras d'un garçon qui a des boutons. Un homme a trop chaud sur le banc d'en face. Il vient de finir sa barquette de fish and chips. Il éponge son front pourpre, un regard très clair glisse de sous ses paupières à fleur de peau. Ses yeux errent sur la fête, s'arrêtent un instant sur les jambes de la gamine, le short trop serré, s'en détachent vite, se posent sur moi. Il finit son gobelet de bière, me sourit.

— On s'ennuie, n'est-ce pas? il dit d'une voix rocailleuse.

— Oui, je réponds. C'est une jolie fête, mais on s'ennuie beaucoup.

Alors je laisse mes sacs au bureau des taxis et nous marchons jusqu'à son bateau. L'homme ressemble au pêcheur de Seattle. Comme lui il est jovial et bon. Il revient de Togiak où il a pêché le hareng. Des airs de country s'échappent d'un vieux magnétophone. Nous buvons une bière. Il découpe un ananas et fait brûler du pop-corn. Ses grosses mains battent la mesure de chansons qui lui font venir les larmes aux yeux.

– Celle-là c'est la plus belle, écoute… *Mother ocean, oh mother ocean…*

Il accompagne les paroles de sa voix très fausse. Ses yeux sont ceux d'un enfant dans un visage écarlate.

– L'océan c'est ma mère, il dit. C'est là que je suis né et c'est là que je mourrai. C'est là que j'irai retrouver Valhalla* quand mon temps sera venu.

Il pleure un peu, renifle dans ses doigts… Pour finir il décapsule deux autres bières et m'en tend une.

– Si j'ai bien pêché cette saison c'est parce que je suis prudent et patient, me dit-il entre deux lampées de bière, que je connais les coins où trouver le poisson. Peut-être que j'aurai mon bateau à moi bientôt, vu que je ne bois plus comme avant.

Il a remis « Mother Ocean » et ne retient plus ses larmes. Mes yeux font le tour de la cabine, les deux couchettes recouvertes d'un patchwork molletonné, la cafetière émaillée posée sur le poêle, la roue de bois vernissée, la boussole dans son boîtier de cuivre.

– Ce bateau aussi il est beau, je dis.

La carrure de l'homme se profile contre un carré de ciel, la nacre orangée d'un soleil qui passe. On le dirait couvert d'écume avec ces nuages qui avancent, en vagues lourdes. Le soir vient. Dix heures peut-être. Les couleurs se font plus poignantes. Le soleil ne va plus tarder à basculer derrière le mont Pillar. Brusquement il me faut y aller, marcher sous la lumière avant qu'elle s'éteigne. Je finis ma bière presque d'un trait. Je reprends mon souffle.

– J'y vais maintenant.

Il regrette un peu.

– Si tu as besoin d'un endroit chaud où dormir – il montre une couchette –, si t'es dans la merde un jour, viens me trouver. Et fais attention aux gens que tu vas rencontrer, t'as les pires ordures ici, tous ceux qu'ont choisi « *the Last Frontier* » parce que c'est aussi sauvage que ce qu'ils ont dans le capot. Moi, c'est Mattis, ton ami, et toi, t'es un *free spirit*.

Le *free spirit* c'est mon vélo, je pense. Je dis : Merci, merci beaucoup, je regarde encore son bon visage lunaire, ses yeux, une larme a séché au coin de sa paupière.

– Au revoir Mattis.

J'ai récupéré mes sacs et je cours sous le ciel. Le soleil s'est fondu derrière le mont Pillar. Au loin la fête du crabe. Une fumée grise s'élève depuis le stand des gardes-côtes, tourne sur elle-même, vire vers la mer et se dissout entre les mâts. La foule heureuse mange encore des hot dogs, de la dinde et du crabe. Les cuisses roses des filles sont devenues rouges.

Seul sur un banc face au port, un homme boit à la bouteille. Ses cheveux raides et noirs tombent bas sur ses épaules. Le regard fendu me suit un instant. Il plisse ses yeux sombres.

– Hé ! Viens boire un coup, il clame en brandissant sa bouteille de schnaps.

– Merci, je crie dans le vent, mais j'aime pas le schnaps !

Je continue jusqu'au magasin de chasse – les couteaux et les armes dans la vitrine. Un grizzli monumental se dresse, sur des photos épinglées, gueule béante – un jour j'aurai une Winchester c'est sûr. Je rejoins les arcades. Les portes des bars sont grandes ouvertes. J'entrevois des hommes collés aux comptoirs, une cible de fléchettes, des billards rouges dans les arrière-salles. Des éclats de voix me parviennent, des cris, les verres qui se cognent, la musique… Je passe vite, j'ai peur qu'ils me voient. J'arrive au square, un petit carré d'arbres et d'herbe entre le Breaker's et le Ship's, quatre bancs qui se font face. Quelques Indiens sont assis. Ils boivent de la vodka. Une femme sans âge tire sur un joint. À ses côtés un gros homme me hèle :

— Eh toi, je te connais ! Tu travaillais bien avec Jude ? Mon ami Jude, le grand Jude…

Il appuie sur le mot « grand ».

— Qu'est-ce que tu fous ici ? T'es plus sur le *Rebel* ? Et ces sacs ? T'es à la rue, ou tu débarques ?

— Je me suis fait mal…

— J'comprends rien à ton foutu accent. Viens t'asseoir avec nous !

J'hésite, il tape sur ses cuisses obèses, se balance de gauche à droite, m'offrant le sourire de sa face épanouie.

— On va pas te faire de mal ! il clame de sa voix très sonore. Est-ce que ce serait que t'aurais peur des *bums** qui traînent au square ?

— Oh non j'ai pas peur.

Je me suis assise. Il serre ma main dans sa pogne énorme et chaude, un peu moite, si profonde et douce que je ne sais pas si je vais pouvoir m'en défaire.

— Je suis Murphy. Le gros Murphy ils m'appellent. Et elle c'est Susan. Elle est fatiguée ce soir, j'suis plus sûr qu'elle te remarque trop, mais autrement c'est vraiment une femme bien.

– Moi c'est Lili.

– Alors t'as laissé mon ami Jude en mer ? C'est toujours que t'es rouge comme ça ? il rit en pinçant l'une de mes joues.

Je défais le sparadrap et lui montre mon pouce tuméfié, l'incision neuve et les sutures noires teintées par le désinfectant.

– J'ai pas été évacuée du *Rebel* pour rien, mais maintenant c'est soigné. Je vais repartir avec eux dès qu'ils repassent en ville.

– Oh merde, il s'exclame, ta saison m'a l'air foutue…

Je le regarde avec angoisse.

– Tu crois ?

Sur le banc voisin, un Indien au visage tailladé d'anciennes cicatrices s'affaisse lentement jusqu'à tomber au milieu d'un massif de fleurs rouges et jaunes.

– Oh… fait la petite femme.

Le gros Murphy passe un bras fort autour de mes épaules.

– Allons tu vas pas pleurer, bien sûr que tu y retourneras sur le *Rebel*… Même si tu finissais pas la saison de morue avec eux, ils te garderaient sûrement pour la pêche au flétan.

Son bras me ramène à lui et me serre tendrement. Je me laisse aller contre le large poitrail. La petite femme va bientôt tomber, sa tête a glissé contre l'homme-montagne, de l'autre côté. À terre, l'Indien ronfle. Ses compagnons finissent la bouteille. On entend des cris sortir du Breaker's.

– C'est rien, dit Murphy doucement, une bagarre. Ça doit être Chris, il s'en est encore mis plein les narines. Il avait qu'à partager, ça lui aurait fait moins mal.

Je rentre par la route qui longe le chantier naval. Calés sur leurs épontilles les bateaux attendent. Un chalutier passe sur l'horizon. Le doux bruit du ressac me parvient. Des vagues irisées par les derniers éclats du jour viennent lécher les galets noirs de la grève. Je passe sous le pont de la baie des Chiens. Le grondement assourdissant d'un truck s'amplifie au-dessus de moi, diminue jusqu'à s'éteindre au loin. Je longe un terrain vague où s'entassent vieux casiers et trémails, je dépasse l'église orthodoxe de bois blanc et son dôme turquoise. Une tempête flamboyante est peinte sur le mur d'un grand bâtiment nu, face à l'Armée du Salut, sur la plage où trois enfants pêchent encore. Un pick-up s'arrête. C'est Steve qui descend en ville :

— Je vais chercher un milk-shake, monte, je te ramène après…

Je grimpe. Il redémarre en faisant crisser les pneus. Je tourne mon visage vers la fenêtre grande ouverte. Je ferme les yeux. Le vent qui m'ébouriffe a l'odeur des algues. Steve accélère en souriant. Je l'imagine sur la grande prairie, chevauchant vers le ciel ouvert.

Il prend des milk-shakes au drive-away de McDo.

— C'est comme dans un film, je dis.

— Je t'invite, il répond gravement.

Nous rentrons dans le soir tombant, l'air de la nuit froide et les gorgées sucrées nous font frissonner. On ne dit plus rien. Le pick-up blanc fonce sur la route, entre les rideaux d'arbres qui s'ouvrent lorsque l'on passe. Steve fait des écarts pour éviter les ornières, les pneus crissent sur le gravier, un trou qu'il n'a pas vu nous secoue violemment, je ris. Je me tourne vers lui. Un sourire timide affleure sur ses traits lisses, un air ravi et incrédule, étonné peut-être de provoquer une telle gaieté.

— Viens au bar avec moi, il demande.

Mais je suis fatiguée. Il me laisse au local et repart seul. Je retrouve le fauteuil rouge. Le néon éclaire l'atelier désert. Dehors, la nuit. Limpide. Je regarde ma main. Dans cinq jours peut-être. Mais où est le *Rebel*?

Steve m'a réveillée. Je me suis redressée.

– Il est tard?

– Il est tôt plutôt, rendors-toi.

Mais il s'est assis au pied de mon lit. Comme la veille il a pris son front entre ses mains et s'est mis à fixer la nuit. Je suis sortie de mon duvet, j'ai pris une cigarette qu'il a allumée. La flamme éclairait son visage triste.

– C'était bien? j'ai murmuré.

– Comme d'habitude.

Le vent sifflait sous le toit. Il a pris une cigarette.

– Alors tu vas repartir pêcher maintenant qu'ils t'ont retiré cette saloperie…

– Je crois que c'est foutu pour moi, j'ai soupiré – une bouffée de colère triste m'a fait venir les larmes aux yeux.

– Tu trouveras un autre bateau… Andy te prendra pour le saumon. Peut-être même un job de *tender**, ça c'est la planque, et t'en auras pour tout l'été en mer.

– Ça m'intéresse pas les planques. Et puis ce sera trop tard pour Point Barrow à la fin de l'été : je verrai pas le soleil de minuit. La mer commencera à geler. Et il fera trop froid pour dormir dehors.

Il a ri tristement.

– T'es têtue toi. Peut-être que tu veux retourner sur le *Rebel* pour quelqu'un. Le skipper, ou Dave.

– Oh non. D'ailleurs ils ont une femme.

– Je vais me retrouver tout seul. Comme avant.

– Tu sentiras pas trop la différence, on parlait pas beaucoup.

– Oui mais t'étais là. Au fond on est un peu pareils tous les deux.

Il baisse la tête, soupire. Une bourrasque plus forte fait tomber quelque chose dehors. À nouveau je pense au terrain vague désolé sous la lune, aux nuages énormes qui déferlent dans le ciel, vagues silencieuses, l'envers d'un océan qui lui gronde et rugit, le vent qui hurle, et tous deux qui s'enfoncent dans la nuit ouverte, jusqu'au détroit de Béring peut-être ou bien plus loin encore, et qui jamais ne cessent, je pense aux bateaux à cette heure dans le velours glacé, à nous, terrés entre ces murs opaques comme deux bêtes égarées.

J'ai gémi dans mon sommeil. Les rêves me broyaient encore. Steve ronflait doucement. Il est sorti voir le lever du soleil sans que je l'entende. Puis quelqu'un a été là, qui s'asseyait sur mon lit. J'ai ouvert les yeux. J'ai reconnu le grand gars maigre. Je me suis redressée d'un sursaut. Toi ! Je me suis jetée contre lui, je l'ai agrippé de toutes mes forces.

– Je peux repartir avec vous ? Tu me ramènes au bateau ?

Il sentait la mer, les appâts et le ciré mouillé bien qu'il se soit lavé, le savon et l'after-shave. Il riait :

– Oui, il a dit, viens.

J'ai roulé mon duvet. En deux secondes j'étais prête. J'ai attrapé ma besace à terre.

Et l'on est partis. Je n'ai pas pensé à laisser un mot à Steve, je ne me suis pas retournée vers le fauteuil rouge. Nous roulions vers le Safeway. Il était volubile et moi je ne pouvais plus parler, le cœur battant, anxieuse encore qu'il me laisse à terre s'il lui venait l'idée de regarder ma main.

On a pris des muffins pour les hommes, on s'est attablés devant un café. Il était très tôt.

— On est arrivés à quatre heures... J'ai laissé les gars en train de décharger. La pêche a été correcte. On n'a pas perdu de matos.

Je reconnaissais le gamin surexcité.

— Et ta main ? Ils t'ont bien soignée ? J'appelais l'hôpital de temps en temps, ils m'ont tenu au courant. Montre-moi ça...

J'ai hésité avant de la lui tendre :

— Ils m'ont dit que c'était bon, que je pouvais repartir.

— Ouais... C'est plutôt moche.

— Faut juste que j'aie suffisamment de gants secs et propres.

J'ai regardé son visage, les traits ardents et épuisés.

— J'ai beaucoup réfléchi, il a dit, il faut régulariser ta situation. L'Immigration te fera pas de cadeau... Bon, mais ça n'empêche pas en attendant : tu viens avec nous pour la pêche au flétan.

J'ai respiré. Mon cœur faisait des bonds. Presque j'en aurais pleuré.

— Steve a été correct avec toi ? il a demandé encore.

— Steve est un mec bien. On s'entendait bien.

Ian a froncé les sourcils, sa bouche s'est durcie.

— Je veux dire qu'il a été correct, oui. Et moi aussi je l'ai été.

Son visage s'est détendu.

— John quitte le bateau, il a dit encore, mais on aura un *observer* pour ce dernier voyage.

– Alors je dormirai encore par terre?

Il a souri.

– Non, tu l'as gagnée ta couchette.

Il nous a resservis aux bonbonnes de café.

– Tu sais, sur le *Venturous*, y avait un *observer* qui était un peu docteur…

Mais il n'a pas entendu, déjà il s'était levé et il me fallait courir derrière les grandes jambes maigres.

– *Time to go*, il a dit, on a du pain sur la planche.

Nous repartons. L'aube est grise. Le vent, toujours le vent. L'air humide et froid nous fouette le sang. Je vis. Le skipper se gare devant un long bâtiment ovoïde, un sous-marin antique peut-être avec ses parois métalliques et ses hublots rouillés, échoué là une nuit folle, un hiver de brouillard et de tempête.

– D'où ça vient? je demande.

Mais déjà il marche vers les bureaux.

– Attends-moi au réfectoire… Va prendre un café.

Je patauge dans les ornières de boue. J'ai oublié mes bottes percées dans le truck et mes pieds sont déjà trempés. Tête renversée, je sens la pluie sur mon visage, j'ouvre les lèvres pour en sentir le goût. Une nuée de mouettes tourne au-dessus des bâtiments sales, sous un ciel chargé. Un groupe de Philippins me dépasse. Le rire des femmes se mêle aux sonorités chantantes des voix. Je pousse la porte de la salle commune. Une odeur d'ammoniaque arrive du couloir. Les hommes se taisent un instant. Je traverse gauchement la pièce sous le poids des regards. L'éclat du néon est triste sur les visages mats. Je me suis servi du café à la grosse thermos, assise dans l'angle du distributeur de cigarettes. Les conversations ont repris. J'attends mon skipper… La salle s'est vidée. Je me ressers du café quand la porte s'ouvre brutalement :

— Alors le moineau, tu viens ?

Et je cours derrière lui encore. Mon café déborde à gauche à droite, je l'avale d'un trait et me brûle. Je ne sais plus que faire du gobelet de carton que j'écrase entre mes doigts et fourre dans ma poche. Un clark manque m'écraser. Je cours. En face de nous le dock. Le mât du *Rebel*, les haubans, l'antenne Furuno* qui se dessine dans le brouillard.

— Je vous ramène le moineau, crie le skipper.

Je descends quatre à quatre les échelons de fer, mes pieds battent le vide quelques fois, mes bras me rattrapent. Enfin je sens le bastingage du bout des pieds. Je saute à bord.

La bouée du chenal scintille dans la brume. Au loin la ville s'éloigne. Le bateau prend de la puissance. La nuit est tombée. Le skipper crie un ordre. Jude répond à la proue par une autre clameur rauque. Dave m'a lancé l'aussière de pointe de la poupe. Simon s'occupe de la traversière. J'ai débarrassé le pont des palangres que j'arrime sur les côtés. Je love les cordages que j'attache solidement. Après la base des gardes-côtes le bateau vire vers le large. On s'éloigne et le vent se lève.

Nous appâtons sur le pont jusqu'à la nuit très noire. Les hommes sont silencieux. Des lames viennent mourir sur le pont.

– Tu nous as manqué, dit Dave.

– C'était bien tes petites vacances? demande Simon.

Jude me pince la taille quand je me penche pour ramasser l'épissoir. John n'a pas réembarqué. Ça ne se remarquera même pas, disent les gars. Tard dans la soirée le skipper nous appelle enfin. Nous rentrons les joues en feu.

– Ça sent foutrement bon… Ça sent de la bouffe pour hommes! clame Ian en descendant de la timonerie.

Il bouscule Simon devant le fourneau, se sert une platée énorme de spaghettis et trois louches de sauce où mijotent de gros cubes de viande. Il vient s'asseoir à la table et refuse toujours de voir Simon qui attend debout. Dave s'écrase contre moi, Simon se glisse au bout de la table.

– Tu nous as manqué, dit Dave encore. On te croyait bien embarquée ailleurs ou kidnappée par un beau pêcheur…

On ne parle plus. On dévore.

– Fuck! s'exclame Jesse soudain. On a oublié de faire le plein d'eau…

Ian se rembrunit.

– Eh bien on fera avec ce qu'il nous reste, dit-il très vite – et le ton devient tranchant: Vous avez compris les gars? Plus une goutte de perdue. Vous essuyez la vaisselle avec du sopalin, lavez les casseroles à l'eau de mer. Et pour vos dents ça attendra Kodiak. On garde l'eau pour le café et la bouffe.

– J'ai rapporté un jerrican d'eau ce matin. Dix gallons. Je l'ai rempli au robinet des docks. Elle est pas supposée être potable mais une fois bouillie ça peut le faire, dit Dave.

L'*observer*, nouveau venu à bord, un blond au visage poupin, lui jette un regard surpris. Il n'ose rien dire et se tasse dans un coin.

– L'important c'est qu'on ait pensé au gasoil, je dis avec conviction, en engloutissant une énorme bouchée.

Le skipper me lance un regard noir. Je pique du nez dans mon assiette.

Les hommes sont allés dormir. Dave a pris le premier quart. Je suis sortie sur le pont. Le vent claque dans les câbles. La mer vient s'écraser sur le pont. L'odeur du grand large. Humer l'air comme un cheval, jusqu'à l'étourdissement, le corps durci par le froid. La vague est en moi. J'ai retrouvé la cadence, le rythme des poussées profondes qui passent de la mer au bateau, du bateau vers moi. Elles remontent dans mes jambes, roulent dans mes reins. L'amour peut-être. Être le cheval et celui qui le

chevauche. La pêche va reprendre dès demain. Dès demain…
Dans quelques heures les cris, la peur au ventre, les palangres
qui filent vers les flots, le bruit, la vague et la fureur, comme un
tourbillon dans lequel ce corps tendu ne s'appartiendra plus,
mécanique de chair et de sang portée par la seule volonté de
résister, cœur fou, embruns glacés, visage écorché par le vent,
l'ancre finale du banc de ligne attendue comme une délivrance.
Et le sang des poissons va ruisseler. Quelque part encore à cette
heure, les vieux trucks immobiles attendent, le bateau bleu
pourrit sur ses cales. Ils s'enfoncent dans leur sommeil minéral,
morts déjà, figés jusqu'à la fin du terrain désolé. Et Steve, entre
ces murs à l'intérieur d'autres murs, la vie de Steve qui s'abrite
au milieu d'objets disparates, entre un amoncellement de linge
sale, une télévision, le fauteuil rouge, une thermos… Est-il
rentré du bar, a-t-il buté dans les sacs-poubelle ? Dort-il ?
Mais pas nous. Nous jamais plus. Les contours fixes de ce
monde nous les avons laissés à terre. Et on va la regagner enfin,
la splendeur brûlante de nos vies. Nous sommes dans le souffle,
qui jamais ne s'arrête. La bouche du monde s'est refermée sur
nous. Et l'on va donner nos forces jusqu'à en tomber morts
peut-être. Pour nous la volupté de l'exténuement.

Mon skipper rêve en face de la mer. Ses yeux pâles ont le
même éclat gris. Le grand gars maigre laisse pendre ses très
longs bras sur ses cuisses ouvertes. Sa bouche longue et douce,
une bouche de femme peut-être, est entrouverte. Je n'aime pas
le surprendre ainsi. Je tousse. Il se tourne vers moi, passe les
doigts sur son front très haut. Il a un sourire fatigué.
— T'as ta couchette cette fois ?

– Oui, c'est la même qu'avant.

– La même qu'avant ?

– Enfin, celle qu'était supposée être la mienne.

Il rit.

– Tu vois, tout s'arrange un jour… Maintenant tu vas vraiment faire tes quarts comme Dave et Jude. On n'est plus assez nombreux pour réserver ça aux habitués. Ça te va ?

– Oh oui.

– Je m'en doutais… C'est le dernier voyage de morue que l'on fait là. Il va bien nous falloir une semaine pour préparer l'ouverture du flétan. Elle est annoncée le 25. On est déjà le 7.

– Alors je viens ?

– Bien sûr. C'est une ouverture de vingt-quatre heures, mais vingt-quatre heures non-stop. Va falloir mettre toute la gomme. On ne va pas perdre une seule minute, pour se reposer ou pour quoi que ce soit. Ça peut être très très payant si on tombe sur le poisson… Et tu vas voir comme les flétans sont beaux. Très gros aussi parfois. Peuvent dépasser les deux cents kilos. En dessous d'un mètre, on n'a pas le droit de les prendre, faudra les remettre à l'eau.

– Je serais assez costaud ?

– Pas pour les sortir de l'eau, je crois pas en tout cas – il rit. Mais entre appâter, lover les palangres, vider les poissons, y aura de quoi faire, crois-moi, du boulot pour tous, assez pour tomber mort de fatigue après ces vingt-quatre heures, t'inquiète…

Le travail a repris, plus soutenu que jamais. Le *Blue Beauty* « *is kicking ass** », pour nous la saison sera mauvaise. Nous avons perdu trop de palangres et la pêche miraculeuse des débuts ne s'est jamais reproduite. Les bancs de morues noires ont filé ailleurs, et si la pêche n'est pas médiocre, elle n'est jamais que très moyenne. Sauf un miracle, nous en serons pour notre peine.

Mais chaque matin à présent, le skipper nous réveille en criant. Il nous faut sauter dans nos cirés humides, moi dans mes bottes encore trempées. Pas le temps pour un café, le vent nous gifle, le ciel blanc nous éblouit. On n'a pas le temps de comprendre que l'on se retrouve plongés dans le froid et l'action, on passe d'un sommeil de brute à un demi-sommeil aveugle. Les mains gonflées ont du mal à se déplier, ces bras et poignets qu'il faut réveiller, forcer à reprendre vie. Les gestes sont mécaniques, rien ne compte plus que la ligne qui remonte, à laquelle il faut veiller et qu'il faut délester de sa prise. Pêcher, sans relâche.

Jude avale chaque matin une poignée d'aspirine. Moi c'est au soir, quand la fièvre me reprend. Mon sommeil est habité par l'océan. Je suis dans la vague. Je me tourne sur ma couchette et c'est le courant qui change et qu'il me faut suivre. Des frissons me secouent et c'est le vent qui m'agite, j'agrippe un vêtement humide roulé en boule sur ma couchette, c'est un poisson qui m'échappe, je me débats, je crie : Je suis dedans ! Je suis dedans ! et je suis roulée dans une vague noire. Un homme marmonne :

– Ta gueule Lili, c'est juste un rêve…

Les hameçons défilent. Ils s'élancent dans les airs à l'heure du filage, dans un déploiement d'oiseaux pâles et hurlants. Le banc de ligne est notre fil d'Ariane, notre unique obsession. On pêche. Les heures passent, nous n'en sommes même plus conscients. Seules comptent ces lignes qu'il faut appâter, rejeter à la mer, ramener à bord… Ces poissons que nous éventrons, la glace qu'il faut briser au pic, agenouillés dans la cale, la gîte nous envoyant bouler dans l'eau baveuse, contre la masse houleuse des poissons qui roulent.

L'entaille de mon pouce a cicatrisé. L'articulation violacée s'auréole d'orange. J'ai arraché les points avec mes dents. Le temps est maussade. La mer se joue de nous. On se cogne aux murs dès que l'on retrouve l'espace fermé du carré.

Sur le pont. On appâte les lignes. Le grand gars maigre est dans la timonerie. Jesse travaille aux machines peut-être. Je rapporte des cafés et des barres de chocolat. Les hommes retirent leurs gants. Jude sort une cigarette. Simon attrape une cassette.

– Je peux ?

– Sûr… répond Jude de sa voix basse.

Il allume sa cigarette qui le fait tousser et cracher. Il se mouche entre deux doigts. Dave hoche la tête :

– Tu vas finir par crever avec ton tabac de merde.

Jude hausse les épaules :

– Ce qui me tue pour l'instant c'est d'imaginer une femme et un petit shoot d'héroïne.

Dave rit.

– Tu changeras pas.

Bob Seger est reparti au magnéto avec « Fire Inside » – le feu à l'intérieur.

– Et une bonne rasade de whisky avec le café… ça ferait pas de mal, dit encore Jude.

– Ou un cognac, ajoute Simon.

– Pour moi ce serait le petit déjeuner, je dis.

– Elle pense qu'à bouffer, dit Dave en riant. Mais c'est vrai qu'il va être trois heures. Ça s'rait grand temps.

L'*observer* avait froid. Il est rentré.

– Je crois que lui aussi attend le breakfast, murmure Simon.

On a fini notre café. J'écrase ma cigarette et je remets mes gants.

– Y a plus d'appâts. Qui va en chercher?

– J'y vais.

Je me glisse derrière Simon. Je m'accroupis et fais tourner la poignée de métal, tire le lourd panneau de fer.

– Je t'aurais aidée, dit Simon.

Je hausse les épaules. Je saute dans le trou qui sert au stockage des calamars. La glace pilée est devenue solide. Les boîtes sont prises. J'appelle pour qu'on m'envoie un pic. Accroupie sur le sol glacé, glissant et basculant de droite à gauche, je m'acharne à dégager les cartons gelés. Mes doigts s'ankylosent. Ça fait mal. Une gaieté grandissante me gagne, un fou rire, l'ivresse des profondeurs glacées peut-être. Je soulève les cartons, je les tends à bout de bras.

– Hé Simon! C'est lourd!

– J'arrive, *sweetheart*…

Je me hisse hors de la cale. Jude tend son bras.

– Mais qu'est-ce que tu as vu de si drôle dans ce trou noir?

Je ris. Je retire mes gants et souffle sur mes doigts gelés. Je retrouve un bout de chocolat qui a pris l'eau dans ma manche. Je vais aider Simon à découper les calamars.

Nous avons ramené trois sets successifs de palangres. Dave est descendu glacer le poisson. Simon est au fourneau. Jude et moi nettoyons le pont. Il s'active sans un mot, le capuchon de son sweat rabattu, encolure qu'il a coupée au couteau. Je n'ose toujours pas lever les yeux vers lui quand nous sommes à bord. Car il est le pêcheur, pour moi il est le seul. Il sait tout, Jude. Sa puissance ne tient pas à la largeur de ses épaules ni à la taille de ses mains, elle est dans son cri, l'écho de sa voix lorsqu'elle se perd dans la vague et le vent, lui debout, narines dilatées, seul dans son tête-à-tête avec la mer, seul toujours dans sa manière de regarder le ciel, de sonder les flots comme s'il y lisait quelque chose – ou rien, peut-être n'y voit-il qu'un grand désert qui s'étend, sans fin, dans les cris hennissants des goélands qui s'élèvent en rafales comme des chevaux de vent.

Le déjeuner enfin. Il est minuit passé. Je suis rentrée. Simon terminait de disposer les assiettes sur la table. Le riz attendait sur le fourneau. Les saucisses et la boîte de haricots rouges réchauffaient, solidement arrimés aux rebords métalliques. Jesse remontait dans la *wheelhouse*, son assiette à la main, un coca dans l'autre. Ian était déjà attablé. Jude terminait sa cigarette sur le pont. Dave me précédait. On s'est essuyé les mains sur nos joggings sales et informes, maculés d'eau rougie. On s'est servis au fourneau. On est passés à table.

– Ferme donc cette putain de porte, qu'on se les gèle!

Le skipper a gueulé quand Jude est entré. Il s'attardait à cracher par la porte entrouverte. Il l'a ramenée à lui sans un mot, un demi-sourire confus sur les lèvres. Il baisse les yeux. L'homme-lion toujours rapetisse entre les murs. Il semble perdre pied sous le néon qui écrase ses traits, plus brûlés par l'alcool que par le vent du large. Et s'il m'effraye sur le pont, je le redoute plus encore quand il redevient cet homme blessé.

On mange sans un mot. Le grand gars maigre semble à bout de nerfs. Il a englouti la moitié de son assiette, il la repousse avec dégoût.

— Faudrait voir à varier tes menus, il dit à Simon d'une voix hargneuse.

Dave fait une remarque que seul Jude entend. Ils rient. Simon a piqué du nez sur son riz.

— Moi je trouve ça drôlement bon.

— Elle boufferait n'importe quoi. Au fait ça fait longtemps que je t'ai pas vue avaler tes saloperies de tripailles de poisson.

— Moi je l'ai vue faire tout à l'heure, dit Jude.

Il coule un regard qui me fait rentrer sous terre.

Ian nous regarde excédé et se lève sans un mot. Il disparaît aux chiottes. Les hommes se lèvent à leur tour. Dave étire son grand corps d'athlète, Simon sort fumer, Jude disparaît dans la cabine. Je fais la vaisselle.

Jude a reparu. Il s'est entouré de ses bras. J'ai froid, il murmure. Il s'accroupit à quelques centimètres de moi, plaqué contre la grille par laquelle arrive l'air chaud de la salle des machines. Dave s'est rassis et boit un café. Le skipper se fait long. Je baisse les yeux. L'homme-lion n'est plus que Jude blotti sur lui-même dans un vieux pull de laine bleu, informe et déteint.

— Tu as un beau pull, je dis.

— Une amie me l'a fait il y a très longtemps…

Son regard n'est plus redoutable mais doux et presque timide. Il esquisse un sourire. À moi il sourit le grand marin… Je pense qu'il n'a plus envie à cette heure d'être un homme de légende, qu'il est fatigué et qu'il a mal aux mains, froid, et même pas de whisky, de femmes ou d'héroïne, qu'il veut juste se replier contre le souffle chaud qui s'exhale du mur.

Le skipper est ressorti des chiottes. Il distribue les tours de quart. Nous disparaissons un à un dans la cabine. L'air y est chaud et confiné. Roulés dans nos duvets et le rempart de nos frusques sales, humides encore, nous nous enfonçons dans nos couchettes, visage renversé dans le noir, bras rejetés en arrière, corps déployé. Et comme on a tendu, contraint, forcé, blessé ce corps, on le relâche enfin dans le bruit des moteurs, le balancement sans fin de la houle. Et comme on s'est donné à l'effort, on se livre au sommeil. Je m'endors le regard tourné vers Jude. Je devine la forme endormie qu'une quinte de toux secoue parfois, celle entre toutes qui abrite les yeux jaunes, la poitrine où couvent les étranges violences, le souffle tissé d'alcool et de vent. La nuit me cache son visage. Le visage brûlé que je ne crains plus, nul ne peut deviner mon regard dans l'ombre. La vague me berce et je roule en elle. Si le grand gars maigre le veut bien, cela va durer toujours ainsi, avancer sur l'océan noir, la mer de Béring. Que je donne mes forces jusqu'à mourir à la vie d'avant, ou à mourir tout court, que l'usure et l'exténuement me polissent jusqu'au cristal, ne laissant que la mer en moi, sous moi, autour de moi, et l'homme-lion de chair et de sang qui tient tête à la vague, planté sur le pont, sa crinière sale que le vent secoue en même temps qu'il fait claquer les haubans, la plainte folle des mouettes qui tournoient, vrillent et plongent, tourment rauque que le vent enfle puis étouffe.

Ton tour… C'est toi la chanceuse… Dave me réveille en me secouant doucement. Oui… Je me redresse aussitôt.

– C'est moi la chanceuse, c'est moi la chanceuse… je murmure dans un demi-sommeil.

– Le prochain c'est Simon, dit Dave avant d'escalader sa couchette.

– Oui. Oui…

Je bute dans le tas de vêtements, chaussettes, bottes. Je ne prends pas la peine de remettre les miennes. D'ailleurs elles sont trempées. Je me dirige en automate vers la timonerie, me cogne aux murs. Faut y aller. Je dors à moitié encore. Je reprends mes esprits devant les écrans. Un point lumineux signale un bateau loin derrière nous. La nuit est sombre. Dès trois heures le ciel pâlira. Pour Simon la clarté de l'aube, la barre rouge sur l'horizon qui va s'intensifier jusqu'à devenir feu puis orangée… Je me frotte le visage rudement, pince mes paupières qui se referment. La pression de mes doigts faiblit. Je me lève. Appuyée sur la table à carte je regarde l'étrave briser la vague, qui toujours s'écrase sur l'ancre ruisselante. L'étendue souple et mouvante n'a ni commencement ni fin. On avance dans l'espace peut-être, ce velours noir de la nuit… Ciel et mer sont unis, unis et basculés peut-être, c'est pour mieux me confondre, et l'écume qui scintille sur les flancs du bateau ne serait que la Voie lactée… Mais je m'endors encore. Je me frotte les yeux et danse d'un pied sur l'autre. J'attrape une carte marine derrière le fauteuil. Un magazine glisse. Je me penche pour le ramasser : une nana est couchée sur le sol de la timonerie, cuisses ouvertes. Tiens, une copine pour ceux qui sont de quart. Je remets respectueusement le magazine en place et range la carte. L'*observer* dort comme un bébé dans l'angle de l'escalier. Le point lumineux sur l'écran radar s'est éloigné, la côte n'est presque plus visible.

Je suis descendue dans la salle des machines. Bruit assourdissant quand j'ai ouvert la porte. Le moteur auxiliaire tourne aussi. Pas d'eau dans le fond de cale. J'attrape la pompe à graisse. Ils m'ont dit trois fois. J'envoie cinq bonnes doses dans le graisseur de l'arbre. Je jette un œil sur le pont en remontant. Rien n'a bougé, les baquets sont bien arrimés. Je me sers un café trop léger, amer pourtant, une barre de chocolat en allongeant le bras vers le tiroir. Je rejoins la timonerie. Ça va mieux, le vent glacé m'a fait du bien. L'*observer* s'est tourné dans son sommeil. Plus rien ne paraît que son dos, une touffe blonde de cheveux, un pied qui dépasse de dessous le duvet. Je m'installe dans le profond fauteuil, trop confortable pour un siège de veille. Un regard sur les radars. C'est le grand noir. Il n'y a plus rien que ce point central, nous, et comme de petites taches qui scintillent parfois. Une gorgée de café brûlant, je croque dans le chocolat. Les hommes dorment, le bateau avance, le monde entier peut dormir – je veille. Dorment-ils tous à Kodiak aussi ? Y a-t-il un bar ouvert encore ? Des hommes qui chavirent sur les comptoirs en gueulant, de vieilles Indiennes les regardant d'un air lointain, dodelinant de la tête, une cigarette au bout de leur main ridée qu'elles portent à leurs lèvres d'un geste raffiné et lent, saoules peut-être, à se balancer doucement au-dessus du comptoir de bois... À Point Barrow la nuit n'est pas tombée. Le soleil est remonté dans le ciel bien avant d'avoir touché l'horizon. En France il fait jour. D'ici je peux les aimer sans crainte. Je leur parle, à voix si basse que même l'*observer* ne peut m'entendre. D'ailleurs il dort. Le bateau fend l'océan noir. Déjà l'horizon s'éclaire, un trait de sang qui se diffuse, le tour de Simon…

— *Time to pull the gear, guys!* Il est temps de remonter le matos, les gars! Bougez-vous le cul, on y va…

Je sors la première. Le skipper est déjà en place, la main sur le levier des commandes extérieures. Les gars enfilent leurs cirés. J'ai pris la place de Jude contre le pavois, à droite du skipper. Bouée et balise se rapprochent, cette fois c'est moi qui les attrape. Penchée sur les flots bouillonnants, tenant la perche à bout de bras, je vais accrocher l'orin sans une hésitation. Je m'avance autant qu'il m'est possible. Au-dessous les paquets d'eau viennent frapper la coque furieusement. Ils éclatent avec un bruit mat contre la carène d'acier. Le skipper nous guide vers la bouée. Je me penche davantage. Si Jude n'arrive pas il me faudra vraiment saisir la perche. Une gifle glacée me frappe en pleine face. Je suffoque un instant, visage ruisselant.

— Fous le camp d'ici Lili! C'est pas ta place…

Le grand gars maigre s'est tourné vers moi. Jude arrive. Je vois son geste pour me pousser, je m'écarte précipitamment. Tous rient.

— T'es trempée maintenant, c'est malin, dit Dave.

— Oh non c'est bon…

Et je reprends ma place contre la table de découpe. J'envie celle de Jude qui travaille dans la vague.

Le vent tombe. Le ciel s'ouvre et un soleil très pâle se montre. C'est Jesse qui a aperçu le premier le jet qui s'élève dans la brume. Il suspend son travail, tend le bras. Le skipper arrête l'hydraulique. Chacun aura le temps d'admirer la forme sombre qui n'en finit plus de surgir de l'eau, la moitié de son corps s'élever comme au ralenti, avec une majesté et une grâce infinies. Dans les yeux des hommes, ce même émerveillement toujours quand ils croisent la reine des mers.

– Putain, c'est d'une beauté... dit Ian rêveusement avant de remettre les moteurs en marche.

Plus tard ce sera une loutre de mer qui fait la planche, entre ses pattes avant un poisson qu'elle mange d'un air cocasse. Dave me tire par la manche, j'éclate de rire. Elle tourne vers nous un regard vif mais ne s'interrompt pas.

– Regardez-moi cette salope qui bouffe notre poisson ! gueule le skipper.

Deux ailerons noirs fendent alors la surface des flots : un couple d'orques. La loutre plonge. Seul reste ce cormoran solitaire qui nous observe au loin, un sillage plaintif de mouettes dans le ciel pommelé.

Pendant ce temps l'*observer* compte, soupèse, mesure nos prises. Morues sombres aux reflets moirés, poissons de roche, des noir et vert irisés d'or, des rouges aux yeux saillants, de jeunes flétans qu'il nous faut rejeter à l'eau, morts pourtant. L'homme partage notre vie, silencieux depuis que l'on a quitté Kodiak. C'est à peine si l'on se rappelle son existence. La nuit parfois, quand on enjambe son corps endormi sur le plancher de la timonerie, on se souvient de lui.

– On dort pas si mal ici ? je lui dis, un jour qu'il se redresse. Il sourit un peu. Il est très timide.

– Oh oui, il répond.

– C'était ma place avant, je lui dis fièrement.

Simon a maigri. Il s'est endurci. Son regard s'est affermi. Les hommes le traitent presque en égal. Mais le plus souvent ils ne le voient pas. S'il avait appris à jurer, cracher, à se moucher entre ses doigts, peut-être serait-ce différent. Il se raccroche à son langage d'étudiant cachant sa déroute derrière des formules toutes faites. Jude hausse un sourcil surpris, Dave sourit pour lui-même, Jesse l'ignore tout à fait. Il reperd contenance. Je lui réponds alors. Mais c'est des hommes qu'il veut être reconnu, pas de la *greenhorn**, une femme qui plus est : c'est son tour de ne me témoigner qu'une indifférence teintée de mépris. Entre nous deux la méfiance. Nous défendons notre place à bord. Je ne suis pas plus fière que lui quand éclatent les premières gueulantes. Et ça gueule sans cesse dès que reprend la pêche. La peur lui donne un empressement servile. Je n'en mène pas beaucoup plus large.

– Pourquoi es-tu là ? je lui demande une nuit.

Nous avons fini tôt. Il est deux heures. La mer est calme. Nous fumons une dernière cigarette. Des cernes violets lui donnent un regard enfiévré, creusent davantage son visage amaigri, crispé par le froid. Il porte la cigarette à ses lèvres, il grelotte un peu, assis sur ses talons. Il regarde l'eau :

– Je voulais être sur l'océan. J'étais couché à l'hôpital, un accident de bagnole, l'histoire con, un samedi soir en rentrant de fête, on avait pas mal bu… Ça m'est venu d'un coup. De vouloir partir en Alaska – «*the Last Frontier*»… Et m'en aller sur l'océan. Tout laisser. Cette vie d'ennui – il sourit dans l'obscurité –, je suis quand même retourné à l'université. On n'aurait pas compris que je foute le camp comme ça. Je devais, je dois toujours pas mal de fric pour l'accident. Alors pour les vacances j'ai dit que je montais travailler en Alaska.

– C'est pas cette fois que tu feras fortune.

Il a une moue désabusée, une veine qui bat au coin de sa paupière le fait cligner de l'œil un instant.

– Non. Mais l'important c'était de le faire, de venir jusqu'ici tout seul et de trouver à embarquer.

Je le regarde avec étonnement :

– Et ça te plaît ?

– Oh oui, il répond.

– On ne peut pourtant pas dire que les hommes soient tendres avec toi. Le skipper t'engueule tout le temps.

Il hausse les épaules.

– Tu crois qu'ils le sont plus avec toi ? Au début ça m'a étonné, qu'on donne le job à une nana qui avait jamais fait ça et qui arrivait tout droit de sa campagne, qu'était même pas légale. J'ai pensé qu'Ian avait sûrement d'autres raisons pour t'embaucher... Je peux t'assurer que j'étais pas le seul à le croire.

Je rougis dans le noir de colère et de honte.

– Et maintenant, t'es convaincu ?

– Ouais. Que tu couches par terre, dès le premier soir, j'ai trouvé que c'était juste.

– Mais c'était pas juste ! je m'indigne. La loi des bateaux c'est premier arrivé, premier servi. J'ai commencé à bosser trois semaines avant toi, Jude et Dave. J'ai pas eu un seul jour de repos, et pas payée bien sûr, pas un centime. Je suis arrivée à bord avant vous tous, excepté Ian et Jesus. J'avais droit à ma couchette !

— T'énerve pas, il dit. C'est peut-être exprès qu'ils nous traitent comme ça, pour voir ce qu'on a dans le ventre. T'as presque eu du pot pour finir, avec ton histoire d'infection. On dirait qu'ils te respectent davantage maintenant.

— Je me suis pas plainte. J'ai rien dit. C'est Jude qui…

— Ouais, Jude le gros balèze qui s'en va parler au skipper, lui dire d'arrêter la petite parce qu'elle veut pas le dire elle-même… On aurait pu être dans la merde à cause de toi.

— Si je l'avais dit avant, vous auriez pensé que je faisais la gamine, que je me plaignais parce que j'étais une femme.

— Ouais, il dit. C'est de toute façon pas la place d'une femme à bord. Tu t'esquintes les mains, la peau, tu t'épuises, les hommes s'imaginent des choses sur ton compte.

— Sur mon cul tu veux dire ? Si vous vous épuisez et vous démolissez les mains, j'vois pas pourquoi j'y aurais pas droit aussi.

— T'as pas de mari ?

— Non.

— Alors t'en trouveras vite un ici.

— J'ai pas fait le voyage pour finir dans un plumard.

— Je vois pas où est le mal, il murmure.

Nos cigarettes sont finies depuis longtemps. Le froid est de plus en plus vif. Nous nous taisons. La mer nous entoure. Presque elle nous enrobe. Un croissant de lune s'est pris dans les haubans. La porte du carré s'ouvre avec fracas. Ian scrute la nuit.

— Hé Simon bordel ! Mais qu'est-ce que tu fous ? T'encules les mouches ? Tu t'imagines pas que je vais prendre ton putain de quart ?

— On dirait qu'il faut que j'y aille, il dit.

– Dis, Ian, c'est vrai qu'une femme n'a pas sa place à bord ?

– Qui t'a dit une connerie pareille ?

– Simon… Enfin, on parlait l'autre nuit. C'est venu dans la discussion.

Le grand gars maigre secoue la tête.

– Écoute l'avis de vrais pêcheurs la prochaine fois, pas celui d'un gamin qu'a jamais quitté son école.

– Une femme m'a prise en stop à Kodiak. Elle était skipper et me disait que je pouvais tout faire.

– C'est infatigable une femme. C'est souvent, parfois, plus patient qu'un homme. Les hommes ils aiment en mettre un coup, tout tout de suite, ils prennent leur pied à se défoncer dans l'effort, ils aiment bien les jeux de brutes, plus c'est dur, plus ça les fait bander.

– Dave et Jude ne sont pas des brutes, je proteste. Et moi aussi j'aime l'effort.

– C'est pas ce que je voulais dire, il rit. Une femme qui pêche va se fatiguer autant qu'un homme, mais il va lui falloir trouver une autre manière de faire ce que les hommes font avec la seule force de leurs biscoteaux, sans forcément réfléchir, tourner ça différemment, faire davantage marcher son cerveau. Quand l'homme sera brûlé de fatigue elle sera encore capable de tenir longtemps, et de penser surtout. Bien obligée. Et je peux te dire que j'ai connu de ces femmes, pas plus épaisses que ça, mener tout un équipage de gros durs, des pêcheurs de crabes, et à la baguette. Y en avait pas un qui bronchait. D'abord parce qu'elles étaient bonnes, des putains de skippers, et faut voir comme elles étaient respectées. Ces chargements qu'elles rapportaient… Les mecs se seraient battus pour embarquer sur de tels bateaux.

— Pourquoi certains sont contre alors ?

— Les hommes qui les veulent pas à bord — pas les petits mecs comme Simon qui ne font que répéter sans savoir mais les vrais hommes —, c'est peut-être parce qu'ils ont peur qu'on leur prenne leur bateau, qu'elles se l'approprient, qu'elles veuillent tout révolutionner, foutre de l'ordre — le leur — et flanquer leur merde.

— Leur merde ?

— Ben oui, ces histoires de pouvoir toujours, leurs colères, leurs rancœurs, leurs comptes à régler avec la race des mecs, toutes ces conneries qu'ont pas leur place à bord. T'imagines un peu ? Ce bordel que ça ferait de se faire reprocher en pleine action, quand on ramène un set par exemple, qu'on est un sale macho parce qu'on aura poussé une gueulante… Et les histoires de cul que ça ferait s'il se mettait à y avoir autant de femmes que d'hommes. Il n'y a pas de place pour le cul sur le bateau. C'est avant ou c'est après. Là, t'es la seule femme et on te respecte tous. Sur le *Blue Beauty* elles sont deux. En plus c'est des bonnes… Pour qu'Andy les ait choisies plutôt que des mecs…

Je me ronge la peau des ongles nerveusement.

— Bouffe pas tes doigts c'est sale. Fais pas cette tronche non plus. C'est une idée en général. C'est des emmerdeuses que les hommes ont peur. Celles qui veulent régner sur tout sous prétexte qu'on leur en a fait baver pendant des siècles. On leur laisse la maison à celles-là, qu'elles nous laissent les bateaux. Mais pour les autres qui aiment pêcher, qui se plient à la vie du bord et qui sont prêtes à faire leurs preuves comme le plus petit des *greenhorns*, y a pas de problème. Ça sera toujours plus dur parce qu'il faudra prouver davantage – il bâille longuement. Tu me fais parler Lili, comme si c'était vraiment l'heure et l'endroit, après une journée pareille.

– Ça emmerde personne que je sois là alors ?

– Et même si ça les emmerdait, toi, tu les enverrais chier. Fais ton boulot, fais-le bien, et apprends à gueuler comme eux. Tant que tu ne sauras pas les envoyer se faire foutre tu te feras marcher dessus… D'ailleurs si tu les emmerdais ils te le feraient savoir. Ils ne se sont pas gênés pour te faire coucher par terre. Et ils ne se gênent pas pour t'engueuler quand tu fais pas comme ils veulent.

– J'en fais beaucoup des conneries ?

Il soupire et rit :

– Là, c'est toi qui m'emmerdes, Lili. Si t'allais plutôt me chercher un café ?

– On a mouillé pour la nuit… Suffit que tu surveilles que l'ancre ne ripe pas. Tu jettes un œil au Loran* de temps en temps. J'ai marqué là notre position. Le câble de l'ancre doit garder un angle de quarante-cinq degrés environ. Te fie pas à l'eau, la marée est forte, t'auras toujours l'impression qu'on dérive si tu regardes les vagues. Fie-toi plutôt à la côte, mais surtout aux cadrans, parce qu'on risque de tourner sur nous-mêmes. Devrait pas y avoir de problèmes, le fond est très rocheux on est bien accrochés… Allez, amuse-toi, le prochain c'est Simon. Au moindre problème…

– Oui je sais, je te réveille, ou Ian ou Jesse.

Me revoilà seule dans la grande nuit. Le bateau tire sur sa chaîne comme une bête sur son licol mais l'ancre est bien prise. Le moteur tourne au ralenti. Les vagues glissent au-devant de l'étrave. Je pense aux morues tuées aujourd'hui. Il doit faire si bon être poisson à cette heure, nu dans la vague, pris dans la marée qui avance. L'*observer* a un étrange gémissement dans son sommeil, un jappement bref. Il sursaute. Non, il dort à nouveau. Je regarde la côte à ma droite : elle a disparu. La panique me gagne un instant. L'eau court trop vite autour de nous. Le bateau s'est-il libéré ? Je baisse les yeux sur le Loran, nous n'avons pas bougé. Je tourne la tête, la côte est à gauche maintenant. Je respire : nous avons seulement tourné sur notre axe.

Mes yeux errent sur le plancher. J'aperçois un anpec. Je me penche pour le ramasser. En face de moi un petit placard que j'ouvre. De vieilles paires de gants en débordent. Je les repousse. Quelque chose de dur sous mes doigts. Une flasque à moitié pleine – Canadian Whisky. Je la réenfouis sous les gants. Jude. Je pense à la gorgée qu'il boit chaque nuit face à la mer, peut-être avec son mauvais café… Rien qu'une toute petite rasade de l'élixir d'ambre. Je vois l'horizon s'éclairer. Alors ça me vient d'un coup de penser aux grillons… L'été en France. Quelque part c'est l'été en France, l'odeur de la terre brûlée par le soleil des jours, le bruit d'une rivière, ses berges de ronces et d'herbes sèches… Il y avait une rivière où je dormais l'été, le crissement doux des grillons dans la nuit tiède.

Les yeux grands ouverts dans l'ombre. Le moteur en sourdine. Le souffle des hommes. Je tourne la tête vers Jude endormi. Il a bougé. La lumière pâle de la coursive a glissé sur son visage. Sa main entre ses lourdes cuisses. Il doit rêver de femmes et d'héroïne. Et de whisky.

Mon skipper rêve encore face à la mer. Il disait que chacun se révélait une fois à bord. Qu'est-ce qu'il doit être triste alors, je pense en le regardant. Il s'est retourné :

— Alors Lili, pas trop dure cette saison ?

— Oh non.

Il sourit :

— Je savais que ça te plairait. J'ai vu passer suffisamment de *greenhorns* pour savoir reconnaître ceux qui vont accrocher.

— Je fais l'affaire ?

— Sûr…

— Tu vas y aller, pêcher sur la mer de Béring ?

— Peut-être. Faut que je redescende à Oklahoma d'abord. Voir mes gamins. Ma femme.

— Tu les vois pas souvent.

— Pas trop. J'y ai quand même passé l'hiver. Ils grandissent. Ils sont beaux.

— Tu dois manquer à ta femme.

Il a un sourire triste.

— Peut-être. Je lui en ai fait assez voir quand je faisais le con. Quand je rentrais saoul mort toutes les nuits.

— Mais tu ne bois plus maintenant. Et même t'es beau.

Son visage s'éclaire un instant. Il a un sourire gêné.

— Si tu le dis…

Je m'approche de la vitre. Je regarde la mer.

— Tu me prendras à bord si tu la fais, cette saison d'hiver ? Je travaillerai du mieux que je peux. Je donnerai tout.

Je me retourne. Son regard vacille. Il baisse les yeux.

— Ton putain d'accent… ça me fait de l'effet. Mais oui je t'embarque.

— On sera beaucoup à bord ?

— Pareil. Six ou sept.

— Tu reprendras les mêmes ?

— Jesse devrait sans doute venir. Dave a déjà une place ailleurs. Simon reprend ses études – d'ailleurs j'veux pas de lui. Jude, oui, s'il est toujours OK.

— Je serais contente qu'il vienne. Je voudrais retourner pêcher avec toi et Jude.

Il fronce les sourcils.

— Pourquoi Jude ?

— Il travaille comme un lion. Et bien. Il ne dit jamais rien, il s'occupe de personne. Quand c'est fini il va dormir. Et toujours il nous ramène un café quand on bosse sur le pont et qu'il va en chercher un pour lui.

— Oui, c'est quelqu'un, Jude. Sans lui et Dave…

— C'est pas les *greenhorns* qu'auraient rempli la cale, c'est sûr.

— Vous avez fait du bon boulot, allez. Mais toi si tu veux continuer à pêcher, tu peux pas rester illégale. Tôt ou tard l'Immigration va te prendre.

— Oui mais quoi faire ?

— Te marier.

— J'en veux pas de mari.

On rentre. On va enfin pouvoir se doucher. Et se laver les dents. Dave sourit en pensant à sa copine.

— Et puis peut-être qu'on ira faire un tour à Hawaï après l'ouverture du flétan, si la pêche est bonne…

Il prend un air gêné en me regardant :

— Tu comprends, c'est pas que ce soit vraiment mon truc, la plage et tout ce bordel, mais elle, elle s'ennuie un peu à Kodiak et elle en rêve depuis si longtemps…

Jude rêve aux bars, à la cuite de whisky qu'il va se prendre en arrivant, et les jours suivants aussi. Simon ne dit rien. Une bière scandinave peut-être. Jesse ne cesse de parler de la pizza géante qu'il va commander, une fois que le *Rebel* aura touché le quai. Dé-ca-dente, il répète avec jubilation, une pizza décadente avec un pack de bières. Le skipper semble soucieux. Il dit seulement qu'il lui tarde de téléphoner à Oklahoma.

— Et toi Lili ? Ce sera glace ou pop-corn ?

Moi je veux bien aller me saouler aussi, aller repeindre la ville d'un rouge cramoisi, avec ou sans Wolf, et goûter enfin aux White Russians dont m'a tant parlé Jason.

Ian nous réveille à l'aube ce dernier matin. L'idée d'un retour ne l'a pas mis de meilleure humeur. Il gueule :

— Debout là-dedans ! Faudrait pas vous croire en vacances déjà !

On est sur pied tout de suite. On enfile les joggings par-dessus nos *long johns**, nos chaussettes, les bottes. L'aspirine quotidienne en passant devant l'armoire à pharmacie. Jude me tend la boîte sans un mot. Je baisse les yeux et je m'écarte. Il passe sans même sembler me voir. Ian gueule encore dans le carré. Ses traits sont creusés au couteau.

– Bougez-vous le cul les mecs! Faut astiquer le bateau, qu'il soit nickel quand on arrive au port! On va pas s'montrer dans cet état… Toi Simon, tu t'occupes du carré. Tu grattes le fourneau avec la paille de fer, faut que ça brille comme si c'était neuf. T'y passes de l'huile. Pareil pour le plancher. Toi Dave, les murs. Tu les laves, huile de lin sur les boiseries. Le frigo à l'eau de Javel. Vous virez votre bordel de la banquette et des équipets*. L'escalier de la timonerie à la paille de fer encore, les chiottes nickel… Toi Jude tu t'occupes du pont avec Lili. Vous frottez au balai-brosse. Tout. Qu'il n'y ait plus rien qui traîne, plus le moindre petit morceau de calamar ou de boyau, plus un hameçon ni un anpec. Vous cherchez les tripes de poisson dans tous les recoins. Le bateau doit être comme neuf. Qu'on leur en foute plein la vue quand on arrive.

Jude hoche la tête: Sûr… Il sort. Je le suis. Pluie fine et serrée. La brume nous enveloppe. Un froid humide s'insinue jusque dans mon cœur. C'est un temps triste à mourir, la fin d'une saison, le jour du retour quand tout meurt après la fête. On enfile nos cirés. Jude attrape un balai-brosse, m'en jette un. L'eau glacée arrive à bord quand il met la pompe en marche. Je m'écarte trop tard, le jet puissant arrose mes bottes. J'ai envie de pleurer. Mes pieds sont trempés. On n'a pas eu droit au café. Je suis seule sur le pont avec Jude en colère. Et ce soir on rentre au port.

Il remplit un seau d'eau et de chlore, déjà il frotte l'auvent. Je fais de même, à distance prudente. Viscères, sang séché et vieux appâts sont restés collés de partout, il faut gratter longtemps pour en venir à bout. À l'arrière du pont c'est pire : sur la gouttière et dans tous les recoins, je retrouve des lambeaux de chair blanchâtre, des morceaux de calamar déliquescents. Jude travaille vite. Il brosse sans faiblir. Je m'acharne en me mordant la lèvre. Cela finira bien un jour. Déjà je n'ai plus froid. Il s'arrête. Je continue, sourcils froncés. J'ai peur de son mépris si je m'arrête aussi. Sa voix basse et lente :

— Fais une pause, tu veux une cigarette ?

Je lève les yeux, j'hésite.

— Oui, je bafouille enfin, s'il te plaît.

Il me donne le paquet et je reprends mon souffle. Mes joues sont brûlantes. Il me tend son briquet.

— Allume-la toi-même, y a du vent.

— Oui. Merci.

— Sûr… il répond, avec un sourire amusé. Tu es rouge… J'ai rarement vu ça.

— Oui je sais, je réponds d'une voix étranglée.

J'ai repris mon balai-brosse.

— Bon eh bien je continue.

Il crache et se mouche. Le balai tendu à bout de bras je m'attaque à la passerelle. Jude rince le pont à grand jet. Les gouttes glacées me piquent le visage. J'ai des crampes d'estomac. Ma nuque et mes épaules sont en feu. Je pense au skipper qui boit son café, mollement assis dans son fauteuil de capitaine. Eh bien moi ce soir, ce sera de la bière que je boirai.

— Ça suffit, dit Jude enfin. Allons voir où ils en sont. C'est peut-être aussi l'heure du café.

La terre se rapproche. Nous sommes sur le pont, sales et heureux, une tasse de café entre les mains. Je me sens maigre, l'estomac vide, le ventre creux. Je regarde le pont, je suis fière de nous.

Dave m'appelle :

– Lili ! Y a quelqu'un pour toi…

Je love un cordage. Le *Rebel* est amarré aux docks. Je me retourne. Un gars blond et maigre est planté sur le quai, tout petit entre les containers de plastique blancs et la grue orange. Ses mèches rousses s'agitent dans le vent. Jason. Il a su par l'usine que nous rentrions ce soir. Il est venu m'attendre pour aller boire des White Russians.

– J'ai à faire… Plus tard ! je crie depuis le pont.

– Tony's ?

– Oui, Tony's !

Le bateau est déchargé. La cale propre. On mange les pizzas assis sur le pont. Chacun va se doucher aux vestiaires de l'usine. Je m'habille de propre. Mes cheveux lâchés brillent et dansent au vent. Jude me regarde avec étonnement et un respect nouveau. Il baisse les yeux quand je le regarde. Je n'ai plus peur de lui. Ce soir il n'est plus le maître à bord. Le *Rebel* retrouve sa place au port. Nous sommes pressés de filer et avons vite fait de l'amarrer au ponton et de rebrancher le câble électrique.

– Attention à la gueule de bois les mecs… Je vous veux tous sur pied demain matin à six heures !

Les gars sont déjà loin. Je cours derrière eux. Je me retourne, le skipper est resté, grand gars plus maigre que jamais dans l'encadrement de la porte. Je reviens sur mes pas.

– Bien sûr tu ne peux pas venir avec nous ? je dis.

Il a allumé une cigarette. Il esquisse un sourire, à peine, puis sa bouche retombe, la lèvre inférieure lourde.

– Va avec eux, tu vois pas que tu vas les perdre ? Va au bar, allez, amuse-toi…

Déjà ils ont disparu à l'angle de la route… Je suis repartie, je cours, mes jambes font des bonds entre les ornières, les mouettes me précèdent et moi je les poursuis, mes cheveux s'envolent comme un sillage dans le vent. Je les rejoins sur les quais hors d'haleine. Dave s'est arrêté à la cabine. Il appelle son amie. Simon est parti retrouver les siens à Gibson Cove, étudiants des *lower forty-eight**, dans la crique dénudée et battue par les vents, le campement improvisé de tentes et de bâches. Jude n'a attendu personne. Nous marchons Dave et moi jusqu'au Tony's. Le bar est plein. L'équipage du *Venturous* boit au comptoir. Jason qui guettait la porte agite les bras :

– Hé mon amie ! il hurle. Bienvenue à bord !

Ses yeux roulent comme des billes sous ses épais sourcils. Dave me pousse vers eux.

– Je crois que je peux te laisser, tu es entre de bonnes mains. Moi faut que j'y aille, ma belle m'attend et il me tarde de la voir… Fais-toi raccompagner quand tu rentres. *Stay away from trouble, girl.*

J'entre dans la mêlée. Jason m'a trouvé un tabouret. Une longue serveuse brune et maigre, les pupilles dilatées dans un visage très blanc, me sert un breuvage brun laiteux dans un large verre. Les White Russians sont forts et sucrés. L'alcool monte en moi très vite et c'est une bonté brûlante, du miel dans

mon corps endolori. Autour de nous les hommes trinquent.
Tous reviennent de mer.

Je paye ma tournée.

– Un rhum pour moi, je suis pirate ! gronde Jason.

Je préfère rester russe et choisis la vodka. Je fais le tour des
visages, ne reconnais personne. Steve doit être au B and B.
Jude au Ship's, le vieux bar très sombre avec les Indiennes dans
l'ombre et les grosses femmes nues sur les murs.

Je ne reste pas tard. Il fait trop propre au Tony's et les
gars sont de jeunes chiens fous. Je pense à la nuit bleue et
soudain le bateau me manque. Je voudrais être sur le pont,
seule, balancée par les eaux du port, à humer l'air, regardant
miroiter les reflets rouges de la ville. J'abandonne Jason et me
fraye un chemin jusqu'à la porte. Dehors l'air est très pur, les
rues désertes. Des taxis attendent le client devant la capitainerie. Je prends la rue transversale. J'aperçois la mer au bout,
noire et qui ondoie sous les lampadaires des quais. Je cours
vers elle. La brise est douce. Un oiseau s'envole dans un froissement d'ailes qui semble assourdissant. Je vais plus lentement.
Alors je me souviens du *Free Spirit* que j'ai laissé derrière le
B and B le jour de la fête du crabe. Je presse le pas le long du
quai. La nuit sent bon la vase. Je traverse la route et me coule
derrière le bar. Je cherche dans le renfoncement obscur, entre
le bâtiment et le remblai de terre. Mais il n'y a qu'un trémail
déchiré, des bouteilles vides, un bout de ferraille. Une bouée
crevée luit misérablement au travers des ronces. Il est parti le
Free Spirit. J'ai un soupir de regret. Des éclats de voix. Deux
hommes saouls sortent du bar. Je me rabats dans l'ombre
d'un tas de palettes. Ils s'éloignent. Je sors de mon recoin.

Je traverse et rejoins le quai. Basse mer. Je me tiens fort à la rambarde, sur la passerelle humide qui descend à l'oblique jusqu'aux pontons. On dit que les marins saouls tombent à l'eau en rejoignant leurs bateaux. Et qu'alors ils se noient. Je me penche un instant par-dessus la rampe. L'eau est noire. C'est à peine si elle bouge. Je crache, pour voir. Le crachat tombe avec un bruit mou. Quelqu'un vient. Vite, je me carapate au *Rebel*.

Le grand gars maigre est sur le pont. Je vois le point incandescent de sa cigarette bouger dans le noir, monter jusqu'à ses lèvres, reprendre éclat et vie, puis s'atténuer quand son bras retombe. C'est rouge et palpitant comme un cœur dans la nuit. Il regarde la ville, les lumières danser sur les eaux du port. Je saute à bord.

– Hello skipper… je dis doucement.

Il se retourne. Je ne vois qu'un masque mangé d'ombre.

– C'est toi Lili? Déjà?

Je ris à mi-voix.

– Oui. Et même pas saoule. Enfin pas beaucoup. J'ai pu rentrer sans tomber du quai mais le *Free Spirit* est parti.

– Hein?, il dit.

– Oui, mon vélo. Enfin c'est pas grave.

– C'était bien? T'étais avec les gars?

– Oui, non, j'ai retrouvé l'équipage du *Venturous*. On a bu des White Russians. Après je me suis ennuyée.

Il me tend une cigarette qu'il vient d'allumer – Merci Ian. Le port est silencieux. La vie est dans les bars à cette heure. On entend les bateaux tirer sur leurs amarres, les bouées aller et venir, prises entre leurs flancs et le ponton, l'eau clapoter contre les coques. Je m'assieds sur le panneau de cale. Il s'assied à côté.

– T'as fait quoi ? je demande.

– On est sortis bouffer un truc au resto mexicain avec Jesse. Et puis il est parti boire. Alors je suis rentré.

– Tu t'ennuies pas ?

– J'ai arrêté de boire. J'vais pas retomber dans cette merde sous prétexte que je me fais chier.

– T'as raison. On s'amuse même pas dans leurs bars pour finir. Au début c'est drôle mais ça dure pas.

– Allez ça va… il dit.

Je me tais. Il n'est pas dupe.

– Va falloir bosser comme des malades. Plus qu'une semaine avant l'ouverture. Demain matin on attaque le nettoyage des palangres, les trop emmêlées on les met de côté, pas de temps à perdre. Faut retirer les vieux appâts des autres, changer les anpecs arrachés, remettre des hameçons où ça manque. Et rapidement faudra se remettre à appâter.

Jude et Simon sont rentrés tard dans la nuit. Je ne les ai même pas entendus. À cinq heures je me réveille et c'est comme l'urgence. Ça m'appelait d'au travers les rêves : le matin sur le port. Jude ronfle terriblement. Quelquefois il tousse dans son sommeil. Des quintes rauques qui voudraient l'étouffer. Simon dort d'un air appliqué. Dave n'est pas rentré. Dans l'ombre j'attrape mes vêtements, je cherche à tâtons mes chaussettes parmi celles des hommes, prends quelques pièces sous mon oreiller. Je sors sans un bruit. La lumière du carré me saute au visage. Je m'habille à la va-vite, le pantalon informe par-dessus les *long johns*, pulls et sweat, mes bottes. Je remplis d'eau la cafetière, la mets en marche. Je sors. Seule et libre sur les docks. Un bateau se détache du quai. Je marche dans le matin. Le cri des oiseaux au loin et plus près, âpre et qui s'étire, respirer l'eau, son odeur d'algues et de sel, ses relents de vase et de gasoil, épais jusque dans ma gorge. Le vent est tombé et c'est à peine si l'eau se ride. Un instant, la plainte du ferry voyage à travers la rade. Quelques rares pick-up passent sur la route. Les hommes cuvent, au creux d'une couchette ou dans la fraîcheur de draps propres au motel, à l'abri du frère Francis… sur un banc…

Je marche. Des mouettes balayent lentement le ciel. Dans les mâts, des aigles immobiles. Les oiseaux semblent être les seuls survivants de la nuit. Le soleil paraît et avec lui le mont Pillar qui s'arrache à la brume. Je m'arrête aux lavabos de la capitainerie. Le bureau des taxis est déjà ouvert. Je cale la porte avec un pied. Je me lave avec mon foulard. Mes hanches font deux ailerons blancs de chaque côté de mon ventre, mon cul est dur comme un bois poli. Le peigne reste pris dans mes cheveux, je serre les dents et tire, une mèche vient avec. J'abandonne le peigne et finis de me coiffer avec les doigts. Je ressors : un aigle et deux corbeaux se disputent un poisson mort sur le quai désert. L'air est bon dans ma gorge après les cigarettes de la nuit. Je longe le Tony's, le *liquor store*, un camion décharge devant le supermarché, un homme fatigué vacille contre le ciel, il renonce à avancer et se laisse tomber sur un banc. Les mèches noires et sales cachent son visage. Il fixe avec hébétude ses chaussures boueuses. Je traverse la place déserte en évitant les ornières. Je perds mes ailes et ma splendeur en poussant la porte du Bakery Hall, échangeant la clarté du jour contre celle d'un néon. Odeur du café fraîchement moulu. Une fille rousse et dodue termine de mettre ses gâteaux en place. Elle me jette un regard bref.

– Un instant s'il vous plaît, dit-elle de sa voix haut perchée.

Je rétrécis. Mes mains d'homme démesurément grandes pèsent lourd à mes bras soudain. Elle tourne vers moi ses beaux yeux verts de femme.

– Je suis tout à vous à présent…

– Oh ce sera juste pour un café, je réponds.

Ma voix n'est plus qu'un murmure.

Un jeune pêcheur botté de vert est entré. Le pantalon léger est une gaine sur ses cuisses drues. Il marche jusqu'au stand d'un pas chaloupé, le front haut et clair sous ses cheveux ébouriffés. Chaque muscle de ses jambes ondule sous la peau de coton. La jeune femme rousse a tourné la tête, son visage s'est allumé. Elle joue des prunelles, quelque chose s'arrondit dans ses gestes et le ton de sa voix. Je vais m'asseoir face à la porte. Leurs paroles ne me parviennent plus que de très loin. Dehors il fait blanc.

Déjà, la vie reprend sur les docks quand je rentre au bateau. J'ai eu peur d'arriver en retard. Les gars dorment encore. Dave est là sur le pont. Mains plaquées contre ses reins, il étire ses longs membres souples.

– Oh Dave! T'as l'air heureux…

– Je suis heureux, il rit. Tu reviens juste de ta nuit?

– Non. Petit café dehors c'est tout. Je suis rentrée tôt hier soir.

– T'as laissé le beau Jason?

C'est mon tour de rire :
– Je m'en fous de Jason.
Dave disparaît dans la cabine. Je l'entends secouer Jude :
– Hé frère ! la fête est finie… il dit presque tendrement.
Les palangres pourries t'attendent.
Simon a émergé de sa couchette. Dave revient s'asseoir
dans le carré. J'ai posé quatre mugs sur la table. Jude paraît.
Le réveil l'a hébété. Il marche vers l'évier d'un pas de somnam-
bule, passe un peu d'eau sur son visage gonflé et marbré de
rouge. Il se sert un café, dans ses yeux vagues comme de la
stupeur.

Deux matelots se disputent un chariot au bas de la passerelle pour y charger leurs caisses d'appâts. Nous avons repris
le travail à l'arrière du pont, sur la longue table d'aluminium
chargée des baquets puants. Le *Rebel* est amarré cul contre
dock, on peut voir les passages quand on relève la tête. Nos
doigts marinent dans un jus saumâtre. Les appâts commencent
à pourrir et quand nous les décrochons des hameçons, c'est
une gomme élastique et visqueuse qui colle à nos gants percés.
Des gars passent, duffle-bag jeté en travers des épaules. D'autres
c'est un sac-poubelle dans lequel ils ont fourré leur barda.
– Besoin de personne à bord ?
– Complet !
Des étudiants à la peau lisse vont d'un bateau à l'autre en
proposant leurs services, espérant trouver à embarquer.
– Besoin d'aide pour appâter ?
– Faut voir le skipper pour ça. Mais là il est sorti.
Et ils s'en vont tenter leur chance ailleurs. Murphy arrive

depuis le bout des quais, faisant tanguer ses lourdes hanches. Il s'arrête de pont en pont, blague avec les gars, rit bruyamment, s'ébranle lourdement jusqu'au suivant.

— Lili! il crie quand il arrive à notre hauteur. Alors tu l'as retrouvé ton bateau! Je te voyais plus… Et ta main?

Jude travaille en face de moi. Il relève la tête un instant, me lance un regard surpris. Son sourcil droit se hausse. Il se tourne vers le dock.

— Salut Murphy, il dit flegmatique, comment va?… Ça m'a bien l'air que tu cherches de l'embauche.

— Salut frère, j'ai foutrement pas envie de faire cette ouverture, j'crois que je vais me contenter de gagner trois sous en bossant sur le matos des autres.

— Reviens plus tard si t'as pas trouvé, le skipper devrait pas tarder.

— Il est où votre skipper?

— Doit enculer les mouches quelque part en ville.

Murphy balance son corps massif d'une jambe à l'autre.

— Je vais continuer à chercher un moment, il dit, si ça le fait pas j'irai faire un tour au square… Passe nous voir quand t'as le temps. On aura peut-être un coup à boire.

— Ah, t'as repris?

— Ça dépend des jours… Allez, j'y vais. Bon courage Lili! dit-il en se tournant vers moi. Prends-en soin, Jude. Je me rappelle comme elle était malheureuse d'avoir été débarquée du *Rebel*. Elle pleurait sur mon épaule.

— Sûr… répond Jude de son air impénétrable.

Murphy s'éloigne jusqu'au prochain navire. Jude me jette un regard sévère:

– D'où tu le connais?

– Du square.

– Qu'est-ce que tu vas foutre au square, toi?

– C'était à la fête du crabe… Quand je vous attendais, après l'hôpital. On a parlé, un jour.

– Hum, il fait.

Il baisse les yeux sur sa palangre, reprend l'épissure d'une ligne rompue. Il allume une Camel, crache. À nouveau il est très loin.

Simon fait basculer par-dessus la lisse un baquet plein de vieux appâts.

– Bon appétit les crabes! dit Dave. Pour nous aussi c'est peut-être l'heure du lunch…

Adam passe dans l'après-midi. Cerclés de cernes gris ses yeux ont pâli encore, enfoncés dans leurs orbites comme deux bêtes aux aguets. La peau flétrie de ses paupières ne cesse de palpiter. Des rides profondes barrent son front, creusent ses joues hâves, depuis les ailes du nez jusqu'aux coins de sa bouche amère. Sa mine me fait peur mais Dave lui tape sur l'épaule en riant:

– Paraît que vous avez rempli le bateau? Félicitations, vieux… À voir ta gueule tu dois être content de dormir.

– Je fais que ça… Dix heures en tout et pour tout qu'on a dormi la première semaine… Je me lève pour aller bouffer un morceau au Fox's. Je rentre. Je me recouche. C'est plus de mon âge de pêcher pour Andy… Il nous aurait tués à la tâche s'il l'avait pu, l'enfant d'salaud, le fils de pute. Je sais même pas comment il fait lui-même pour tenir, il n'a pas dormi plus que nous, moins sans doute… Ça doit être l'idée du pognon qui le fait avancer comme ça. Mais moi j'en ai assez gagné.

— Tu fais pas l'ouverture du flétan avec lui alors?

— Bosser pour lui c'est fini. Ron, le mec pour qui je garde l'*Anna*, me laisse le sortir pour cette pêche. C'est un joli bateau et qui tient bien la mer, trente-deux pieds. Je fais encore le flétan et puis je fous le camp dans mes bois.

— Combien vous avez pris de morue noire?

— Cent vingt mille livres tout juste. Et vous?

— Limite des quatre-vingt-dix mille.

— Paraît que vous avez perdu du matos?

— Une trentaine de palangres, fait Dave à mi-voix.

Adam a un long sifflement.

— Fuck! Comment c'est arrivé?

— Prises dans les fonds. Courants forts. Ça a dérivé.

— Ian aurait pas pu éviter ça?

— Ouais… Peut-être. Il est furax parce que Andy nous a refilé du matos pourri.

— C'est vrai que par rapport au nôtre…

— Ce qui le rend encore plus fou c'est qu'on doit le remplacer par du neuf.

— C'est pas Andy qui va faire un cadeau.

— Je connais pas beaucoup d'armateurs qui feraient un cadeau au mec qu'ils ont embauché comme skipper.

— Mouais.

Dave s'est éloigné. Adam se tourne vers moi.

— Alors cette main?

— Ça va, j'ai bouffé les points de suture avec mes dents, je dis en riant.

Je défais mon gant et lui montre ma main sale. Il fait la moue. Son visage semble plus torturé encore.

– C'est pas beau quand même… Il parle plus bas: Je t'ai cherchée hier soir. J'ai besoin d'une personne en plus sur l'*Anna*. On est trois à bord. Quatre ça serait mieux.

– C'est gentil de ta part, Adam, mais je suis sur le *Rebel*.

– Avec moi tu serais payée plein pot. Je gueule pas. Tu seras respectée, tu dormiras pas sur un plancher dégueu.

– J'ai ma couchette maintenant.

Il hausse les épaules et baisse la tête. Il est fatigué Adam, on le dirait au bord des larmes tant il n'en peut plus. Il devrait retourner dormir.

– Je me suis trouvé une chambre à la *bunkhouse**, le long bâtiment gris après l'église orthodoxe, juste avant le chantier naval. Cinquante dollars la semaine. C'est juste une pièce mais j'ai une plaque chauffante et il y a des douches, de l'eau chaude tant que tu veux. Viens me voir. T'as pas arrêté depuis avril. Faut te reposer aussi. Ils vont t'user jusqu'à la corde.

Il a parlé à voix basse. Jude lève la tête de temps en temps et nous regarde avec agacement. Il crache plus bruyamment que jamais, se mouche avec colère. Un mollard s'écrase à deux pas de nous. Simon me bouscule avec un baquet rempli d'appâts déliquescents: Excuse… Dave passe la porte du carré une tasse fumante entre les mains.

– Du café frais pour ceux qui en veulent! il clame.

– Je passerai peut-être un de ces jours si je trouve un moment, je dis à Adam.

Je me replonge dans le travail. Jude hausse un sourcil sévère sur moi.

Ian reparaît. C'est à peine s'il nous jette un regard noir. Il disparaît dans la timonerie. Andy le suit de près et rentre à son tour, il ne nous voit pas davantage. Son visage fermé accuse à peine la fatigue. Dave et Jude se lancent un regard. Des éclats de voix nous parviennent. Adam hoche la tête. Simon sourit. Jude reste imperturbable.

— Oh oh… fait Dave. On dirait qu'il y a un problème.

— M'est avis que vous allez guère voir la couleur des dollars, les mecs, murmure Adam.

Jude crache par-dessus bord.

— Ça fait plus d'un an que je me tue au travail pour gagner rien ou une misère, il dit, ça aurait été trop beau que ma chance tourne…

Le visage rugueux s'adoucit, il retire ses gants, ramène un pied contre la table, s'appuie de tout son corps contre sa cuisse repliée. Il allume une cigarette, suit la fumée des yeux, un sourire résigné plisse sa bouche à peine :

— Autant prendre un break puisque tout ce qu'on fait c'est pour pas un rond.

— Tout n'est pas joué, dit Adam, y a encore l'ouverture.

Jude hausse les épaules. Il regarde au loin, par-delà le goulet du port.

— Mouais. On dirait que le prix du flétan remonte un peu.

Dave me sourit par-dessus la table :

— Lili elle s'en fout. Elle va pas être payée mais elle est contente.

— Ben non alors, j'pourrai même pas aller à Point Barrow.

Les gars tournent la tête vers moi.

— Ça la reprend, dit Dave.

— T'es malade, dit Jude.

Je ne dis plus rien. Les gars me prennent pour une gourde. Peut-être qu'ils ont raison. On entend la radio sur le bateau voisin. Les Beatles. Ça parle de partir en mer quand c'est l'été. Jude est parti pisser à l'autre bout du pont. Simon me jette un regard par-dessus sa palangre, guettant ma gêne.

— Dans mon pays les hommes pissent n'importe où, je dis, qu'est-ce que tu veux bien que ça me foute.

Pour le coup c'est lui qui est choqué. Il vide par-dessus bord un fond de baquet de vieux appâts. Puis il va pisser. À l'intérieur.

— Le lion de mer doit tourner, dit Adam.

— Andy t'appelle, dit Dave.

— Moi?

Je sursaute. Tout de suite je pense à l'Immigration… Ou bien est-ce qu'il ne voudrait plus de moi? Je retire mes gants et me faufile derrière Simon. L'homme planté devant le château me regarde approcher, épaules carrées déployées dans l'encadrement de la porte, cet air d'assurance moqueuse qui jamais ne le quitte. Je me tiens devant lui cramoisie.

— Oui? je dis d'une voix étranglée.

Il sent ma peur. Je le vois sourire pour la première fois.

— Je te dois de l'argent, il dit d'une voix brève en me tendant un chèque.

— À moi?

— Ton travail sur les palangres avec Diego pour le *Blue Beauty*.

Déjà il est rentré dans le carré. Je baisse les yeux sur le chèque, entre mes mains sales… Je me suis débarrassée de mon ciré et tente de le rejoindre. Il parle avec le grand gars maigre. La discussion est tendue. Je me cale en retrait dans l'angle du fourneau.

– Qu'est-ce tu fous là, Lili, y a pas assez à faire sur le pont pour venir traîner ici?

– C'est que j'aurais voulu parler à Andy, je dis d'une voix faible.

Andy se tourne vers moi, le regard d'acier pâle toujours aussi perçant.

– Qu'est-ce qu'il y a?

– Pour le chèque, c'est bien trop… J'en ai pas fait tant que ça des baquets.

Une lueur amusée passe dans ses yeux froids. Pour la deuxième fois il sourit.

– Tu les a gagnés ces dollars. Retourne bosser.

Les hommes attendaient mon retour.

– Alors, t'es virée? demande Dave en riant.

– Pas encore. Il m'a seulement donné de l'argent. J'ai dit que c'était trop mais il ne m'a pas crue.

Tous ont relevé la tête et me regardent d'un air abasourdi.

– Comment ça se fait qu'on t'ait payée déjà? dit Simon suspicieux.

– Les palangres pourries que j'ai remises en état pour le *Blue Beauty* quand j'étais à terre.

Ils sont rassurés.

– N'empêche… murmure Simon.

– Faut jamais, tu m'entends, jamais refuser ce qu'Andy te donne. C'est assez rare. Tu l'empoches tout de suite, me dit Adam, un léger reproche dans la voix.

Andy est reparti. Adam s'en va à son tour. Les mouettes

volent au ras de l'eau. Allées et venues s'espacent sur les docks. Ian interrompt le travail quand le ciel vire au mauve. Le pont des bateaux voisins est déserté depuis longtemps. Dave est le plus pressé de se débarrasser de son ciré. Simon est parti retrouver les étudiants. Je quitte le bateau. Devant moi sur la route Jude marche vers la ville. Il va lentement, les épaules alourdies, au-dessus de lui le ciel d'été avec tout son poids de vide et de vent. J'allais le dépasser, je ralentis mon pas. Je voudrais disparaître. Le cri strident d'une mouette semble se moquer de nous. Qu'il ne me voie pas, qu'il ne sache pas que je l'ai vu, l'homme fatigué qui marche sous la lumière du soir. Un aigle plane encore. Jude tourne à l'angle du quai, longe les toilettes et le bureau du port, la Mecqua est proche à présent, pour le Ship's il lui faudra faire vingt pas de plus, les Breaker's ou Tony's lui en prendront bien trente. Il va doucement, il sait que tous l'attendront.

Midi. À trois bateaux du *Rebel*, de l'autre côté du ponton, des hommes repeignent un seiner de bois. La coque sera rouge et verte, la cabine jaune.

– Hé Cody! appelle un gros costaud à son bord.

Un grand blond dégingandé, cheveux nattés à l'indienne, visage tourmenté, se retourne. Niképhoros est assis sur le capot de cale. Il agite la main quand je passe. Sur le pont suivant un homme appâte seul. Une bouteille de bière vide a été oubliée dans un coin, sur un rebord de fer rongé par la rouille. La peinture qui a été blanche s'écaille sur de larges bandes, devenues grises avec le temps et la pluie. Le nom disparaît de moitié. – *Destiny*. Je parviens à le lire.

– Bonjour, je dis à l'homme.

Derrière lui s'empilent des baquets pleins, parmi les cordages déroulés et épars, un seau de plastique où croupit une eau verte, des chiffons graisseux, des boîtes de coca éventrées.

– Salut, dit l'homme.

Il travaille vite. D'un geste mécanique il attrape un hameçon dans le baquet de gauche, accroche un morceau de hareng salé, le fait basculer dans le baquet de droite, la ligne disposée en petits cercles réguliers, l'un chevauchant légèrement l'autre, les hameçons posés bien à plat. Il a les yeux baissés sur son travail. Des poches sous les yeux, un visage fatigué, alourdi, des épaules qui s'affaissent un peu. Il ressemble à son bateau. L'un et l'autre sont usés. La radio joue la chanson des jours précédents. Les Beatles. «On Summertime». Je cligne des yeux dans le soleil.

– Il est beau votre bateau, je dis.

– Et il tient bien la mer, répond l'homme, mais il aurait besoin d'un bon coup de peinture, de pas mal de travaux aussi… C'est l'argent qui manque.

«*Take me, take me to sail away*»… Emmène-moi naviguer, dit la chanson. Je regarde les flancs larges et robustes.

– Oui, je réponds, mais quand même il est beau. Vous partez pêcher le flétan?

– Ouais, mais sur un autre. Celui-là n'est pas en état. Un jour peut-être. Alors il me faudra un matelot. Je t'emmènerai pêcher avec moi si tu l'aimes, mon *Destiny*…

– Oh oui, je dis.

J'écoute la fin de la chanson, les paroles qui s'élèvent et s'en vont vers le large. Le soleil baigne mon visage et celui de l'homme. La chanson finit et quelque chose se casse.

– Il faut que j'y aille, au revoir, je dis.

Il a un petit signe de la tête.

Jude prenait un café sur le pont arrière. Je sens son regard peser sur moi lorsque j'enjambe le bastingage du *Rebel*. Les yeux jaunes ont un éclat glacé, on dirait de la colère. Il les détourne et crache. Son visage disparaît dans l'ombre de son capuchon. Je baisse les yeux.

Certains soirs, Jason s'arrête au bateau. Nous travaillons encore quand tout le monde a cessé depuis longtemps.

– Hé Lili, toujours au boulot? Je venais te chercher pour un ice cream, du pop-corn, ou des White Russians.

– Une autre fois Jason, on n'a pas fini.

Il repart, déçu. Il fait très jeune quand il s'éloigne ainsi entre les bateaux au repos et qu'il longe lentement le ponton désert, gravit la passerelle pour rejoindre le quai. Au-dessus de lui le ciel. La passerelle noire et le ciel. On croirait qu'il gravit le ciel.

Dave se moque de moi:

– Voilà ton copain.

Le skipper aussi:

– Tiens, ton Jason qui passe…

Le soir tombe. Le ciel a pris des couleurs de soufre. Du vent est annoncé pour le 26 juin.

– C'est comme d'habitude, dit Adam. À chaque ouverture du flétan on y a droit, alerte à la tempête, et des bateaux s'en vont au fond.

Nous partons demain. Les pleins ont été faits. Nous resterons deux jours au large avant que la pêche commence. Ce soir encore, Jason s'est arrêté devant le *Rebel*, une fois encore il repart seul. Jude crache par-dessus le bastingage.

– Finissez votre baquet et vous pouvez arrêter, dit le skipper.

Jude se tourne vers moi. Il désigne Jason du menton, dans son ascension du ciel orange.

– *Is he your boyfriend?*

Il parle à mi-voix. Son regard s'est fait sévère.

On franchit l'étroit goulet du port, on passe les premières bouées. Il fait si beau dans tous ces cris. Le soleil était presque tiède au port, la brise, sitôt quitté l'abri de la jetée, nous donne la chair de poule, hérissant nos bras nus, rabat nos cheveux dans les yeux, m'enivre, avec ses odeurs d'algues, ses parfums âpres et puissants comme des appels vers le grand large. Le rire en cascade des mouettes folles monte en crescendo. On dépasse les réservoirs blancs des docks à carburant. Les hommes s'affairent à déblayer l'avant du pont. Simon et moi nous appâtons, et trois étudiants qu'Ian a embauchés pour la journée. Bientôt on arrive aux conserveries. Le bateau ralentit. Le skipper effectue une savante manœuvre pour s'immiscer entre le *Midnight Sun* et le *Topaz*. Les gars amarrent le *Rebel* aux piliers de bois, autour desquels flotte une mousse sale. Un ouvrier mexicain crie quelque chose depuis le dock et guide jusqu'à nous l'énorme tuyau de plastique. Dave a enfilé son ciré et il saute dans la cale. Jude dirige le tuyau vers Dave qui l'agrippe. OK, il gueule. Alors le tuyau crache ses quelques tonnes de glace pilée que Dave prend soin de diriger dans chaque coin de cale. On le croirait pris dans une tempête de neige.

On charge les provisions que Safeway nous a livrées jusqu'au ponton. Dave jubile devant la pile de palangres prêtes à partir à l'eau. Simon se rengorge en prenant la note du livreur. Un homme entre deux âges monte à bord et jette son sac sur le pont.

– Salut les mecs… J'suis Joey, le nouveau matelot pour l'ouverture.

Il rentre dans la cabine pour y poser son bagage. Jude est allé chercher des cigarettes. Le skipper téléphone sans doute à Oklahoma. Jesse fume un joint dans la salle des machines. Je tourne sur le pont sans savoir que faire de mes mains.

– J'espère qu'on va remplir la cale. Qu'on va se les faire, ces foutus bâtards, dit Dave.

– J'espère que ça va pas trop crier, je réponds.

Il rit. Jude est revenu. Le skipper saute à bord quelques instants plus tard :

– On décolle, les gars. Larguez!

Neuf heures du soir. La ville s'éloigne. Le soleil baigne le pont, dore la limite du ciel et la montagne verte, le sable blanc des plages très lointaines au sud.

– Un jour j'irai là-bas, je pense à voix haute. Avec seulement ma besace et mon sac de couchage. Après la pêche, après Point Barrow j'irai là-bas.

– Ce serait mieux de prendre aussi un calibre. Pour les ours.

Joey est debout à mes côtés. Il sourit gentiment. Je regarde l'homme trapu, la tête rentrée entre les épaules comme pour mieux y rassembler sa force, ses yeux noirs profondément enfoncés dans les orbites, logés entre les paupières obliques et les poches de l'usure.

– Les mères grizzlis sont redoutables en été. Un jour je chassais le chevreuil… Il se tait, reprend : J'suis natif de l'île, Akhiok, un village du Sud, je connais ces montagnes comme ma poche. Ce serait dangereux de partir seule, surtout si tu ne l'as jamais fait. J'pourrais t'accompagner, si tu veux. Je te montrerais comment et surtout où tirer. Quand l'ours t'arrive dessus t'as pas droit à l'erreur. Si tu tires sur le crâne tu peux être sûre que tu es morte.

— Ah, je dis.

— Pas été trop dure ta première saison de morue?

— Le plus dur c'est la pêche au crabe, ils disent.

— Ouais. Une année j'ai perdu sept personnes de ma famille. Tous sur des bateaux différents. Mer de Béring.

— Je vais peut-être y aller cet hiver. Le skipper me prendra à son bord s'il fait la saison, je dis à mi-voix.

Joey reste silencieux un instant. Il n'a pas cessé de fixer par-delà les crêtes. Il murmure :

— J'espère que tu ne le feras pas. J'souhaite cet enfer à personne.

— D'autres le font bien. Des femmes aussi. Pourquoi pas moi?

— Parce que t'es petite, que t'y connais rien, que t'es pas obligée de le faire. J'espère que ton con de skipper ne reviendra pas d'Oklahoma… Qu'il aille donc au diable!

— Tu l'aimes pas trop on dirait…

— C'est un imbécile. Il ne sait pas ce qu'il fait, ni ce qu'il dit.

Les gars boivent un café dans le carré. Joey me tend une cigarette :

— Qu'est-ce qui t'a fait venir ici?

— Je sais pas, j'suis partie. Enfin si, je savais, bien sûr que je savais… J'étais sûre de cela au moins, que ce serait différent ici. Je me disais que ce serait propre sur l'océan.

Le *Rebel* a passé la rivière de Buskin et la baie des Femmes, un goéland ivre tourne dans la lumière.

– Peut-être aussi que je voulais aller me battre pour quelque chose de puissant et beau, je continue en suivant des yeux l'oiseau. Risquer de perdre la vie mais au moins la trouver avant… Et puis je rêvais d'aller au bout du monde, trouver sa limite, là où ça s'arrête.

– Et après ?

– Après quand je suis au bout, je saute.

– Et après ?

– Après je m'envole.

– Tu t'envoles jamais, tu meurs.

– Je meurs ?

– C'est d'ailleurs ce qui peut t'arriver ici, et plus vite que tu ne crois. Ce n'est pas un pays facile.

Je regarde la côte et ses contours qui s'estompent, l'océan blond, je soupire. Il reprend d'une voix douce, presque chantante :

– J'ai une guitare. Je vais en jouer dans les bars quand j'ai trop bu. Je travaille le bois et la peau. Je tanne à l'ancienne… Je me suis cousu un vêtement de cuir. Je le porte quelquefois quand je suis saoul, quand je vais chanter dans les bars avec ma guitare. Alors on me prend pour un fou d'Indien. Un sale négro d'Indien, il ajoute.

On entend la voix d'Ian sortir de la timonerie. Il gueule. Les gars ressortent sur le pont. Nous réinstallons les palangres et nous remettons au travail. La mer était forte déjà, lorsque nous franchissions le cap de Chiniak Bay. Elle continue de grossir. Au plus loin que porte le regard des crêtes blanches courent avec les vagues.

Jude fixe l'océan. Son regard a des reflets d'or dessous les arcades broussailleuses. Deux jours qu'il est sobre. Ses traits ont repris les contours puissants de ceux du grand marin. Le moteur du *Rebel* tourne au ralenti. Nous appâtons sur le pont arrière, dans le va-et-vient régulier de l'eau. Une grosse brise nous râpe le visage. Le son des vagues balayant le pont est un bruit d'infini.

— Et si nous remplissons le bateau, voyons… ça fera bien dans les cinquante mille livres.

— Avec la seconde petite cale on ne serait pas loin de cent mille ! À quatre-vingt-dix *cents* la livre…

— Le prix n'est pas fixé encore, ça pourrait être bien plus. On m'a dit à l'usine que…

Simon se joint à eux. Il a pris de l'assurance depuis qu'Ian l'a gardé pour cette dernière pêche.

— T'es payé quoi Simon ? Demi-part ?

— Ouais, demi-part.

— Et moi ?

Je me suis tournée vers Simon.

— Toi ? Sans doute comme moi, faut voir avec le skipper.

— Ils vont pas me mettre quart de part quand même ?

Simon a une moue d'ignorance.

— J'penserais pas. Ça se fait ça ?

Bien sûr que ça se fait, je pense pour moi-même.

— Et Simon, on a droit au riz ce soir ?

— J'ai pris des boîtes de *beefstew** pour que ça aille plus vite.

— Des boîtes ? Du *beefstew* en plus ? Alors là tu me déçois Simon, je préférais encore ton riz brûlé.

Simon a un sourire pincé. Je tourne les yeux vers la côte.
Un bateau bleu a mouillé dans la baie.

– On a des voisins, je dis.

– C'est Adam, t'as pas reconnu l'*Anna*?

Je laisse tomber mon épissoir et agite le bras de gauche à
droite. Une forme minuscule me répond. Le ciel se couvre. Leur
bateau disparaît dans le brouillard et l'on a droit à une averse.
La gîte est forte. Une oscillation plus violente m'envoie
buter contre une traverse de métal, déséquilibrée par le baquet
que je m'apprête à ranger. Je prends appui contre la barre
pour tenter de me redresser mais la palangre m'entraîne. Une
torsion du buste me plie en deux. Cela fait un bruit sec. Je
grimace et retiens mes larmes. Elles perlent quand même.
Jude et Dave qui ont vu la scène gardent un visage imperturbable où je crois lire un reproche: j'ai rien à foutre à bord si je
n'ai pas mes jambes de marin. Je me relève. Simon s'inquiète.
Je hausse les épaules, pas trop fort parce que cela fait mal.

– J'ai dû me casser une putain de côte.

– Une côte? Cassée? Comment tu le sais?

– Je le sens c'est tout.

L'heure du signal approche. Bientôt midi. Chacun est à son
poste. Ian à la barre, collé à la radio qui égrène le compte à
rebours. Simon dressé sur la passerelle, prêt à lancer balise et
bouée. Dave est campé contre le pavois, autour de son bras figé
les premières boucles de l'orin qui partiront à sa suite, l'ancre
à portée de main. J'ai terminé d'aider Jude à lester et nouer
les premières palangres entre elles. Je me tiens en retrait de
Dave, prête à lui passer le restant de l'orin. Nous ne parlons

plus. Je serre nerveusement le petit couteau rouge qui pend à ma ceinture. La peur me tord le ventre. Un hurlement soudain sort de la timonerie.

— *Let it go**!

C'est parti. Simon envoie, Dave bascule l'ancre et jette les boucles d'orin à sa suite, je lui passe les suivantes, les anneaux de corde s'enfoncent dans les flots. La première palangre suit… C'est reparti. Un vol de mouettes se déploie au-dessus de nous. Nous posons trois sets coup sur coup. Un quatrième ailleurs. Les lignes sont parties dans les hurlements de joie de Dave et Jesse. Ian nous fait rentrer :

— Prenez des forces, ça va être chaud…

Nous prenons des forces. Nous sommes sûrs de notre chance. Une dernière fois je vais rejoindre le grand gars maigre dans la timonerie, plus émacié et blême que jamais.

— On se retrouve… il dit. Ça faisait longtemps. Trop à faire à terre. Je devenais fou. Et toi tu aimes bien aller faire ton tour aux bars le soir.

— Pas toujours le bar. J'aime bien aussi traîner au parc Baranof, les glaces au McDo et me promener en ville.

Il sourit. Il regarde au loin toujours.

— Ça va pas avec ma femme. On va se quitter. Elle veut demander le divorce. C'est peut-être mieux comme ça. J'ai deux beaux enfants. Un gars de onze ans et une petite de neuf.

Je n'ose plus rien dire. Nous regardons la mer, éclatante.

— Ça va bouger hein ?

— Ouais, il répond. À minuit on sera en plein dedans.

— Pourquoi la mer est toujours grosse quand il y a pêche au flétan ?

— Comment tu veux que je le sache… Tu en dis des belles conneries toi aussi. Je suis pas pote avec celui qui décide en haut.

— Oui bien sûr, je suis bête… je murmure. Est-ce que je vais nettoyer les flétans moi aussi?

— Faut voir avec les gars. C'est peut-être bien toi qui vas lover. Ou Simon. De toute façon t'auras de quoi faire.

— J'espère que je vais apprendre à les vider. Les hommes racontent sans arrêt comme ils sont les meilleurs et les plus rapides. Savoir si moi aussi je peux devenir imbattable. Et puis ça me servira sur mon prochain bateau.

— J'ai une belle petite… dit le skipper encore. Je pourrais demander sa garde. Sa mère serait d'accord si je lui trouve une bonne nounou. Ça te dirait de venir pêcher avec moi? À Hawaï?

— Oh non pas à Hawaï. En Alaska.

À minuit nous posons les dernières palangres. Les premières lignes ont été ramenées. Le poisson se fait rare. Les bancs sont ailleurs. Quelques flétans solitaires sont arrachés à l'eau. Ils arrivent sur le pont tirés par le crochet de Jude, battant l'air de la nuit de leur énorme queue. Certains sont plus grands que moi. Les géants plats et lisses sont secoués de spasmes. Sur leur face sombre deux yeux ronds nous fixent avec stupéfaction. L'autre face est blanche et aveugle. Jude décroche les plus jeunes et les rejette à l'eau. Ce ne sont souvent plus que des cadavres qui s'éloignent et dérivent, balancés dans les vagues avant de sombrer lentement. On dirait qu'ils s'effacent, avalés par l'eau noire.

Des morues luisantes luttent au bout des hameçons, des

cabillauds à la peau vert et or, des poissons de roche cramoisis, des anémones et des étoiles de mer énormes.

– Gardez la morue noire, le cabillaud et les poissons de roche !

Simon love les palangres, assis sur un baquet en dessous de la poulie. Jude est penché par-dessus la lisse. Il scrute la remontée de la ligne, gaffe le flétan sitôt qu'il surgit des flots, s'arc-boute, reins tendus, la mâchoire serrée, visage ruisselant. Il le hisse à bord, décroche le poisson d'une torsion brève du croc. Joey, Dave et Jesse égorgent et éviscèrent. Je racle l'intérieur des ventres ouverts, les lave de leur sang. Je déplace et remplace les baquets, au fur et à mesure que Simon les remplit des palangres délestées de leurs prises. Une pointe de feu me traverse quand je me baisse pour empoigner les baquets pleins, que je les charrie à l'autre bout du pont, titubant dans le violent roulis. Tripes, lambeaux d'appâts et créatures semi-végétales balayent le pont de bord à bord.

Mais la pêche est mauvaise. Les palangres sitôt ramenées, il nous faut les réappâter. La mer nous malmène. Nos pieds sont gelés. Debout sur le pont arrière, nous travaillons sans un mot, le cou rentré dans les épaules, les bras plaqués contre le corps. Nos gestes sont mécaniques. Les reins vont et viennent au rythme de la gîte. Le son rauque, lent et répété de la vague… Un instant je m'endors tout en continuant d'appâter. Je rêve de poissons et de soleil de minuit. Le rire de Dave me réveille :

– Lili, tu dors !

Je me redresse :

– Je rêvais… mais je travaille !

En face de moi Jude. Il me tend une cigarette. Un sourire

presque doux effleure son visage rougi par le froid, ses lèvres
gercées sous la barbe hirsute où reste prise un peu de morve.
Ian s'est joint à nous. Le temps presse. Dave est soucieux :

— La pêche a fermé pour les morues noires et on commence
à en avoir pas mal. J'sais bien qu'on a droit à…

— T'inquiète, dit Ian, on est largement dans le quota. On
peut en prendre bien plus encore !

— J'en suis pas si sûr, il murmure, m'est avis qu'on en a déjà
trop…

Jude a disparu quelques instants dans le carré. Il revient
et me tend un mug de café. Une trentaine de palangres sont
prêtes à être renvoyées à l'eau.

— Ça suffit, dit Ian. Débarrassez-moi le pont. Préparez le
prochain set. On envoie le matos. Et on ramène le précédent.

Deux heures du matin. La chance tourne. Les flétans
paraissent.

— Stop ! hurle Simon, j'ai un hameçon dans la main…

Le skipper tarde à arrêter la ligne. Il a l'air exaspéré.

— Quoi encore ?

Simon défait précipitamment l'hameçon fiché dans son
gant. Il saigne un peu. Il a eu très peur. Ian fait repartir le
moteur. Simon attrape la ligne l'air affolé.

— Si c'est ça qu'il appelle se faire hameçonner… ricane
Jesse.

Jude répond quelques mots, sur le même ton. Dave sourit.
Je change le baquet plein et essaye de sourire à Simon. Il ne
me voit pas. J'ai mal à la côte. Joey a remplacé Jude. Penché
sur l'eau noire et houleuse, il hisse les géants magnifiques, leurs
lèvres charnues entrouvertes, les larges bouches distendues par

le poids des grands corps qui s'arquent, ondulent et se tordent dans des spasmes furieux, l'hameçon qui s'enfonce davantage à chaque sursaut de la bête. Le poisson tombe sur le pont dans l'eau sanguinolente, l'écume et les viscères. Joey ne prend pas la peine d'épargner les plus jeunes. Il les harponne quand même pour mieux les décrocher de l'autre main. Leur bouche est arrachée avant qu'ils replongent dans les flots.

Les autres suffoquent sur le pont. Les hommes prennent à bras-le-corps les plus gros pour mieux les hisser sur la table. La bête se débat et se cabre. Ils ahanent et parviennent à la coucher sur la table. La bête se bat encore. Les coups de queue sauvages nous éclaboussent de sang. Alors ils plongent leur couteau dans sa gorge, tranchent la membrane des ouïes, font un rapide tour de la lame jusqu'à l'autre membrane qui sépare des viscères, puis ils empoignent le tout, arrachent tripes et branchies qui viennent toutes ensemble. Ils les lancent à la mer, font glisser jusqu'à moi les ventres pantelants. Ne restent que les deux boules enfoncées au plus profond du ventre qu'il me faut extirper, en même temps qu'une peau blanchâtre. Une fois de plus mon visage est couvert de sang et d'une écume glaireuse. Jesse dit quelques mots en me regardant et rit. Jude lève les yeux. Il hausse les épaules d'un air que je prends pour du mépris. Ma côte me fait mal. J'ai froid. Je voudrais rentrer à Kodiak. Joey m'horrifie, il était doux hier, il me parlait des bêtes et des bois, il disait tristement : Moi le négro d'Indien, le voilà devenu barbare. Il faut tuer au plus rapide. Le temps est de l'argent, les poissons des dollars, et quand paraît une étoile de mer, souvent plus grosse que mes deux mains réunies, qu'elle retombe flasque sur le plan de travail, accrochée à l'hameçon qu'elle suce avidement, il l'envoie s'écraser contre un montant d'acier.

Quelquefois encore, des petits poissons de roche sont broyés dans la poulie, ou déchiquetés contre les gardes de métal entre lesquelles passe la ligne. Je relance à la mer ceux qui arrivent à ma portée d'un geste furtif et dérisoire que j'essaye de cacher aux autres, mes hommes, mes miens, des tueurs au long cours – des mercenaires, ces barbares qui me font peur, devenus bêtes à éventrer dans la vaste boucherie, le fracas des moteurs, le déchaînement de l'océan. Puis je n'en ai plus ni le temps ni la force. J'ai peur des yeux jaunes, du skipper qui va hurler, des hommes, ces hommes larges et puissants qui plongent leurs couteaux dans les ventres blancs avec une telle dextérité.

Dave me demande la pierre à aiguiser.

– Le baquet va être plein, je lui réponds.

Il gueule :

– Tu dois faire ce que je te demande !

Je le regarde avec stupéfaction, frayeur, révolte. Je te déteste, je pense, oh comme je te hais ! J'ai le sentiment désespérant qu'il m'a trompée. Lui, Dave, un homme comme les autres, un homme qui ordonne et veut être obéi à la seconde, un de ceux qui m'ont volé ma couchette et laissée dormir entre leurs pieds quand c'était l'heure de leur quart, qui ne m'ont pas permis d'apprendre à nettoyer les flétans, qui crient et alors je tremble, qui ont un mot de réconfort et alors je les aime aveuglément. Qui ne me payeront peut-être même pas une demi-part. Je lui apporte la pierre et la lui tends les yeux baissés.

– Merci Lili, il dit comme s'il m'avait pardonné.

– Lili! Un poisson dans le vireur! Mais qu'est-ce que tu fous bordel? hurle le skipper.

J'égorge les poissons de roche rouges. Je les pousse à ma gauche, ils glissent dans la cale. Un cœur de flétan sur la table palpite sous le néon. Est-ce qu'il va battre encore longtemps si je le jette avec les boyaux et le sang? Peut-être qu'il me faudrait le remettre à la mer. Le jour ne viendra donc jamais… La tension me broyait. Elle m'ankylose à présent. Jude prend la place de Joey qui revient à mes côtés. Je vois sur la ligne le nœud qui annonce la fin d'une palangre. J'attrape un baquet vide, l'échange avec le plein, défais le nœud d'écoute. Des mâchoires de poisson sont restées prises aux hameçons du baquet que j'empoigne. Joey me le prend des mains.

– C'est trop lourd pour toi!

Je le regarde avec surprise, puis appréhension. Je le lui reprends en agitant la tête de gauche à droite.

Le jour paraît pourtant. Plus que neuf heures. À midi sonnant il nous faut avoir remonté la dernière balise. Nous ramenons le dernier set à un rythme infernal, les poissons sont jetés pêle-mêle sur le pont qui n'est plus qu'un chantier sanglant. Les hommes continuent d'étriper au milieu des étoiles de mer broyées, des *idiot fishes* aux yeux exorbités, dans l'odeur lourde des viscères. Je tente de hisser l'un des géants sur la table. Il est très grand et lourd. Il se débat farouchement et je glisse avec lui. Je ne l'ai pas lâché. La douleur de ma côte me ferait pleurer de colère. Ensemble nous baignons dans les tripes. Mon premier corps à corps avec un flétan, cette étreinte dans le sang et l'écume… De toutes mes forces je l'agrippe et l'embrasse de plus belle. Il faiblit. Les hommes l'ont saigné, bientôt il est mort. Déjà il tremble à peine. J'ai glissé une main à l'intérieur de l'ouïe qu'il referme. Ma main en est blessée à travers le gant. Je parviens à le coucher sur la table. Il ne bouge plus. Il est très lisse, c'est le plus beau poisson que j'aie jamais vu. J'ai pris un couteau, je le plonge dans l'ouïe, je répète le geste des hommes.

J'ai vidé mon premier flétan. Je lave l'intérieur du ventre blanc. Son cœur tranché a glissé sur la table, il bat encore. J'hésite. Ce cœur qui ne se décide pas à mourir, je l'avale. Au chaud dans moi le cœur solitaire.

Ian me bouscule :

— Pousse-toi de là et rapproche-moi les flétans !

Jude lève les yeux. Il me jette un regard glacial. Des larmes me montent aux paupières. Je me mouche dans mes doigts. Joey le tueur n'est pas loin. Je croise son regard et m'y accroche, il sourit :

— Bientôt fini Lili, courage.

On termine de mettre en cale les derniers poissons. Jude et moi finissons de vider les morues. Je pousse du balai les déchets jusqu'aux écoutilles. Le skipper attrape le jet d'eau, il arrose violemment le pont. Je suis sur sa route. Il m'asperge sans même me voir. Son visage est épuisé.

— Peut-être dix-huit mille…

— Bien plus que ça ! Vingt-cinq mille au moins.

— Moi je parierais pour les vingt mille.

On mange l'omelette et les haricots rouges que nous a préparés Simon pendant qu'on nettoyait le pont. Je ne me suis pas rincé le visage. Le skipper distribue les quarts. Je finis mon café. Je ne regarde personne. Je me lève et rejoins la cabine. Je retire mes bottes, reviens les poser contre le vasistas d'air chaud. Ma couchette. Je m'allonge, le dos tourné au reste du bateau. Je me recroqueville. Je suis une tueuse comme les autres, j'ai éventré mon premier flétan. J'ai même mangé son cœur encore vivant. C'est moi qui tue à présent. Le sel me brûle le visage, le sang a durci mes cheveux, collé mes mèches entre elles. Je m'endors sous mon casque baroque, le feu aux joues, au coin de mes lèvres un peu de sang séché.

Simon me réveille. Neuf heures du soir. J'ai dormi d'un sommeil de brute. Il doit me secouer longtemps. Un grand blanc dans mon cerveau. Il me faut ramer de longues secondes pour me souvenir, mon nom, et où je suis et pour quoi. Je me redresse. La douleur au flanc me rappelle ma côte, mes mains gourdes, énormes, mon corps meurtri. En traversant le carré, je remets le café à chauffer, j'attrape une barre de chocolat dans le tiroir. Je jette un coup d'œil sur le pont à travers la vitre de la porte. Les palangres sont bien arrimées. Un baquet glisse, de gauche à droite sur le pont, avec la mer qui reflue par les dalots et finit de laver les couleurs de la nuit. Le palan et le vireur, bien attachés pourtant, n'en finissent plus de grincer à chaque secousse, par à-coups furieux quand le bateau prend la vague. Est-ce que d'autres sont partis par le fond pendant ces vingt-quatre heures ? Le soleil du soir perce les nuages, ricoche contre la lame d'un couteau qui m'éblouit. Je me gratte la joue. Les commissures de mes lèvres tiraillent et me brûlent. Dave disait tout à l'heure : C'est donc ça un *French kiss* ? Tu me fais peur… Tous riaient de ce sang autour de ma bouche. Pas moi.

Je monte l'escalier de la timonerie. Joey est installé devant les cadrans. En face de nous le soleil. Un cormoran s'est posé sur l'étrave.

— Je te laisse la place tout de suite, me dit-il. J'ai réglé la visibilité. Simon n'y connaît rien.

— Moi non plus j'y connais rien. Mais on peut quand même faire nos quarts. On s'endort pas tu sais.

— Je sais… Des fois les *greenhorns* ce sont les meilleurs, il leur manque seulement l'expérience, et ça prend du temps. Il faut quelqu'un pour leur expliquer. Je vais te montrer, c'est simple.

Je l'écoute. J'essaye de comprendre. Comment le Joey de la nuit passée est aussi cet homme patient et bon, au regard qui voyage par-delà les crêtes. Pour finir je renonce, je suis trop fatiguée.

— Et ta côte ? demande Joey. Simon m'a dit que tu t'étais cassé une côte ?

— Peut-être. Ça m'arrive des fois. Mais peut-être pas. Ça a fait le bruit comme si… Dans quinze jours ce sera mieux. Faut pas le dire aux autres. On ne va plus me vouloir sur aucun bateau si toujours je me fais mal.

— Faut prendre soin de toi, il murmure en hochant la tête. C'est pas des choses à faire que de cacher sa douleur. Je n'ai pas l'habitude de le dire mais je n'ai pas aimé te voir cette nuit. Tu allais presque pleurer en portant les baquets, mais tu l'aurais dit à personne. Les femmes sur les bateaux, tu sais, j'ai toujours été contre. Mais je n'avais encore jamais pêché avec aucune. C'est un monde d'hommes, un travail d'hommes – en plus on ne peut même plus pisser tranquille sur le pont, faut s'arranger pour être hors de leur vue. Pourtant des femmes comme toi, qui bossent comme les mecs, vingt-quatre heures sans broncher, ah, j'en veux bien une sur mon bateau.

On arrivera à Kodiak au milieu de la nuit. J'entendrai le moteur qui change de régime, Dave et Jude se lever, les cris du skipper, puis le moteur ralentir encore jusqu'à presque s'éteindre pour repartir de plus belle le temps de la manœuvre.

— Reste couchée, me dira Dave en me voyant me dresser sur ma couchette, prête à retourner sur le pont.

Puis tout se calmera. Le silence. À peine un balancement léger. Le soulagement. Je saurai que dans quelques heures je laisserai les hommes à leur sommeil de plomb et m'en irai dans le matin, libre à nouveau.

Je rêve encore de pêche quand je me réveille, de flétans que j'étreins pour mieux les égorger, de lignes qui filent et nous échappent. Je me réveille tout à fait dans l'air éblouissant du pont. C'est l'heure du ferry et de son appel. Je cours vers la montagne sur le bois humide du ponton. Je n'ai toujours pas rincé mon visage de ses peintures barbares, ses marques écarlates, les emblèmes guerriers de ma première chasse au flétan. Je les lave au robinet du dock. Une pointe de feu me traverse lorsque je m'accroupis. L'eau jaillit et coule le long de mes avant-bras. Je me relève et m'ébroue, je m'essuie dans le coin le moins sale de mon sweat. En face de moi le bateau chamarré – *Kayodie*. Quelques canettes vides ont roulé en travers du pont. Je cours encore jusqu'aux quais. Assise sur un banc, je regarde la flotte endormie. De loin en loin un bateau franchit le goulet du port. Ils ne sont pas tous rentrés encore. Le *Mar Del Norte* a passé la bouée. Il semble lourd et avance lentement.

J'ai retrouvé Jason au bar. Les salles sombres ne désemplissent plus depuis midi. Les hommes braillent et se saoulent, leurs mains écorchées posées sur le bois des comptoirs. Les doigts enflés jouent avec le verre ou la cigarette, malaxent une boulette de tabac avant de se la glisser sous la lèvre. Ils racontent tous la même chose. Qu'ils ont été bons et qu'ils ont rempli la cale. La file d'attente est si longue devant les usines qu'il faut s'inscrire pour décharger. Alors ils estiment, supposent, remettent une tournée. On parle d'un bateau qui serait parti au fond parce que le poisson mordait trop bien… La cale était pleine, le pont couvert de flétans, il en arrivait encore… Cinq heures du matin, les gardes-côtes ont reçu un MAY-DAY pressant. Le temps qu'ils arrivent, le bateau avait sombré, l'équipage dispersé flottait dans ses combinaisons de survie… Ces connards de gardes-côtes, le skipper un imbécile… Tous se moquent.

On boit des tequilas à la santé de nos bateaux. Jason raconte fiévreusement sa nuit, le lever du jour dans la houle et le sang, il parle vite, les mots se bousculent, ses yeux sont des braises sous les sourcils broussailleux et orange, qui fixent très loin, le coin le plus rouge du bar derrière les tables de billard peut-être. On redemande des White Russians, puis du rhum pour lui le flibustier et de la vodka pour moi. Pour finir je suis saoule. Je rentre au bateau et il fait nuit noire. J'essaye de marcher droit. Faut pas tomber dans le port. Sûrement que je serai malade avec tous les appâts pourris que l'on y a jetés. Au bateau personne. Je me fais un sandwich et du café très fort. Je bois la cafetière. Dehors les autres rient et se déchaînent. Je n'ai plus sommeil. Je ressors. Cette fois je marche droit. Il me faut repeindre la ville en rouge. Maintenant je suis un vrai pêcheur.

Le travail a repris. Les palangres doivent être nettoyées, réparées, et rangées jusqu'à la saison prochaine. Les appâts ont fondu sur les hameçons. Ils pourrissent de jour en jour davantage, glissent et se défont entre nos doigts. La nuit je rêve à un océan gris sale, le vent souffle, nous nous cognons à des parois visqueuses qui ont la même teinte verdâtre que celle des appâts, nous glissons dans une bouillie puante. Elle a gagné le bateau entier. Nous basculons dedans comme nous tombions dans le sang des flétans. Ce n'est plus le bel écarlate qui tache nos joues, enflamme nos fronts, mais les glaires morbides d'une marée qui monte et nous assiège, celles des petits calamars morts pour rien.

Jude rentre saoul. Je l'entends se cogner dans le carré, remuer vaisselle et couverts, ouvrir le frigidaire. Des objets tombent. Lui aussi quelques fois. Il jure sourdement. Plus tard il vient s'abattre sur sa couchette. Il tousse. Ses quintes ressemblent à un cri. Des étranges jappements qui me réveillent en sursaut. J'ai peur qu'il meure la nuit, étranglé par un hurlement rauque.

Il se lève toujours le dernier. Dave ou Simon vont le réveiller.

— Vas-y, me demande le grand gars maigre un jour.

Je regarde Ian avec stupeur, je secoue la tête de gauche à droite.

— Pas moi… je murmure.

Je me sauve sur le pont et me mets au travail. Il nous rejoint, ses yeux rougis semblent nous fuir. Son visage est encore marqué par les plis de l'oreiller. Il allume une cigarette. Il tousse.

— Faut que t'arrêtes, vieux, autrement t'iras pas loin, Dave essaye de plaisanter.

Jude lui jette un regard noir :

– J'arrête le jour où j'suis crevé.

– Alors ça sera pas long, pas vrai Lili ?

Ian repasse en coup de vent.

– Dans quatre jours on décharge, les gars ! il s'exclame. L'usine a enfin fixé notre tour. On va savoir combien on a fait... Le prix est remonté de quelques *cents*, pas autant que je l'espérais. Les maudits bâtards de fils de pute nous entuberont toujours.

– Au fait, tu t'es renseigné pour le quota de morue ? demande Dave.

– Qu'est-ce que tu viens faire chier avec ça ? Je t'ai déjà dit qu'on était largement dans les chiffres.

Le skipper est reparti. Jude et Dave murmurent entre eux.

– Une semaine qu'il sera resté dans la cale, le poisson... Tu vas pas me dire que la glace va se conserver aussi longtemps.

– Il doit commencer à mariner dans son jus. C'est pas moi qui en mangerai en tout cas...

Simon et moi ne disons rien.

Murphy attend sur un banc du square. Un petit homme aux cheveux gris à ses côtés.

– Assieds-toi un moment avec nous Lili, on s'ennuie... Ça avance le boulot ?

– Non, je dis.

La musique braille depuis le Breaker's. Porte ouverte. Des mecs sont rentrés. Je crois reconnaître Jason. Je tourne la tête vers Murphy.

– Je te présente mon ami, Stephen, un grand scientifique.

– Physicien, corrige le petit homme.

Je m'assieds avec eux au bout du banc. Le vent a tourné. L'odeur des conserveries s'en est allée vers le large. Ça sent les arbres, les feuilles à nouveau, l'odeur des fleurs du parterre rouge et jaune.

Je mange des glaces et bois des bières. Des White Russians, des tequilas et des vodkas aussi. Nous travaillons depuis les premières heures du matin jusqu'à tard le soir, quand les docks se sont vidés depuis longtemps. C'est l'été.

– En Alaska nous avons les légumes les plus gros du monde, dit Dave. Surtout dans le Nord où la lumière est quasi constante jusqu'à la mi-août.

– Il me faudrait aller à Point Barrow tant qu'il fait jour, je lui réponds.

Le skipper ne va pas bien. Simon pense aux études qu'il va bientôt reprendre. Il voulait partir dès que le poisson serait déchargé. Ian a refusé :

– Tu dois venir avec nous, draguer les eaux pour tenter de retrouver les lignes perdues. La pêche n'est pas vraiment finie tant que l'on n'aura pas essayé. Et d'ailleurs si elles sont perdues, toi aussi tu dois payer pour les rembourser.

Jason passe au bateau, chaque soir il m'invite pour des expéditions au bar, ou traîner dans les rues du port, marcher le long des quais, s'asseoir sur un banc, et alors le bruit du vent dans les mâts, les vols de mouettes au-dessus de nos têtes, l'odeur de vase et celle du pop-corn quand nous longeons le cinéma – j'en achète un cornet –, celle de poisson pourri juste avant l'embarcadère du ferry, quand le vent souffle du sud-est.

– Encore au boulot ? Ça te dirait d'aller prendre un verre avec du pop-corn quand t'auras fini ?

Il repart et m'attendra quelque part, chez Tony, au Ship's, ou sur le banc face au B and B, en s'essayant sur un harmonica qu'il n'a que depuis trois jours, le regard tristement absent, la lèvre morne. Quelquefois un gars s'assied avec lui. Il a un pipeau qu'il a taillé dans une branche, une barbe épaisse, de longs cheveux jaunes qu'il retient sous une casquette aux couleurs d'une équipe de hockey. Il traverse la ville de long en large sur son VTT magnifique. Il joue de la flûte.

Le gros Murphy repasse au bateau. Il parle avec Jude un moment. Il se tourne vers moi et rit de mes joues rouges. Jude me jette un long regard sans tendresse et crache par-dessus bord.

– J'ai pas fait l'ouverture, dit Murphy. J'me suis mis au repos. La journée je traîne au port, je trouve à bosser un peu sur les bateaux, de l'argent de poche quoi… Après je vais au square, retrouver des potes. On regarde passer les gens. On est bien. Le soir le shelter et la soupe… qu'est-ce tu veux de plus ?

Jude lui répond par monosyllabes. Sur le bateau multicolore, les gars ont mis la musique à fond. On entend le son des canettes que l'on débouche.

– Ça donne soif, dit Jude de sa voix basse.

– Je t'emmène quelque part où tu n'es jamais allée, me dit Jason le lendemain. Un endroit dans Kodiak auquel nul ne pense jamais, mais beau à couper le souffle. Tu es la première à qui je le montre, mais jure-moi d'abord d'en parler à personne…

Je jure. Nous partons. On prend des cigarettes au supermarché. Nous marchons d'un bon pas pour sortir de la ville.
Puis c'est Tagura Road et le chantier naval. Je cueille des baies
de rubus au bord du fossé. Jason m'en rapporte une poignée.
Nous arrivons sous le pont qui relie l'île Longue à la ville, et
le petit port d'attache de la baie des Chiens. Jason s'arrête.
Il lève la tête.

— C'est ici.

Je le regarde sans comprendre.

— Viens!

Il escalade le talus herbeux, agrippe la paroi rocheuse et se
hisse jusqu'aux premières poutrelles d'acier. Je le suis. Nous
sommes dans les armatures qui soutiennent le pont. Il avance sur
une passerelle étroite, une grille sous nos pieds laisse voir le ciel.
Je marche derrière lui. Nous tenons fermement la rambarde de
chaque côté. Mon estomac se noue et de plus en plus à mesure
que nous nous élevons et que le vide grandit sous nos pas. On
est maintenant au-dessus de la route qui longeait le bras de mer,
bientôt on surplombe l'eau, en dessous de nous les mouettes
qui planent et piquent en criant, au-dessus le grondement
des voitures roule et s'amplifie. Le vent souffle violemment,
et de plus en plus fort il semble. Je suis Jason, fixant mes
pas et le vide, la mâchoire serrée, douloureuse à force d'être
crispée. Quand on est au milieu il s'arrête. Il me fait signe de
m'asseoir. Nos jambes battent l'air. En dessous, l'eau sombre
a une densité redoutable. Elle se meut lentement, va et vient
en ondulations régulières comme si elle respirait, le souffle
immense venu du ventre de la mer.

Jason hurle pour se faire entendre:

— Des fois, tard le soir, je passe par là pour rentrer au bateau. Hier soir encore…

Il sort son harmonica et joue un air décousu que le vent emporte. Je lui tends une cigarette. On fume sans plus essayer de parler. J'ai le cœur fou de vertige et d'émerveillement.

Quand on rentre, je me sens revenir de très loin. J'étais avec Jason le Hobbit, on marchait dans l'air au-dessus des oiseaux. Le vent voulait nous emporter. Jason me quitte devant la statue du marin perdu. Je longe le quai jusqu'au *Rebel*. La nuit est tombée sur le port. Je pense à ceux qui sont restés, les pieds rivés à terre dans un monde carré, trimballant tout leur poids d'humains. J'ai de la peine pour eux. Je voudrais raconter à tous que je reviens de plus haut que les mouettes – même au plus grand des marins. Mais Jason m'a fait jurer, je ne dirai rien.

Le vent a repris. Il vient du Japon, dit Dave. Les oiseaux volent bas sur le port. Le travail s'éternise. Il fait si beau sur les montagnes. Je voudrais m'en aller là-bas. Les bateaux alentour terminent les uns après les autres. Les gars s'en vont au bar ou à Hawaï. Ils se préparent pour la pêche au saumon ou bouclent leur sac pour Juneau, Bristol Bay, Dutch. Mais pas nous. La cargaison de flétans attend toujours dans la cale, les palangres n'en finissent pas de pourrir sur le pont.

— J'ai plus une thune, dit Jude. Le skipper commence à faire la gueule quand je demande une avance, il a peut-être peur pour finir que ce soit moi qui lui en doive.

— Ça va finir par arriver si t'en réclames tous les jours. Moi aussi je suis cassée, mais je penserais pas qu'il nous paye séparément morue et flétan. Et là mon vieux, tant qu'on n'aura pas déchargé…

— Hé Lili, dit Joey, tu sais qu'il est question que tu restes sur le *Rebel* pour la saison de saumon ? Andy en parlait ce matin à Gordon, le prochain skipper. J'suis engagé aussi.

— La planque ! s'exclame Dave. Du *tendering* ! On peut dire que t'as du pot. Payée à la journée, aucune retenue pour la bouffe et le gasoil – du net quoi. Cent ou cent cinquante dollars par jour pour ravitailler les seiners. Tu leur refiles des glaces, tu discutes avec de beaux mecs. Tu fais la sieste en attendant qu'un bateau s'arrête, et puis en fin de journée vous pompez leurs poissons. Au milieu de la nuit vous partez à la rencontre d'un bateau comme l'*Alaskan Spirit* ou le *Guardian*, je sais pas si tu les as déjà vus ceux-là, des sacrés monstres, des beautés ces navires… J'ai fait une bonne saison de crabes sur l'un d'eux – et ils vous débarrassent du poisson.

— Ah oui… je dis.

Je pense au soleil de minuit et moi assise au bout du monde, balançant les jambes au-dessus d'un vide arctique très bleu, mangeant une glace et fumant une cigarette en regardant la boule incandescente faire le tour du ciel, frôler l'horizon sans jamais basculer.

— Un p'tit tour à Abercrombie avec un pack de bières, c'est ça qui serait beau.

— Ouais, si t'as les moyens de payer le pack.

— Abercrombie ?

— Ah Lili, tu connais pas Abercrombie ? Faut que tu voies ça un jour. Tu as de ces levers de soleil depuis les falaises !

– Peut-être que je connais alors… Mais pour le lever du soleil c'est un peu tard.

– Ouais… Y aurait toujours la bière.

Un morceau d'appât gluant me reste entre les doigts. Je me souviens du chèque que m'a donné Andy.

– Si je ramène de quoi payer la bière, on va à Abercrombie ?

Les gars ne m'entendent pas. Je retire mes gants.

– Je vais faire une banque et je reviens, je dis.

Je cours sur les docks. Les gars du bateau chamarré me hèlent et je réponds par un signe du bras. Je serre le chèque dans ma main sale. Je prends les arcades. J'entends un brouhaha confus par la porte ouverte du Tony's. Un homme en sort.

– Oh Adam ! je dis.

– Viens prendre un café Lili, je te l'offre.

– J'allais à la banque pour toucher un chèque. Mais je ne suis pas sûre qu'ils acceptent si le skipper ne vient pas avec moi.

– Ici ils le prendront. Je connais bien la patronne.

– Tire la porte derrière toi !

Susie ouvre son coffre-fort. On entend moins gueuler les hommes. Elle me tend deux billets avec un grand sourire.

– T'as de la chance, j'ai du cash aujourd'hui.

J'ai rejoint Adam au comptoir.

– C'est au moins mon cinquième café, il dit.

– Tu vas avoir une crise cardiaque, Adam.

– Faut bien sortir de son trou. Quand est-ce que tu viens me voir ?

– Quand on travaillera plus, je réponds.

Mes jambes s'impatientent sous le comptoir. Les gars vont croire que je suis partie avec le magot.

– Mais alors qu'est-ce que tu fous là si t'es supposée bosser ?

– Fallait que je fasse une course pour les gars. Ils avaient besoin de liquide.

– C'est encore pour de la bière ?

– Oui.

Je ris. Je me sens vaguement coupable.

– Ils ont tous un problème d'alcool ces mecs.

Je relève les yeux sur Adam. Il regarde la salle d'un air désolé.

– Ta deuxième maison, ça va prendre du temps à la construire ? je demande gentiment.

– Oh, un peu… il répond faiblement.

Il ne sourit plus.

On est montés tous les quatre dans le truck de Dave. Simon et moi nous écrasons à l'arrière, sur la banquette minuscule derrière les sièges rabattus. Des petites places pour les demi-portions. Ils installent à l'avant leur large carrure de grands hommes. Nous filons vers le gros *liquor store* de Safeway. Les gars restent plantés au milieu des bouteilles, n'osant plus décider de rien.

On débouche des bières dans le truck. J'ai soif et il fait beau. Le vent s'engouffre par les vitres baissées. Devant nous la piste défoncée s'allonge entre les bois. Une dizaine de miles encore et c'est le bout de la route. Un grand porche, « Abercrombie » est gravé dessus. Dave gare le truck, très rouge parmi les pins noirs. Nous marchons vers la falaise. Nous voudrions bien ne pas avoir à gravir tous ces talus, plutôt nous affaler déjà dans l'herbe en nous gorgeant de bière. Mais Dave nous guide jusqu'à ce que nous soyons entre le ciel et la roche. Devant nous l'océan scintille. La mer respire de son grand souffle lent. Des oiseaux passent, se laissant porter par l'air qui remonte de la roche. Leurs cris aigres se mêlent au raclement des vagues quand elles viennent se finir contre la muraille.

Jude débouche sa bouteille calé dans l'angle d'un rocher, Simon s'est assis plus loin en retrait. Et moi j'hésite. Dave est campé face à la mer, la nuque rejetée en arrière, les mains pressées contre ses reins comme pour en sentir machinalement la souplesse. Il rit.

– Pourquoi tu ris Dave?

Il se retourne.

– Le kayak, là-bas, à droite du rocher, tu le vois? Le mec sait pas manœuvrer, il en sera au même point demain… J'ai un kayak aussi. Quelquefois avec ma copine… Mais attends, on va boire un coup nous aussi.

Alors je m'assieds à côté de lui. J'aime bien ses histoires de kayak.

– J'en ai fait aussi quand j'étais gamin. On partait dans les bois avec mon frère… On ne revenait pas de plusieurs jours. Ma mère en devenait folle. On avait notre kayak à nous, un vieux machin pourri qu'a failli nous noyer souvent…

C'est Jude qui parle. À voix très basse. Il faut tendre l'oreille pour l'entendre dans le cri des fulmars et le fracas des vagues. Il reprend une rasade de rhum, déjà ses yeux ont rougi, son visage s'est congestionné. La lumière fait ressortir les veinules de ses paupières. Il a voûté ses épaules redevenues trop lourdes.

Je détourne les yeux. Il s'est tu et regarde au loin. Simon raconte quelque chose que je n'entends plus. Je contemple l'horizon qui s'éclaire de rouge. Les grands cuivres du soir descendent sur l'océan. Je pense à Point Barrow.

On s'est retrouvés à la Mecqua. Jason nous a rejoints et m'a demandé solennellement d'être son matelot pour la pêche au tourteau. Dave m'a serré affectueusement l'épaule. Un groupe de musiciens installait la sono.

Jude buvait dans l'angle le plus sombre du comptoir. Je me suis approchée, dans l'ombre d'un bar il me faisait moins peur. Le sol tanguait en longeant le comptoir, des hommes ont ri, j'ai ri avec eux. Ils m'ont offert un verre. J'ai dit que je pêchais. C'étaient des gardes-côtes. Ils m'ont souhaité de rester saine et sauve. Je n'avais plus peur de l'Immigration. Le groupe s'était mis à jouer. La fille qui chantait était habillée de cuir, une jupe noire et très courte collait à ses cuisses. J'ai eu envie de danser et de boire jusqu'au matin. Je me balançais au comptoir. Le rythme de la vague était dans mes reins.

– On pourrait danser, j'ai dit à Jude. Tu aimes danser ?

Il m'a regardée avec stupeur. Et puis il a eu un rire bref – Jude riait –, il a dit :

– Oh… Quand j'étais jeune…

– T'es pas vieux.

Il a souri gauchement. Je l'avais gêné.

– J'ai trente-six ans, il a murmuré.

– Ah, tu vois.

– Mais je danse plus.

– Je suis bête, tu dois trouver cela stupide de s'agiter pour rien.

Il a ri encore.

– C'est pas stupide. Sûrement que j'ai aimé cela un jour. Mais maintenant quand je suis dans un bar, c'est pour y boire. C'est fait pour ça, tu crois pas?

– Oui, j'ai répondu en attrapant une cigarette.

Il l'a allumée.

– Merci. Tu es d'où?

– Pennsylvanie. Pas loin de New York.

– C'est à l'autre bout des States.

– Je les ai tous faits, tous les États.

– Alors tu n'as pas toujours pêché?

– Huit ans que je suis en Alaska. Avant, j'ai travaillé dans les bois. Surtout. On est partis sur les routes avec mon père. On a tourné longtemps ensemble. On trouvait de l'embauche en chemin, le bâtiment, un peu de tout, bûcheronner surtout… On n'était pas riches mais on gagnait souvent assez pour la chambre de motel, le bar, faire venir des filles de temps en temps… Ouais, on s'est bien amusés… On a fait ça des années, aller d'un État à l'autre, d'un bar à l'autre, d'une chambre de motel à une autre…

– Et l'Alaska? Comment tu y es arrivé?

– On s'était séparés… Mon père avait trouvé un job près de Seward. Un chantier dans le bois. Il m'a fait venir. J'ai trouvé à embarquer. J'ai plus arrêté.

– T'as pas vraiment de chez-toi alors?

Il a ri, sans joie cette fois, avec indifférence.

– Non. J'ai le bateau quand j'embarque. Le motel, des fois, quand je suis à terre. Les bars. Tu crois pas que c'est assez?

Jude s'est tu. Tassé sur son tabouret il regardait devant

lui, la serveuse, la rangée de bouteilles, l'obscurité du bar, ne semblait plus me voir. Il a rallumé une cigarette, toussé, le corps secoué d'un raclement qui l'a laissé hors de lui, visage empourpré, souffle court, les yeux étincelants. Un instant il est redevenu le grand marin qui déployait ses épaules, gonflait sa poitrine, balançait ses reins puissants au rythme de la vague. Puis il s'est ramassé sur lui-même. Il a attrapé son verre qu'il a vidé d'une traite – en a redemandé un autre.

– On te croyait perdue, a dit Dave quand je suis retournée m'accouder au comptoir près d'eux.

Et il a repris sa discussion avec Jason qui s'enflammait pour des quotas de pêche. J'ai eu envie de rentrer. Retrouver le pont du bateau dans la nuit bleue. Je n'avais plus envie de rire. Les cigarettes que j'avais fumées me laissaient un goût amer. Mes yeux ont fait le tour du bar. Tous n'étaient que de la viande saoule. Et moi aussi. J'avais laissé passer l'avancée du soir sur les eaux du port, la venue lente et impalpable de la nuit.

– Je vais rentrer, j'ai dit en regardant du côté de Jude.

J'espérais qu'il tourne la tête. Mais il m'avait oubliée. Il buvait c'est tout. Je me suis sentie très bête. Un instant le monde m'a paru un désert : retourner seule au bateau, me coucher pour recommencer demain, et continuer m'a semblé au-dessus de mes forces. Que faire d'autre pourtant ? J'ai rassemblé ma monnaie éparpillée sur le comptoir, glissé mes cigarettes dans ma botte. Quelqu'un dans mon dos m'a saisi les épaules alors, les secouant comme s'il tentait de me renverser en arrière.

– Toi ? j'ai éclaté de rire. Mais qu'est-ce tu fous là ?

– J'avais soif… Bois un coup, je te l'offre.

Le grand gars maigre. Il riait, fier peut-être de nous causer une telle surprise, heureux comme s'il revenait de très loin, après une très longue absence, assoiffé et rajeuni de dix ans. Dave a poussé une exclamation de stupeur, Jude s'est retourné et a esquissé un sourire, Simon a trinqué dans sa direction. On était heureux de l'avoir enfin parmi nous. Oublié A and A*, le respect silencieux derrière les moqueries quand il revenait des réunions. On lui a tous offert à boire, les uns après les autres. On voulait vraiment lui faire plaisir pour le remercier de nous avoir rejoints.

J'ai oublié que je voulais rentrer, la présence de Jude ne m'a plus attirée, ni repoussée ou bouleversée. Tout était redevenu simple. Il ne s'est plus agi que de rire et boire et se laisser porter par le tourbillon, avec le grand gars maigre qui jubilait, braillait, buvait, se déchaînait comme au temps où il n'était qu'un sagouin.

Quelqu'un m'a tapé sur l'épaule – Hé Lili! –, je n'ai pas eu le temps de me retourner que déjà Ian bondissait, les poings serrés. Il aboyait :

– Retire ta sale main de là… Fous-lui la paix, tu vois pas qu'elle est avec son équipage? Faut que je t'aide à comprendre sans doute?

– Mais c'est Mattis, j'ai crié, arrête, c'est un ami!

Mattis qui m'avait invitée pour du pop-corn brûlé et de la bière, qui pleurait en écoutant «Mother Ocean» quand moi j'errais sur les docks en attendant mon bateau… Mattis est resté planté un instant, bouche entrouverte qui s'essayait à sourire encore, a balbutié quelques mots, sa large face surprise et blessée, comme de l'eau toujours dans ses yeux à fleur de visage. Le skipper continuait d'avancer vers lui, menaçant. Il s'est écrasé alors et s'est fondu parmi les groupes de buveurs.

— Mais c'était Mattis, pourquoi t'as fait ça ?

— Au diable Mattis et tous les fils de pute qui essayeront de te toucher tant que je serai là dans ce bar avec toi… Allez, finis ton verre, j'ai soif. La même ! il a crié à la serveuse. Gin tonic et Rainier !

J'ai fini ma bière et tendu mon verre pour la suivante… Le comptoir prenait de la gîte. J'ai voulu partir quand mon verre se dédoublait.

— T'es trop saoule. Tu vas tomber dans le port. Reste encore, on fera la route ensemble.

— Non, j'rentre maintenant. Je ferai attention. Je tomberai pas.

— Attends-nous. Ça va pas tarder à fermer de toute façon… Et puis c'est pas sûr, toute seule à une heure pareille, t'as tous les mecs complètement pétés dans les rues. Sont capables de tout.

— J'y vais. Je suis toujours seule quand je retourne au bateau, et pas mal saoule des fois. Y a jamais rien eu.

— Je te raccompagne.

J'ai quitté la mêlée. Le vent était tombé. J'ai frissonné. C'était bon. L'air était clair et froid. Je me tenais en haut des marches de la Mecqua. Le skipper faisait ses adieux. Des lumières se reflétaient en colonnes d'or sur les eaux noires du port qui à peine se plissaient. L'ombre de la montagne se découpait sur le ciel, au fond le mont Barometer recouvert de neige encore. Un oiseau a crié. Ian a poussé la porte et il était là.

— Je suis pas si saoule que ça, j'ai dit. L'air froid me fait du bien. Tu devrais rester.

Il m'a donné une bourrade, je suis tombée de tout mon long au bas des marches. C'était haut.

– Lili, il a crié, oh pardon Lili…

Il s'était précipité, il s'agenouillait pour ramasser le moineau écrasé sur l'asphalte. Je n'ai pas pu me relever tout de suite tant je riais.

– Putain de côte!… j'ai réussi à dire.

On est rentrés, entre les reflets mouvants de l'eau et le ciel immobile, une moire sombre et un diamant bleu nuit.

– Tu vois, on tombe comme rien, c'est tout le temps que des gens se noient à une heure pareille quand ils sont bourrés, il a dit gravement. Tu perds l'équilibre et tu meurs. Fallait vraiment que je te ramène.

Le ponton glissant oscillait un peu. Nos pas résonnaient sourdement sur le bois humide. J'ai regardé l'eau avec une crainte respectueuse.

– Mais pas moi, j'ai dit. Moi je nage. Si je tombe je rejoins le bord.

– Non tu meurs. Et puis on ne sait jamais. Si tu rencontres un connard…

– Y a plus personne.

– Ça fait rien. Justement. Quelqu'un pourrait en profiter.

On entend un bruit de moteur. L'*Arnie* qui s'en va.

– Je te pousserai plus c'est promis. Tu t'es pas fait mal, vraiment?

– Oh non, on a bien ri.

– Ils vont penser que je t'ai poussée exprès, à la Mecqua. J'aime pas ça.

Il fronce les sourcils.

— T'as plus qu'à y retourner pour leur dire que c'est pas vrai.

— J'crois bien.

— Pourquoi t'es venu nous rejoindre au bar ce soir ?

— J'en ai eu envie c'est tout. J'ai bien le droit si je veux, non ? J'suis pas marié avec A and A… Tu me trouves con ?

— Non. J'aimais pas quand on te laissait seul au bateau tous les soirs. Mais pourquoi on boit ?

— Parce qu'on est des cons.

— Oui mais pourquoi ?

— Tu me fatigues Lili, tu me redonnes soif…

La lumière du carré est restée allumée. Le néon blanc nous aveugle lorsque l'on rentre au bateau.

— On n'a même pas mangé, je soupire, tant pis… Demain.

Il se moque de moi. On se regarde. On se fait face. La pêche est finie. On a travaillé dur ensemble. Il a tenu son rôle de skipper, hurlant quand il le fallait. J'ai été fidèle au mien, la *greenhorn* qui s'est pliée aux lois du bateau. Il avance un bras pour me retenir. Je tends la main vers son visage. J'effleure sa joue du bout des doigts. Il pose ses lèvres très vite sur les miennes. Je m'écarte.

— Je vais dormir… je dis.

Il est ressorti. Je me couche. Je ris jusqu'à ce que tout se mette à tourner, un vertige qui se vrille dans mon estomac. Le sommeil vient comme un coup de massue.

Les hurlements de l'armateur nous réveillent. On se redresse, la tête brumeuse, traversée de martèlements furieux. Sans un mot on se lève en se cognant les uns aux autres dans l'espace exigu de la cabine. On cherche nos chaussettes, nos pantalons de coton, nos sweats. Nous nous sentons en faute comme de mauvais soldats surpris à dormir au moment de partir au front. Quelqu'un met le café à réchauffer très vite, et l'on sort sur le pont, nos tasses à la main. Andy a dû aller réveiller le grand gars maigre… J'ai de la peine pour lui. Le soleil baigne les docks. Jude allume une cigarette en crachant bruyamment sa nuit. Je reste à distance. Simon se plaint d'avoir la migraine.

– Tu payes ta nuit, dit Dave.

Il va pisser au bout du pont, il module un bâillement en se frottant les yeux. J'aide Simon à installer les baquets sur la table. Nous nous mettons au travail péniblement. Le silence est ponctué par des bruits de gorge, toux, crachats, jurements étouffés de Jude.

– Il est fou de nous réveiller comme ça, je dis, on est quand même chez nous sur le bateau.

Dave hausse les épaules :

– On est chez lui, il fait ce qu'il veut. Et il lui tarde qu'on finisse pour récupérer son bateau. Faut tout préparer pour la saison de *tendering*.

J'oublie Andy. J'ai mal à l'estomac.

– J'ai faim, je dis, je suis toute creuse.

Le skipper paraît. J'ai rougi. Je pique du nez dans mon baquet et me concentre sur une épissure.

– Salut les gars, il clame. En forme ce matin ? Moi, j'ai un putain de mal de crâne, une de ces gueules de bois, il braille à qui veut bien l'entendre.

Sa voix doit porter à l'autre bout du dock. Mais il est de bonne humeur.

– Et toi, Lili ? Ça va mieux que la nuit dernière ?

J'ai le feu aux joues. Ma main tremblante se bat avec un toron que j'essaye de glisser dans une épissure. Quand je relève les yeux je le vois rire.

— Ah cette Lili… Un sacré numéro.

Les gars se sont tournés vers moi.

— Vous devinerez pas quand je l'ai ramenée hier soir…

Dave sourit déjà, de toutes ses dents blanches. Le regard jaune pèse sur moi. Simon attend.

— Ben j'étais saoule! je dis désespérément.

— J'ai voulu l'embrasser.

— Alors? Quoi? T'as failli être chanceux? Tu l'as été? jubile Dave.

— J'ai voulu l'embrasser… Elle n'en a pas l'air comme ça mais c'est une sacrée tigresse… La torgnole que je me suis prise!

Je respire. Le grand gars maigre me sourit, narquois. Je lui souris en retour. Dave éclate de rire. Notre petite Frenchie, il dit. Jude me regarde avec un étonnement respectueux. Simon s'en fout.

Le skipper est parti appeler Oklahoma. Est-ce qu'il va tout raconter à sa femme? Le serment rompu avec A and A, la cuite et le baiser final? Enfin le baiser… La radio braille sur le bateau voisin. Andy reparaît. Un petit homme replet l'accompagne. Il a des yeux très bleus, très ronds et écartés dans un visage lunaire, caché à moitié sous un chapeau de feutre.

— Salut Gordy, fait Dave. Paraît que tu reprends le bateau?

Gordon hoche sa tête ronde. Il me tend la main. Ses joues ont rosi. Il sourit très gentiment:

— Tu veux travailler avec moi pour la saison de *tendering*?

L'affaire est conclue. Gordy est reparti à petits pas, les yeux myosotis sous le feutre noir… Je n'irai encore pas à Point Barrow.

Bientôt midi. Bientôt manger, je pense. Jude tousse. Dave bâille. Les gueules de bois s'estompent.

— On va en être quittes à remettre ça, dit Simon.

— Pas pour moi, ma copine revient ce soir, lui répond Dave.

Jude ne dit rien.

— J'ai faim, je soupire.

Le skipper est revenu, plus surexcité que jamais. Il vient de croiser Andy à la banque, qui lui a demandé de ses nouvelles.

— Terrible! s'est exclamé Ian à travers toute la banque, j'me suis saoulé comme un cochon la nuit dernière!

Les gens ont fait comme s'ils n'entendaient pas, Andy a frémi et n'a rien répondu. Encore un ancien d'A and A, Andy. Le grand gars maigre est content. Il dit s'être arrêté au Westmark, l'hôtel qui fait bar au-dessus du port. À voir l'éclat de ses yeux il a dû prendre quelques gin tonics… Il ne cesse plus de parler et veut nous aider à nettoyer les palangres. On lui fait une place à la table. Il répète ses déboires avec Lili-la-très-sauvage. Les hommes se fatiguent de l'histoire, il insiste. Le ton change :

— Tu veux sans doute un plus riche? il dit en me regardant droit dans les yeux. Un plus riche et un plus costaud?

Je hausse les épaules.

— Oui c'est ça, je murmure avec colère.

Je jette mes gants sur la table et m'en vais chercher un café. Il vient me prendre à part dans le carré.

— Lili, j'ai réfléchi, on se marie si tu veux.

C'est un grand gars maigre qui me parle, un adolescent pâle au visage écorché. Ses yeux attendent ma réponse. Ils brillent si fort qu'on les dirait mouillés. Je le regarde. Mais qu'est-ce que j'ai fait encore? je pense.

– Je veux pas me marier. T'as une femme et des enfants. Tu vas rentrer à Oklahoma. Moi je vais à Point Barrow.

Jude entre à ce moment. Il nous regarde l'un et l'autre d'un air suspicieux:

– Je peux passer?

Je retourne sur le pont. J'ai oublié le café. Le soleil est éblouissant. J'ai le cafard. Les hommes ont repris leurs estimations sur notre cargaison de flétans. C'est ce soir que l'on décharge.

– Comment on s'organise pour cette nuit? demande Simon.

– Jude, Joey et moi nous occupons de tout, répond Dave. C'est notre affaire. Faudra juste nettoyer la cale quand ce sera fini, désinfecter et brosser tous les recoins. Mais le gros du travail ça nous regarde.

Simon baisse la tête. On se regarde tous les deux.

– On n'est que des *greenhorns*, je lui dis.

Il sourit, un peu d'amertume au coin des lèvres.

– Ouais… que des *greenhorns*, des demi-portions.

Mattis passe dans l'après-midi. Il est saoul. On est tous au travail. Il se balance de gauche à droite sur le ponton.

– Où est-ce qu'il est votre enfoiré de fils de pute de skipper? il braille à Jude qui est le plus proche. Va donc me le chercher! S'il ose venir, on va voir lequel est le plus fort…

Il est là le skipper et il a entendu. Il sort de son recoin d'ombre et tend le cou vers le dock:

– Paraît que tu me cherches ?

– Toi, le *motherfucker*, qui m'as parlé comme tu l'as fait hier… et devant les autres en plus… Tu refais une chose pareille et je te l'arrange, ta jolie p'tite gueule d'enculeur de mouches.

Il crie encore quand il s'éloigne en valdinguant le long du ponton.

Jude a durci la mâchoire.

– Il t'a menacé on dirait, je laisserais pas faire ça si c'était moi.

– Il a raison, dit Jesse, l'enfant de cochon peut pas te traiter de la sorte.

– Je vais le trouver, dit Ian, le maudit bâtard va me faire ses excuses.

Il jette ses gants sur le pont, enjambe le pavois, bondit sur le dock, le petit Jesse sautille derrière lui pour rattraper les longues jambes maigres. Simon rit. Dave ne dit rien.

– J'espère qu'ils vont pas le jeter dans le port, je murmure à Dave. Il n'a rien fait Mattis, d'ailleurs il a un peu raison.

– Ouais, répond Dave d'un air sombre, des histoires de cons oui, maudite stupide histoire de mecs. Mais t'en fais pas, ils vont pas le foutre à l'eau, pas en plein jour, y a trop de monde.

Cinq minutes plus tard nos deux hommes sont de retour. Ils sourient. Je n'ose pas demander s'ils l'ont tué. Jesse retourne faire la sieste.

– J'ai assez bossé pour aujourd'hui, décrète Ian, je me casse. On décharge à minuit les gars. Le bateau doit être à onze heures aux conserveries… Soyez là à neuf.

Dave s'en va à son tour : J'ai rendez-vous pour un job… Simon va se recoucher. Jude et moi restons seuls devant nos palangres. Nous continuons sans un mot. Joey arrive alors, un gars l'accompagne.

– Vous travaillez encore ? On a fini depuis longtemps, nous ! dit l'homme. Si au moins vous vous étiez rempli les poches...

Jude ne répond pas. Le gars est habillé de neuf, il sort une liasse de billets de sa poche et l'agite un instant, un air avantageux sur son visage rasé de près. Il me regarde de haut en bas.

– Une nana...

Il me tend une main que j'écrase dans la mienne.

– Costaud en plus !... Allez, venez, je vous paye un verre chez Tony. Ce soir je me défonce la gueule...

Jude jette ses gants sur la table :

– Ça fera pas de mal.

Je les regarde s'en aller, Joey se retourne :

– Tu viens pas ?

– Je peux ?

– Sûr ! Si l'autre connard a dit qu'il nous payait un verre, ça vaut aussi pour toi.

Ils marchent devant. Nous suivons. J'aperçois Mattis devant le *Kayodie*, un peu plus saoul peut-être, qui me fait de grands signes du bras. Ça me soulage un instant : ils l'ont pas jeté dans le port. Je réponds en agitant la main, de loin, pas envie que les histoires recommencent. Et je ne veux pas manquer la tournée.

Un chaos invraisemblable règne dans le bar. Fin de saison. Les gars sont excédés. Trop longtemps qu'ils sont restés à terre. Leurs forces revenues depuis la dernière pêche, ils ne savent plus qu'en faire. Ce soir ce n'est pas Jimmy Bennett qui pleure au juke-box, mais les Doors et AC/DC qui hurlent. Joey était un peu saoul quand il s'est pointé au *Rebel,* il s'achève au comptoir, le front sombre, obstinément baissé sur la Bud dont il arrache lentement l'étiquette. Je bois mes bières avec application. Pas le temps d'en finir une que l'on m'en apporte une autre. Je m'ennuie. La serveuse pose un whisky devant moi – on me l'offre. Il faut le boire. À côté de moi un gars entame la conversation. On ne s'entend pas. Il renonce. De l'autre côté Joey me confie ses rancœurs d'une voix pâteuse : Un négro d'Indien... juste un sale négro d'Indien... Litanie obscure. Il boit de plus en plus farouchement en poursuivant son monologue. Il se met en colère quand la serveuse n'arrive pas tout de suite. Ce soir, jusqu'à l'heure de tomber s'il ne devait pas retourner au bateau pour décharger, il ne serait qu'un sale négro d'Indien, dans la colère, la révolte. La confusion.

Je regarde l'horloge au mur. Je me lève.

– Merci, je dis à l'homme qui nous invitait.

Joey veut me retenir : il vient de commander une bière.

– Non Joey, faut être au bateau à neuf heures. Moi j'y vais.

Il pique du nez sur le comptoir, marmonne encore : Négro d'Indien...

Je vais sortir. Jude me rappelle :

– Attends, je viens avec toi. Autrement je pars plus d'ici.

Il s'est levé difficilement. Il se balance un peu. Je l'attends. Il a du mal à atteindre la porte.

Dehors, la lumière. J'ai un goût amer dans la bouche. Tabac et bière. Jude crache pour deux. Il manque tomber. J'avance le bras et l'aide à se redresser. Son visage est très rouge, il a beaucoup vieilli le temps de quelques verres. Je n'ose plus le regarder, j'ai peur de son regard, fixe et comme hébété, la mollesse de ses lèvres entrouvertes, ses traits pâteux, sa peau qui semble cuite, sillonnée d'une infinité de petites rides et de veinules violacées.

Allez viens, je dis. Je marche lentement. J'ai pris son bras pour traverser. Il se laisse conduire comme un enfant ensommeillé. On longe le quai. J'ai gardé son bras. Le soleil disparaîtra bientôt derrière la montagne. Des mouettes passent en se moquant. Beaucoup plus haut deux aigles nous ignorent et tournent sur leur axe. Et nous qui peinons sur l'asphalte. À la hauteur du banc de bois blanc, il veut s'asseoir.

– On en grille une et on repart… il dit.

On s'assied face à la flottille. Il allume une cigarette.

– Donne-m'en une s'il te plaît, j'en ai plus.

Il ouvre un œil étonné comme s'il découvrait ma présence.

– Alors tu me donnes un baiser.

– Non.

– Si.

J'hésite un instant. Je pose ma bouche sur ses lèvres très vite.

– Mieux que ça.

Je recommence. Il retient ma tête d'une main lourde. Il m'embrasse. Sa bouche a un goût de whisky et de tabac. Je m'écarte. Il se laisse aller contre le banc, il a fermé les yeux, il respire lourdement. Je n'ose pas lui rappeler la cigarette. Là-bas, sur les eaux claires du port, la coque imposante du *Rebel*, noire et rehaussée d'un liséré jaune. On va nous attendre à bord.

Jude ouvre les yeux et tente de se redresser.

– Allons au motel… il dit doucement.

Je le regarde, ses paupières qui se ferment malgré lui, sa tête qui dodeline contre sa poitrine.

– Faut rentrer au bateau, Jude, on va bientôt le déplacer.

– Allons au motel, il répète d'un ton lent et monocorde.

Je crois qu'il ne m'entend pas.

– Fais ce que tu veux, moi je retourne au *Rebel*.

– Attends… Dis-moi d'abord… est-ce que tu es une femme?

J'ai comme un sursaut. Je le fixe un instant sans comprendre.

– Pourquoi tu me dis ça? J'ai pas l'air d'un homme… J'ai pas de poils sur le visage, pas des muscles comme vous… Les autres ne me l'ont jamais dit… le savent bien eux… Et d'abord j'ai une petite voix. Que personne n'entend.

– J'sais pas… On sait même pas si t'as des seins. Je les ai jamais vus en tout cas. Peut-être bien que t'es un mec très jeune.

Je regarde le ciel, la berge sale encombrée de canettes défoncées, un vingt-six onces de vodka qui traîne juste sous nos yeux.

– Réponds-moi, t'es vraiment une femme?

– Je pense que oui… je murmure. En tout cas sur mon passeport c'est écrit «Femelle».

– Allons au motel comme ça je saurai.

– Fais ce que tu veux Jude, moi je vais au *Rebel*.

– On pourrait aller au motel d'abord, et puis…

– Je suis fatiguée. On va être en retard. À plus tard.

– Attends, je viens avec toi, il articule mollement, on va au bateau, tu t'allonges sur ma couchette, et moi je me couche sur toi…

Je me lève. Je fais quelques pas. Je me retourne. Il n'a pas bougé. Je reviens vers lui, je prends son bras.

— Allez viens, on va arriver trop tard, on aura des ennuis…

Je ne lâche plus son bras jusqu'au ponton. On descend la passerelle à pas très lents, quelqu'un nous croise et sourit, je reste grave. J'ai lâché son bras, le *Rebel* n'est plus qu'à quelques mètres. Deux gars descendent de l'*Arnie*, le vieux tugboat qui chaque nuit quitte le port pour revenir à l'aube. Jude s'arrête. Il se plante sur ses jambes vacillantes et barre la route aux gars. Ses yeux étincellent, il articule avec peine dans un grondement confus :

— Hé vous deux… où est-ce qu'il est votre putain de skipper, le maudit enfant de pute qui m'a pris l'*Arnie* quand c'est à moi qu'on allait le confier ?

Les gars rient :

— Doit être en ville, là d'où tu viens, on lui fera la commission…

Jude attrape son sexe à travers le coton léger de son pantalon.

— Vous lui direz… je lui dis… *Suck my dick!*

J'ai rejoint le bateau. Les hommes sont dans le carré, occupés à se faire des sandwichs. Le skipper n'est pas là encore. Dave sourit quand j'entre.

— Te voilà… Pas trop saoule ? Et Jude ?

Je fais un signe en direction du pont :

— Je crois qu'il ne devrait plus tarder.

On entend un bruit sourd venant du pont, des jurons, un baquet qui roule à terre.

— Ça doit être lui.

On le retrouve inconscient, écroulé entre la cambuse et une pile de baquets. Dave le secoue :

— Hé vieux, réveille-toi, t'iras cuver après. On décharge ce soir.

— Du café ? Tu veux du café ? je m'exclame.

Il a ouvert les yeux, semble hocher la tête. Je me précipite dans le carré, réchauffe le café au micro-ondes. Je reviens sur le pont avec ma tasse fumante.

— Réveille-toi, crie Dave, tu vas boire ça et te bouger le cul avant que le skipper n'arrive.

Jude a refermé les yeux, plus moyen de le tirer de son sommeil semi-comateux.

Ian est là. Je me suis retournée, ma tasse à la main dont je ne sais plus que faire.

— Il est tombé… dit Dave.

On se tait. Le grand gars maigre a pâli, lui aussi reste muet quelques instants. Son *long-liner**, son homme de peine et de confiance quand il s'agit de travail, est abattu sur le pont. Jude ouvre les yeux. Son regard vague se raffermit, ses pupilles se dilatent, une onde d'effroi les traverse. Il tente de se redresser, leurs deux regards rivés l'un à l'autre, Jude dans l'affolement et la honte, l'autre dans le plus grand des désarrois. Peut-être Ian lui aurait-il tapé sur l'épaule dans un autre temps, mais à cette heure il lui faut être le skipper. Il gueule – sans conviction – et l'envoie cuver sur sa couchette. Jude se relève. La tête enfoncée entre ses épaules, le dos rond, il rejoint la cabine en titubant à peine.

Ian se tourne vers moi. Il sourit misérablement.

— Tu vois l'alcool… il dit. Mais enfin, on va bien se débrouiller, non ?

Ian est monté dans la timonerie sans un mot et s'est assis face au port. Nous avons attendu deux heures. Jude ne se relevait toujours pas. Alors il a pris les commandes. On a détaché le bateau. C'était minuit et l'on quittait la rade. Ni Dave ni Simon n'ont pu réveiller Jude. Joey était saoul mais il tenait sur ses jambes. Dave nous a regardés Simon et moi :

– Désolé les gars, on va avoir besoin de votre aide… Vous allez descendre dans la cale et vous nous ferez passer les flétans, un par un parce que l'ouverture est trop étroite pour y faire entrer les *brailers** de l'usine. Joey et moi on s'occupera du reste sur le pont.

Il faisait froid. On s'est amarrés aux piliers de bois – l'unique bateau –, nous devions bien être les derniers à décharger. Le skipper est monté à quai. On a enfilé nos cirés et l'on a dégagé le pont. Simon et moi avons sauté dans la cale. La glace avait fondu. Nous pataugions et nous glissions sur les poissons, dans l'eau sanguinolente et froide qui déjà emplissait nos bottes. Ma côte s'est rappelée à moi quand j'ai toussé. J'ai regardé Simon, ces tonnes de poissons qu'il allait nous falloir sortir à bout de bras. Lui non plus n'en menait pas large. Pour finir on s'est souri. Il n'y avait rien d'autre à faire.

Un ouvrier de l'usine nous a lancé un carré de mailles épaisses depuis le dock que Dave et Joey ont étalé sur le pont.

On a envoyé les morues noires qu'ils ont jetées sur le filet. Quand le tas est devenu suffisamment important, le cartahu est descendu. Les gars y ont fixé chaque coin du filet, puis se sont écartés tandis que le tout était hissé jusqu'aux quais de l'usine et pesé. Après la morue noire est venu le tour du cabillaud, puis des poissons de roche, ces pauvres *idiot fishes* avec leurs yeux exorbités. Leur langue n'avait toujours pas dégonflé malgré le long séjour en cale.

Une courte pause. Joey nous a tendu à chacun une cigarette qu'il venait d'allumer. J'ai glissé dans les flétans en tentant de l'attraper. Je suis tombée de tout mon long. On a un peu ri. Moi je ne savais plus si je devais rire ou pleurer. Peu importait, il n'y avait pas grande différence. Dave nous a fait passer des coca douceâtres et glacés. Il parlait avec un ouvrier et son front s'est assombri.

– *Bad news*, il a dit alors.

– Qu'est-ce qu'il y a? a demandé Simon.

– On est en infraction c'est sûr, le quota de morue noire, c'était quatre pour cent de la prise de flétan. Mille deux cent quatre-vingts livres de morue, ça veut dire que si on a bien dix-neuf mille livres de flétan on est bons pour l'amende…

– Et alors? a répondu Simon.

– Alors tu vas peut-être même pas toucher assez pour te saouler chez Tony… Allez, c'est bon pour le flétan, vous pouvez les envoyer. Faites gaffe à pas planter votre crochet dans les corps, toujours la tête hein? On ne va pas en plus être pénalisés pour des flétans dépréciés…

L'eau s'infiltrait sous nos cirés. Elle coulait le long de nos bras depuis les poignets, dégoulinait jusqu'aux aisselles. On a très vite été trempés. On harponnait les poissons énormes. Il fallait s'arc-bouter en glissant bien souvent, pour les dégager du tas mouvant. Dave et Joey se penchaient au-dessus de nous, le plus possible, pour attraper la gaffe et remonter le flétan sur le pont.

— Ta côte te fait mal, hein ?

— Un peu...

J'ai grimacé un sourire, j'avais les larmes aux yeux, le visage couvert d'une glaire sanglante. Simon muait : ses traits blêmes et creusés sous les cheveux ruisselants s'étaient affermis. Il a remis en place Joey, son aîné de presque vingt ans, quand ce dernier encore trop saoul a manqué le blesser en lui renvoyant la gaffe. Je l'ai regardé avec étonnement : il serait bientôt un homme, prêt à faire subir à d'autres ce que les gars lui avaient fait endurer.

Nous étions dans la cale depuis plusieurs heures. Le niveau baissait lentement. Quand j'ai été vraiment glacée, je me suis souvenue de Jude qui dormait, la colère m'a redonné des forces. Alors que je levais la tête, tendant à bout de bras ma gaffe et un flétan à Dave, j'ai aperçu le grand gars maigre qui nous regardait depuis le dock. Il riait de ces deux novices, ruisselants d'écume et d'eau sale, les cheveux collés sur le front en mèches raidies. Il a crié quelque chose. Les ouvriers ont ri avec lui. J'ai serré les dents. J'ai souri. Putain de côte, j'ai pensé, connard de skipper. J'étais invulnérable à nouveau.

La nuit pâlissait au-dessus de nos têtes. Ian était allé dormir. On a sorti plus de vingt mille livres de la cale et c'était l'aube. Les derniers poissons, les plus gros, ont été remontés à l'aide du palan. Dave nous a tendu l'échelle pour regagner le pont.

Simon et moi nous sommes regardés. On s'est souri, le travail était fait. Ne restait plus qu'à nettoyer la cale.

– Je m'en occupe, a dit Dave, allez vous réchauffer.

Le jour avait paru très vite. Joey a réveillé le skipper et nous avons défait les amarres. Je ne toussais plus. L'air était âpre, cru. Une petite brise glacée s'est levée quand le bateau s'est mis en mouvement. Au loin le port dormait encore et la flotte était immobile dans son écrin de nacre. Deux seiners avançaient vers nous, suspendus entre ciel et mer. Leurs mâts frêles se découpaient sur les eaux brumeuses, noirs sur la soie de l'aube.

Le *Rebel* était amarré... Simon m'a tendu une cigarette. Il avait des cernes très sombres sous ses yeux brillants. Dave est venu vers nous. Il ne souriait plus. Il nous a serré la main, à l'un puis à l'autre.

– Vous avez fait du beau boulot les gars. Merci.

Il n'y a plus eu sur le pont que Joey qui découpait des filets dans les poissons mis de côté, Simon et moi. On avait faim – si on mangeait?

L'eau clapotait contre la coque, la rade immobile dans son sommeil d'opale. Tous dormaient enfin. J'étais seule avec les oiseaux dans l'odeur âpre de la marée. Courir dans les rues encore désertes... Mais je suis rentrée. J'ai pris mon duvet dans la cabine. L'air y était étouffant, une odeur de transpiration, de vêtements humides qui sèchent sur les corps, celle très âcre des bottes, des chaussettes, se mêlaient aux relents d'alcool. Jude respirait lourdement. Je ne voulais plus l'entendre s'étouffer et japper dans son sommeil épais. La lumière du ciel m'a éblouie quand j'ai rejoint la timonerie. Comme aux premiers temps, j'ai trouvé ma place sur le plancher humide. Mon casque de sel avait séché. Je me suis endormie d'un coup le front contre mes bottes sales, sentant la douce brûlure du masque de mucus et de sang qui s'écaillait sur mon visage. Le soleil paraissait. Des taches mordorées dansaient sous mes paupières.

J'ai dormi deux heures. Puis je me suis redressée. Mon corps était endolori de partout. Pas un bruit. Les hommes dormaient. Il était temps encore de filer dans les rues. J'ai roulé mon duvet dans un coin. Je suis descendue dans le carré. Le couteau de Joey traînait encore sur la table. Un peu de sang avait séché sur la lame. Je me suis rincé le visage à la va-vite sous le robinet, j'ai démêlé le plus gros de mes mèches avec les doigts. J'allais sortir, quelqu'un se tenait dans l'ombre de la coursive. C'était Jude. J'ai détourné la tête.

– Je vais prendre un café dehors, j'ai dit.

Il n'osait pas me regarder. Je me suis radoucie.

– Bonjour, j'ai ajouté.

Il n'a pas répondu. Je me dirigeais vers la porte.

– Je peux venir ?

– Si tu veux, j'ai murmuré.

Les docks étaient déserts. On a marché sans un mot, puis :

– Vous n'avez vraiment pas pu me réveiller hier ?

– On a fait tout ce qu'on a pu. T'as même pas voulu de café. D'ailleurs il t'aurait pas fait grand-chose le café. Même à minuit Dave et Simon n'ont pas réussi à te bouger. Et ils ont essayé, pourtant…

Un silence, Jude baissait la tête. On arrivait au bureau du port. Trois corbeaux se disputaient un morceau sur le container à ordures.

– Le skipper devait être fou… Qu'est-ce qu'il a dit ?

– Pas grand-chose. Il t'a envoyé te coucher. Ça se voyait que t'étais plus en état.

– Ouais, tu vas me dire aussi qu'il m'a tapé gentiment sur l'épaule…

– Il a pas gueulé, non, il a fait une drôle de tête, il m'a dit : Tu vois l'alcool… et il est monté dans la timonerie.

On atteignait le banc sur lequel nous nous étions arrêtés la veille. J'ai rougi. Il avait dû tout oublier. Mais, alors, il pensait toujours que je n'étais pas une femme ?… J'ai redressé les épaules, pour faire ressortir ma poitrine que l'on ne voyait pas de toute façon.

– Comment vous vous en êtes sortis ?

– Normalement. On est descendus dans la cale Simon et moi. On a passé les poissons à Dave et Joey. Ça a sûrement été plus long que si t'avais été là mais personne n'a gueulé et il n'y avait plus de bateaux qui attendaient.

Il marchait tête basse. Je sentais sa honte. Le soleil s'élevait sur la rade. Nous avons passé les bars et longions les arcades. Je n'avais plus peur de lui.

– Ça n'arrivera plus, il a murmuré d'une voix sourde, plus jamais.

On a bu notre café au soleil, à l'unique table du petit coffee-shop. Il me l'avait offert de l'air d'un homme qui invite une femme. On l'a bu trop vite, en nous brûlant parce que nous ne savions plus que dire. La gêne de l'un paralysait l'autre. Nous étions comme deux *idiot fishes* stupides et cramoisis. Le gros Murphy nous a remis à l'aise. Il arrivait en balançant son corps monumental. L'abri du frère Francis relâchait sa progéniture sur la ville. Murphy s'en allait en reconnaissance du jour.

Du bout de la rue son visage s'est éclairé. Il nous a regardés tour à tour, une lueur amusée dansait au fond de son regard.

— Hé Jude, Lili! Déjà levés?

La petite chaise a gémi quand il s'y est laissé tomber de tout son poids. Les deux hommes se sont souri. Jude s'est redressé et a gonflé le torse. J'étais à nouveau petite et rouge. Murphy cherchait des pièces au fond de sa poche.

— Je vous paye un café! Un gâteau Lili?

J'ai pas osé dire oui, pas entre ces grands hommes qui ne prenaient que whisky ou crack. Murphy s'est levé, la chaise s'est redressée, il est rentré dans le coffee-shop en faisant rouler son gros cul.

— C'est un très vieil ami, a dit Jude.

— Je sais. Il m'a parlé de toi.

Jude m'a dévisagée longuement. Il fronçait les sourcils. Il s'est repris et a baissé les yeux. Il n'avait guère le droit de jouer à l'homme, pas après la nuit passée en tout cas.

— Oui, il a dit alors — et il a allumé une cigarette.

— Tu vas y rester sur le *Rebel*?

— Il va faire du ravitaillement tout l'été, c'est pas pour moi.

— Oui mais cet hiver sur la mer de Béring, la pêche aux casiers pour le cabillaud, et le crabe après?

— Je sais pas encore. Si je suis par là, si Ian reprend le bateau et s'il veut toujours de moi... J'penserais que oui. C'est un bon bateau le *Rebel*, et Ian n'est pas un mauvais skipper.

Murphy est revenu avec les cafés. Un sourire dilatait sa face à nouveau. Il s'est tourné vers moi:

— C'est un bon gars Jude, «le grand Jude»... Tu peux lui faire confiance.

Jude a eu un rire gêné. Je suis redevenue très rouge. Murphy a pris mes mains dans les siennes.

– Des pognes pareilles, merde, j'ai encore jamais vu ça chez une femme. Regarde, Jude, elles sont aussi larges que les miennes, et dures… mais toutes blessées, entaillées, jamais tu ne portes de gants ?

– Oh oui j'en mets, mais je vais pas en changer dès qu'ils sont percés.

– Faut prendre soin d'elle Jude, toi qui travailles avec elle occupe-t'en un peu… C'est comme ce qu'elle s'est chopé à la main, elle aurait pu y passer et vous avez rien vu ?

– Ta gueule Murphy, c'est quand même moi qui lui ai donné des cachets tous les matins. Moi aussi qui suis allé voir le skipper pour qu'elle s'arrête.

– Peut-être qu'il nous faudrait y aller, j'ai murmuré.

Nous nous sommes levés. Murphy nous a fait un clin d'œil. Jude se tenait droit à présent.

Nous rentrons sans un mot au bateau. Jude cherche Ian pour lui faire ses excuses : il est sorti. Dave et Simon sont mal réveillés et nous voient arriver d'un air morose. On attrape les baquets. On se remet au travail. Le café en ville est bien loin, Jude et moi sommes redevenus distants. Simon et Dave hissent des palangres sur le pont supérieur et s'en vont travailler au soleil. Nous restons sous l'auvent dans l'ombre. Jude n'est pas fier depuis qu'il s'est réveillé de sa cuite. Je le vois s'interrompre souvent et retirer son gant, porter sa main à ses lèvres. Il souffle dessus, la triture. Une grimace pitoyable dans son visage enflammé, il suce ses doigts misérablement.

– Ça ne va pas?

– Ces doigts-là… Quelquefois ça me prend. J'ai dû les geler un hiver que je pêchais sur ce chalutier… C'est souvent qu'ils me font mal mais ce matin c'est pire que tout.

Dave saute sur le pont, en bel athlète qui a retrouvé ses forces. Il rayonne du soleil qui baigne la passerelle.

– Lili t'a dit combien on a pris?

– Elle m'a rien dit du tout, à part que j'ai pas voulu de son café et que tu m'as secoué comme un bâtard malade sans résultat.

– Vingt-deux mille livres, c'est toi qui avais raison. Par contre pour la morue noire c'est une moins bonne nouvelle. Et là c'est moi qu'avais vu juste…

– Oui?

– On l'a dans l'os. On est bons pour l'amende. C'est quatre pour cent de la prise, la limite à laquelle on avait droit.

– Et ça se chiffre à combien, l'amende?

– Au moins cinq mille dollars à ce que je sais. Pris directement sur notre part.

– On ne va pas avoir gagné un centime de la saison entre le matos perdu et l'excédent de morue, et toi tu ris… Plus de deux ans que je bosse comme une bête pour pas un rond.

J'ai rejoint Dave dans le carré pour un sandwich.

– Il ne va pas fort, Jude, hein? C'est à cause d'hier soir? il me demande.

– Un peu de ça. Et puis il a mal à la main. Il dit qu'il a gelé ses doigts un jour.

– Faut qu'il aille à l'hosto. On doit ramener le reste des appâts aux usines cet après-midi, plus casser toute la glace et

la virer de la petite cale. Si sa main a souffert du gel il sera
jamais capable. Et ça peut être grave des conneries pareilles.
— Oui, il pourrait peut-être choper une gangrène, je réponds.
Ian l'a conduit à l'hôpital. Ils sont de retour peu de temps
après. Le skipper braille qu'il nous faut filer aux conserveries.
Jude n'a pas la gangrène. Je vais lui chercher des calmants à
la codéine de dessous mon oreiller. Il en avale trois coup sur
coup en buvant à la flasque qu'il a tirée de sa besace.

Nous avons déchargé vingt-deux mille livres de poisson à
la main avec Simon, dormi deux heures à peine. Agenouillée
dans la cale je casse maintenant la glace à coups de pic. Je ne
suis pas fatiguée, peut-être plus jamais, peut-être suffisait-il
de le vouloir très fort, je n'aurai plus jamais sommeil. Nous
sortons les boîtes d'appâts qui cèdent entre nos mains. Les
petites créatures molles et glissantes disparaissent dans l'eau
trouble de la cale. Le skipper gueule.
— C'est pas notre faute… je murmure.
Nous pataugeons dans la bouillie saumâtre, glace fondue,
cartons décomposés, pour récupérer les calamars. Nos gants
sont percés. Jude s'interrompt de plus en plus souvent. Son
visage se contracte comme s'il pleurait.
— Laisse-moi faire, je dis, on est assez nombreux pour s'en
occuper.
Il s'entête. Dave envoie la pompe pour vider l'eau. La
glace s'est reformée au fond et sur les côtés. J'ai saisi le pic
des mains de Jude.
— Laisse-moi faire! je dis plus fort.
Il hésite un instant puis il rejoint le pont. Il ne reste bientôt

plus que moi dans le trou, à m'acharner sur les dernières croûtes glacées. Le froid m'écorche les doigts, c'est comme si mes ongles étaient arrachés.

– Lili! Sors de là maintenant, c'est fini.

On m'appelle d'en haut. Mais je ne peux plus m'arrêter. J'ai bien trop de force en moi.

– Viens déjeuner Lili!

Je sors la tête de mon trou sombre. Dehors le soleil. Je cligne des yeux. Autour de moi le skipper, Dave et Jude, Simon. Je les regarde tous les quatre, l'un après l'autre, le rire me gagne, la joie me secoue, à en tomber tête renversée dans un ciel d'été. Je ferme les yeux. Quand je les rouvre les hommes sont toujours au-dessus de moi. Ils me fixent avec un étonnement de plus en plus grand et qui se met à ressembler à de la tendresse.

– Eh bien Lili, qu'est-ce qu'il y a de si drôle là au fond?

Ian et Dave m'ont chacun saisi un poignet et ils me tirent à bout de bras. Le rire m'a reprise en m'élevant dans les airs.

– Je m'envole!

Nous détachons le bateau. Le *Rebel* gagne de la puissance. Je m'assieds sur mes talons contre le pavois. Le soleil ricoche sur l'eau et vient me réchauffer la peau. Mes jambes sont musclées sous le pantalon de coton souple qui fut blanc un jour, qui ressemble à une seconde peau. Elles sentent la chaleur de l'été. Je ferme les yeux. Quand je les rouvre, Jude est accroupi à quelques mètres. Mes longues cuisses sont des cuisses de femme, je jurerais qu'il l'a compris.

– C'est bon le soleil, il dit.

Le temps a changé dès le retour au port. Une pluie fine s'est mise à tomber. La brume arrive par l'ouest, déjà elle a pris la montagne et gagne sur nous. Les quais s'estompent peu à peu. Ian est ressorti. Nous avons repris le travail.

— Je parie qu'on est les derniers à bosser.

— Ça se pourrait.

— Combien de palangres il nous reste à faire ?

— Une trentaine.

— C'est pas beaucoup.

— Non mais faut les faire.

— C'est bien demain qu'on part draguer le matos ?

— Ouais. Encore se crever pour pas un rond. M'étonnerait qu'on retrouve quoi que ce soit.

— Je pourrai pas amener ma copine à Hawaï, c'est sûr, dit Dave.

— Pas cette fois… Ma part à moi est d'une et demie, et toi ? répond Jude qui s'est interrompu, une cuisse repliée contre la poitrine, talon sur la table, les bras croisés frileusement.

— Pareil que toi. Je suis pourtant pas vraiment un *long-liner*, un pêcheur de crabes ouais.

— On peut pas dire que ça fasse une différence.

J'ai la mort dans l'âme, un chagrin qui me clouerait sur place, je viens de comprendre que cela ne va pas durer toujours, que cela ne va plus durer longtemps, la vie à bord, les hommes, le bateau. Bientôt tout va finir, je serai à la rue, le cœur nu. La journée s'étire. Simon bâille. Il est gris dans la demi-pénombre de l'auvent. Le soir n'arrivera donc jamais.

— Dire que j'aurai à peine de quoi payer mon billet retour, il dit.

– C'est bien sûr que t'es payé demi-part?

– Ian me l'a dit quand j'ai embarqué.

– Moi ce sera peut-être un quart de part, je dis.

– Ce ne serait pas juste, dit Dave. T'as bossé autant que nous et t'as pris tes quarts comme les autres.

– Oui, je dis, ce ne serait pas juste.

– Pour la pêche à la morue en tout cas... Pour le flétan, je dis pas.

Simon ne dit rien. Jude est silencieux au bout de la table. Je lâche mes hameçons, mon épissoir et les regarde :

– Je suis bon marché, hein?

– Je disais pas ça pour te fâcher, Lili...

La fatigue m'est tombée dessus d'un coup. Je me suis trompée. Je n'étais pas invulnérable.

– On va me donner de l'argent de poche... Ces mains qui font peur aux hommes, c'est pas des mains de travailleuse, peut-être? Pourquoi m'avoir dit que je bossais vite et bien, et pourquoi Gordon et Jason me veulent sur leur bateau? Parce que je reviens pas cher?

– Je voulais pas dire cela, Lili...

J'ai jeté mes gants sur la table. Je rentre dans le carré. J'ai détaché mes cheveux et les brosse longuement. Ils tombent en vagues dans mon dos. Je passe dans la cabine, prends mes dollars et change de sweat – mon préféré, *Fly till you die** est écrit derrière. Je ressors. Je passe devant les hommes, tête haute, les cheveux libérés en crinière. Sans un regard pour eux je quitte le bateau. La pluie est douce. J'ai le cœur gros. Qu'ils travaillent sans moi. Je marche sur le dock luisant dans mes bottes vertes qui me font me sentir très grande.

J'ai bu deux bières chez Tony coup sur coup. Je suis ressortie. J'ai longé les arcades jusqu'au Ship's, le vieux bar est plein à craquer. Je me faufile jusqu'au grand comptoir patiné de crasse, à côté d'une vieille Indienne impassible derrière son petit verre de schnaps. Des hommes braillent des chansons de mer. D'autres sont penchés sur leurs verres et je ne vois pas leurs visages. Il fait si sombre que c'est à peine si l'on discerne les femmes nues des tableaux, fondues dans l'ombre des murs.

La serveuse vient à moi. Elle a toujours des fards très violents sur son visage harassé. On se sourit. Elle m'a reconnue.

– Une Rainier, s'il te plaît.

Elle me l'offre, et avec la bière un petit verre de schnaps que je n'aime pas, que je bois d'un trait avant qu'elle remette cela.

– Viens chez moi, elle dit encore, on a besoin de sortir de leur monde d'hommes de temps en temps. Ils ne te feront pas de cadeau une fois qu'ils t'auront pris tes forces pour s'en faire des dollars, ton cul pour se faire du bien. Ce ne sont pas des tendres, crois-moi.

– Ils vont me payer un quart de part.

Elle fulmine :

– Ça n'existe pas quart de part, des gros fumiers je te dis, des têtes de nœuds… Te laisse pas faire. Si t'avais pas fait le boulot ils t'auraient jetée aussi sec. Méfie-toi d'eux. Leur fais jamais confiance. Et fais gaffe à ton cul surtout.

– J'ai pas peur, je sais me défendre.

Les gars ont soif et hurlent à boire. Elle me quitte avec un clin d'œil. Un homme s'est approché et me désigne un tabouret vacant.

– Je peux ? il dit. Est-ce que tu es indienne ?

– Non… je réponds, mais oui tu peux t'asseoir.

– Je croyais que t'étais une Indienne quand je te voyais passer le matin, une petite Indienne venue d'un village voisin, et qui pêchait le saumon sur l'un des seiners du ponton…

Il parle d'une voix basse et douce, sur un ton chantant et comme étonné, lointain comme s'il était à mille lieues d'ici. À voir ses bottes, ses mains et ses épaules, le cuir tanné de son visage, il est pêcheur. Il raconte qu'il est à bord du grand bateau rouge face à la capitainerie, l'*Inuit Lady*. Qu'il a pêché dur cette année, et les trois hivers qui ont précédé, pour sa femme qui voulait vivre à Hawaï. Maintenant elle y est. Mais lui doit bien continuer de travailler, et sans cesse, pour payer les crédits d'une maison qu'il ne voit jamais, qu'il ne désire même pas connaître parce que sa vie est dans le Grand Nord, pas sur une plage dans un pays de soleil et de flemme. Sa vie à lui c'était les bois.

Son histoire est une mélopée triste, le rythme lent celui d'une complainte. Il est un peu saoul. Il dit encore :

– J'étais si heureux quand j'étais trappeur. Oh j'étais heureux… Des journées longues dans la forêt, dans le silence et la neige et le froid. Oh j'étais si heureux…

Et sa voix ne cesse plus de se répéter jusqu'à devenir une litanie désolée qui ressemble à un soupir. Il regarde dans le vague, droit devant lui à travers l'obscurité du bar, par-delà l'air opaque de fumée. Il revoit les grands arbres peut-être, il marche dans la neige qui crisse sous les raquettes, et le vent à travers les cimes fait un son de corne de brume assourdi par l'immensité des bois.

– Faut y retourner alors…

Il pivote vers moi. Il explose, soudainement exaspéré et au bord des larmes.

– Mais tu n'as rien compris! Il faut la payer la maison… C'est ma femme! Et je dois les lui payer, les traites de sa baraque. Toujours il me faut retourner dans cette misère. Peut-être jusqu'à ma mort. La mer de Béring en hiver… Tu ne sais pas ce que c'est toi, tu connais pas ça toi, la misère… C'est la misère là-bas, les embruns givrants et la glace qu'il faut casser sans cesse, autrement t'es mort, le corps cassé, les potes que tu perds…

– Oh pardon, je murmure.

Il se radoucit.

– Tu ne veux pas partir dans la forêt avec moi?

La vieille Indienne me sourit, à travers la fumée bleue de la cigarette sur laquelle elle tire du bout des lèvres. Des hommes hurlent, à demi dressés sur leur tabouret. La serveuse qui va prendre la relève boit son whisky cul sec et en recommande un très vite. Ma bière est vide. J'ai envie de courir.

– Je m'appelle Ben, me dit le pêcheur lorsque je me lève.

– Au revoir Ben. Moi c'est Lili.

Je suis sortie du bar. Il fait nuit. La pluie n'a pas cessé. Je traverse la rue et rejoins le quai. Un homme tourne à l'angle du bureau des taxis. Il marche vers moi en claudiquant. Je le reconnais pour l'avoir souvent vu au square, assis sur un banc, à attendre passer les jours. Quelquefois il est saoul. Mais pas ce soir. Il s'arrête quand nous nous retrouvons face à face. Il lève sur moi des yeux sombres qui sont deux puits noirs, un regard de naufragé. C'est à peine si j'entends sa voix. Il parle dans une langue hachée et gutturale que je ne connais pas.

J'écarte les mains dans un geste d'impuissance. Il hausse les épaules et poursuit sa route.

J'arrive au bateau. Il n'y a plus que Jude qui noue des anpecs sur le pont. Je me sers un café tiède. Je m'assieds à la table. Je soupire. En face de moi, un tas de brins de cordelette blanche. Je me mets à nouer les anpecs, il n'y a rien d'autre à faire... Je ne suis même pas saoule, mais la fatigue s'abat sur moi et me cloue sur la banquette. Mes yeux se ferment à moitié.

– Commence à pas faire chaud dehors...

Jude est entré, il s'assied à la table.

– J'allais m'endormir. Tu me réveilles.

On s'est remis aux anpecs.

– Tu les fais trop petits, il dit.

– Non.

– Si. Regarde... Ah oui, t'as raison.

– Ils sont tous sortis ? je demande.

– À ce que tu vois.

– Moi j'étais au bar, je dis encore.

– Ah.

– J'ai bu plein de bières. J'ai rencontré du monde.

– Faut pas écouter n'importe qui. Y a des sales mecs par ici.

– Pas seulement ici. Je sais ce que c'est. Là d'où je viens y en a aussi... J'ai discuté avec Sandy, la serveuse du Ship's. Elle m'a même proposé de venir dormir chez elle.

– Garde tes distances. Il se prend beaucoup de dope à sa piaule. Et puis elle est lesbienne.

– Peut-être pas... je murmure. D'ailleurs je vois pas où est le mal.

Jude devait avoir froid dehors, il s'est assis très près de moi. Sa cuisse s'est collée à la mienne. Il se racle la gorge, hésite, puis de sa voix basse qui balbutie un peu, les yeux jaunes rivés sur le lacet entre ses doigts :

— Pourquoi ne pas se payer une chambre de motel ce soir, pour sortir un peu du bateau… À force, ça devient étouffant la vie à bord. Question de se changer les idées, prendre une longue vraie douche, peut-être même un bain, regarder la télé, se relaxer, ou peu importe…

Je ris :

— Ou peu importe, quoi…

Mon rire l'a décontenancé. Il insiste pourtant. Sa jambe s'est faite très lourde contre la mienne. Ian arrive à cet instant. Il est saoul.

— Lili, il crie, viens, j'ai à te parler… Viens avec moi dans la timonerie.

Je le suis. Les yeux pâles et humides sont dilatés. Son visage est exsangue.

— J'ai téléphoné à Oklahoma… J'ai tout dit à ma femme. On s'est mis d'accord. On se sépare. Elle prend un gosse. J'aurai l'autre. On peut se marier, Lili… On ira à Hawaï. J'ai suffisamment sur mon compte pour nous payer un bateau. On va pêcher ensemble dans les mers chaudes…

Je recule jusqu'à l'escalier.

— Non, je dis, non je ne veux pas me marier, je ne veux pas être ta femme, une femme, tu en as déjà une. Je veux rester en Alaska.

Je blesse le grand gars maigre, celui qui m'avait dit un jour : C'est beau la passion, bien avant que j'embarque à bord du

Rebel. J'ai redescendu l'escalier. Il me suit, tente de me retenir. Le carré est vide. Jude est parti. La soif sans doute. Le grand gars maigre me suit jusque dans la cabine, veut rentrer avec moi, je le repousse.

— Lili, il dit, Lili, attends…

C'est moi qui vais pleurer si ça continue – s'il me regarde encore avec ces yeux de chien blessé –, c'est moi qui pleure. Je le repousse. Je sens ses côtes sous mes mains. Une dernière fois je vois son visage écorché, grand enfant éperdu, avant qu'il ressorte. Ce soir ce sera bien ma faute s'il boit des gin tonics jusqu'à rouler par terre. Je m'enfonce dans l'antre de ma couchette. Je m'enfouis tout entière dans mon duvet. J'ai déchargé dix tonnes de poisson, je me suis battue au pic avec la glace de la cale, je me suis rebellée et j'ai fait le tour des bars, rencontré un trappeur triste. Mon skipper veut m'emmener pêcher à Hawaï et Jude au motel. Manosque-les-Couteaux m'attend toujours. C'est beaucoup pour une même journée. Les hommes sont repartis au bar. J'entends l'eau glisser sur le flanc du bateau.

Midi. Nous attendons le skipper. Il arrive en retard, saoul encore. Il semble épuisé. Les hommes ne disent rien, baissent la tête. Nous défaisons les amarres. Le *Rebel* quitte le port. Dave et Jude se font un signe de la tête :

— Oui. Il vaut mieux qu'il dorme. Il est fatigué.

Ils n'ont rien dit de plus. Ils l'envoient doucement se coucher. Jude et Dave vont se relayer pour conduire le bateau vers les eaux où les lignes perdues ont dû dériver.

La mer est immobile, éclatante. Nous terminons de réparer

les dernières palangres en plein ciel, sur la passerelle supérieure. L'auvent d'aluminium a été retiré avant le départ. Jude aidait le cartahu à débarrasser le pont d'un lot de baquets, le visage empourpré, aveuglé par la lumière que réverbéraient les eaux du port. Je revenais de la ville. Jason m'accompagnait. Il m'avait donné un harmonica. J'ai regardé et l'un et l'autre. J'ai pensé au soleil des nuits de Point Barrow.

— Viendras-tu pêcher avec moi sur le *Milky Way*? a demandé Jason.

J'ai hésité. Je ne savais pas.

— Nous serons les gitans de la mer, il a dit encore, tu m'apprendras à cracher le feu, je ferai de la contrebande et l'on ira de port en port… on boira comme des vrais pirates et toi tu danseras sur les comptoirs pendant que je jouerai de l'harmonica…

Nous travaillons en pleine lumière. Elle lèche nos pommettes, brûle nos fronts, dessèche nos lèvres. Elle dévore nos visages. Simon chantonne. Jude impassible a le front baissé sur sa palangre. Des phoques sont allongés sur les rochers.

— Je voudrais être un phoque qui se chauffe au soleil… je dis tout haut.

Simon et Jude rient.

Plus de vingt-quatre heures que nous promenons un grappin relié à deux cents brassées de ligne, en travers des eaux où nous avons pêché. Les palangres restent introuvables. Ian nous rejoint sur le pont. Il est glacial depuis son réveil. Enfin il m'a oubliée. Gommée, Lili. Ne reste qu'un matelot à qui il crie ses ordres.

— Nous continuons les recherches plus à l'est, annonce-t-il.

C'est nous éloigner davantage encore de Kodiak. Simon pâlit.

– Mais tu m'avais dit… Et mon avion?

Le skipper riposte très vite.

– Tu crois vraiment que c'est comme ça qu'on pêche? il aboie. On fait nos huit heures et ensuite on rentre, les pieds sous la table et la télévision? Tu penses vraiment que l'on aura brûlé tout ce gasoil pour rien, qu'on va abandonner les recherches quand les lignes ne sont peut-être qu'à quelques milles d'ici… et qu'on va encore payer pour les rembourser quand on a bossé comme des bêtes? Une balade en mer, et puis bouffer autant de carburant pour rentrer à l'heure pour que monsieur ait son avion? Faudra pas embarquer la prochaine fois p'tit mec, faut rester chez toi en Californie.

Simon tient tête à Ian pour la première fois. Il se dresse, pâle de fureur, la mâchoire serrée. D'une voix blanche et qui se contient difficilement il dit :

– Tu m'avais promis quand j'ai acheté mon billet… C'était ta condition pour que je vous accompagne. J'avais ta parole…

Ian gueule et se dérobe. Dans la timonerie Dave n'a rien vu. Jude est absent. Il ne voit rien, n'entend rien, ne dira rien. J'ai du mépris soudain pour le grand gars maigre, son rôle de maître à bord, pour Jude, le silence ou la hargne des hommes forts, ces hommes tout-puissants, eux qui nous en imposent par leur expérience, la connaissance mystérieuse qu'ils cachent derrière leur front fermé, le tonnerre de leur voix à l'heure de l'urgence. Un silence fait autant d'indifférence que de soumission.

Les deux *greenhorns* échangent un faible sourire. Le skipper a disparu dans la timonerie. Simon appartient au bateau tant qu'il n'a pas quitté son bord. Était-ce la fierté d'avoir déchargé le *load* de flétan, d'avoir été promu au rang de Jude le temps d'une nuit, la poignée de main virile de Dave au matin qui le lui avaient fait oublier ? Il fixe l'horizon, un soupçon d'angoisse tapi au plus profond du regard bleu, et qu'il s'applique à étouffer pour qu'elle ne le gagne pas tout entier. Je ne peux pas l'aider. Je lui tends une cigarette. Nous fumons en silence sans interrompre le travail. Mes yeux glissent sur Jude et refusent de le voir. Je regarde le ciel. Quand partirai-je enfin pour Point Barrow ?

Le grappin accroche une ligne le lendemain, dès la première tentative. Puis une autre… L'atmosphère se détend. Ian promet de racheter un billet à Simon. Nous terminons de nettoyer la dernière palangre. Les baquets sont rangés de chaque côté du pont. Nous les arrimons solidement. Ce soir pour dîner il y aura du flétan que Jude fera cuire sur un barbecue improvisé. Nous allons dormir. Jude nous appelle lorsque tout est prêt. Le soleil l'a brûlé, comme un alcool plus puissant que celui qui nourrit ses nuits.

Nous rentrons. Les montagnes vertes ont viré au mauve. Des vagues d'épilobes souples ondulent sous le vol bas des aigles. Jason dit que ce sont ses fleurs préférées. Il nous reste peu de temps à bord ensemble. Déjà les hommes ont l'esprit ailleurs. Ian ne m'a plus reparlé de partir pêcher sur la mer de Béring. Timidement j'ose lui en parler. Il reste évasif et puis se radoucit :

— Je retourne à Oklahoma. On verra. Peut-être…

Nous touchons la paye.

– Je n'aurai jamais travaillé autant pour si peu, dit Dave –
et puis : On se renflouera cet hiver, avec la saison du crabe...
Et il rit.

Simon a pris le premier avion pour San Diego. Jude a
empoché son chèque sans un mot et il est sorti.

Je ne suis pas quart de portion mais demi-part. J'aurai
suffisamment pour m'acheter de bonnes chaussures. Elles
sont en solde. Des Redwing. Les meilleures, dit Jason qui ne
porte jamais que celles-là quand il n'a pas ses bottes aux pieds.
Il me reste quelques billets froissés que je range précaution-
neusement sous mon oreiller avec mes papiers, les bonbons
poisseux et la boîte de tabac à chiquer. Tout va très vite alors.

LE GRAND MARIN

La saison était terminée. Tous quittaient le bateau. J'avais ma place à bord pour la suivante. On avait fini de débarrasser le pont de son dernier auvent d'aluminium, Jude, le grand marin, aux commandes de la grue, une bière à la main, le front ruisselant de sueur, son visage très rouge.

Je marchais sur les quais. J'avais terminé de nettoyer la cale à poissons tandis que Joey grattait les marches de la timonerie à la paille de fer. Je marchais, mes belles Redwing aux pieds, fière du son de mes pas sur le goudron de la route. Il faisait beau. J'avais faim… Juste un café peut-être et un petit pain au supermarché du coin… Soudain une peur panique m'a saisie. Et s'ils étaient partis déjà? Et s'ils étaient partis tous? J'en mourrais. Tout me revenait en vagues… J'étais venue seule, de très très loin, je voudrais qu'un bateau m'adopte je murmurais dans le grand silence venteux de mes premières nuits, allongée sur le sol de la maison de bois, à regarder le ciel obscur – la nuit d'Alaska, et le grand vent, et moi dedans, je pensais alors, jusqu'au sommeil –, je voudrais qu'un bateau m'adopte. Et j'embarquais, j'avais trouvé mon bateau, plus noir que la nuit la plus sombre. Les hommes à bord y étaient rudes et larges, ils m'avaient pris ma couchette, jeté mon sac et mon duvet à terre, ils criaient, j'avais peur, ils étaient rudes et forts, ils étaient bons, si bons pour moi, ils m'étaient tous le bon Dieu quand je levais les yeux sur eux. J'avais marié un bateau. Je lui avais donné ma vie.

J'ai couru. J'étais folle, les mouettes étaient des gerbes blanches, les sons du port, les voix sonores des hommes, le bruit d'un monte-mât et le cartahu qui s'élève, se balance sur un ciel très bleu où plane un aigle, les gifles des couleurs et les brassées de vent... Au bateau, il n'y avait plus personne. Le pont était désert et nu. Les cirés que l'on suspendait sous l'avancée du pont supérieur avaient disparu. Sauf le mien. Le mauvais ciré dépareillé jaune et orange de l'Armée du Salut, percé. Je me suis figée, debout sur le pont dans la lumière aveuglante, fixant les crochets nus. La saison était finie. Ils étaient partis. Je n'étais même pas morte. Je me suis précipitée dans la cabine. Les couchettes vides, une chaussette abandonnée, solitaire, traînait encore à terre. Rien d'autre. Si : mon duvet, mes vêtements roulés à la va-vite contre un oreiller sale. Ils étaient partis. On ne s'était même pas dit au revoir. Je me suis laissée tomber sur une couchette, atterrée. J'étais orpheline. Je voudrais qu'un bateau m'adopte, je murmurais il y avait deux mois – une éternité –, le tout début de l'aventure. Elle était finie. Je lui avais donné mes forces. Je lui aurais donné ma vie. Je dormais dans la chaleur du sommeil des hommes. J'étais à eux. Mon cœur était tout à eux.

Joey est apparu dans l'encadrement de la porte et a plissé ses yeux fendus d'Indien :

– Qu'est-ce que tu fous dans le noir ?

Il tenait une Budweiser dans une main, sa cigarette dans l'autre. Il avait dû boire pas mal déjà vu son œil réjoui, l'éclat de ses prunelles dans son visage sombre.

– Ils sont partis?

– Tous, foutu le camp! Tu crois pas qu'ils allaient rester jusqu'à Noël?… J'ai terminé d'astiquer la cabine et le fourneau. Maintenant j'attends Gordon, savoir quand est-ce qu'on commence à installer le matos… les citernes d'eau et de gasoil, l'approvisionnement en bouffe… Mais reste pas dans le noir Lili, viens boire une bière sur le pont, Gordon n'est pas là. De toute façon on a bien mérité un break.

Je me suis levée et je l'ai suivi. Joey a sorti un pack de bières en passant devant le frigo. La lumière du pont m'a brûlé les yeux. Il m'a tendu son paquet de cigarettes.

– Sers-toi. Sers-toi toujours sans demander.

– Merci Joey… Elle commence quand la saison?

– On devrait quitter Kodiak d'ici une semaine. La pêche au saumon est ouverte depuis un moment mais y avait guère de boulot pour nous les premiers temps, pas de quoi remplir le bateau en tout cas avec ce que les seiners auraient pu nous ramener chaque soir.

Il me regarde gentiment.

– Tu vas voir, ça va être une saison facile pour toi, rien à voir avec ce que tu viens de faire, une paye fixe chaque jour, et ça pendant trois mois… Tu seras riche en septembre, tu vas pouvoir foutre le camp au soleil…

Je murmure à voix basse, presque un gémissement:

– Et si je disais à Gordon que je veux plus la faire la saison? Je crois que j'ai plus le courage de rien, je veux juste m'en aller à Point Barrow… Il m'en voudra si je débarque?

Joey me regarde avec stupeur.

– Mais Lili… Une saison de *tendering* sur ce bateau ça se refuse pas. Qu'est-ce que tu veux aller foutre là-bas?

– Aller voir le bout du bout.

– La Terre est ronde Lili. C'est le bout de rien du tout. T'as rien à voir là-bas, on te l'a déjà dit… Un pays désolé, des gens malheureux, saouls ou défoncés à longueur d'année, ou les deux, qui vivent du *Welfare** et de la prime au pétrole en rêvant tous d'être ailleurs, des Esquimaux qui ont tout perdu, leur dignité surtout, et qui feront qu'une bouchée de toi. Et puis comment tu veux y arriver, là-haut? C'est pas avec ce que t'as gagné que tu pourras te payer l'avion…

– J'irai en stop.

– La route est coupée juste après Fairbanks, tu vas y laisser ta peau, tout ça pour voir un bout de rocher bientôt gelé.

– Après la route y a la piste pour les camions qui alimentent le pipeline.

– T'es folle, t'es fatiguée surtout, il te faut une bière et quelques jours à toi. Deux mois que tu travailles jour et nuit ou presque… T'as bossé autant que ces mecs qui font deux fois ton épaisseur et qu'ont fait ça toute leur vie. Je te le donne ton *day off*, et tout de suite. On ne va rien commencer avant demain. Je dirai à Gordon que c'est moi qui t'ai envoyée faire un tour. Il comprendra, c'est un bon patron, tu vas voir, jamais il gueule. Et il connaît son métier.

– Oui, je dis, merci Joey.

On a bu une bière et fumé des cigarettes. Gordon n'arrivait pas. Alors j'ai quitté le *Rebel*. J'ai marché le long des quais, longé les conserveries Western Alaska qui répandaient leur odeur nauséabonde sur la ville – le temps changeait. Après il y avait l'embarcadère du ferry. Le *Tustumena* était à quai. J'ai regardé des gens monter la haute passerelle. J'ai continué dans Tagura Road. Je marchais vers le chantier naval quand quelqu'un m'a appelée. Je me suis retournée. Sur la route blanche, deux silhouettes faisaient des ombres noires. L'une très massive qui semblait balancer de chaque côté, l'autre plus longue, avec cette crinière rousse que la lumière faisait flamboyer comme un casque d'or. Ils venaient vers moi.

J'ai reconnu Murphy. L'autre, je l'avais croisé au square. Je les ai attendus. Le soleil me chauffait la nuque.

– On te cherchait, a dit Murphy en reprenant son souffle.

– Moi ?

– On a quelque chose pour toi…

Murphy m'a tendu la main. Dans la paume grasse, entre ses doigts ouverts et boudinés comme ceux d'un nouveau-né énorme, il y avait une petite boîte sertie de lamelles rouges et noires. Son compagnon a sorti de sa poche un camée de fausse nacre.

– Oh ! Merci… j'ai dit. Mais pourquoi ?

– Juste un cadeau… a répondu Murphy – un bon sourire plissait sa face congestionnée par la marche.

– Mais pourquoi ?

– Parce qu'on t'aime bien, c'est tout. On est contents que tu sois là.

Ils sont repartis comme ils étaient venus. J'étais seule à nouveau sur la route. J'ai caressé le bois poli, rangé le bijou dans la boîte. J'avais faim. J'ai regagné la ville. Il y avait du monde dans les rues, la flotte de pêche était rentrée. Les portes des bars étaient grandes ouvertes comme si dedans on manquait d'air.

Des cris, des rires, des yahou déchaînés, sauvages, quelquefois le tintement d'une cloche s'échappaient des antres sombres. J'aurais bien voulu entrer dans les repaires obscurs, les cages à fauves. Je n'osais plus. Je passais très vite quand j'en longeais un. Les autres étaient partis sans me dire au revoir, sans que l'on aille peindre la ville en rouge. Ils me l'avaient promis pourtant. J'ai eu envie de mourir tant j'étais triste. J'ai eu faim de pop-corn et j'ai tourné à l'angle du *liquor store*.

On est tombés nez à nez. Jude. Le grand marin. À nouveau il avait perdu sa belle fureur d'homme qui pêche, ses épaules étaient voûtées. Il allait d'un pas mal assuré comme en terre étrangère, incertain de sa marche et de sa direction, le visage écarlate, regard hésitant. Le lion des mers était redevenu ours.

— Tout le monde est parti… j'ai bafouillé.

— Oui, il a dit. Mauvaise saison. Temps de passer à autre chose.

— Ah…

— Tu vas où?

— Je… je vais chercher du pop-corn.

Il a souri, un peu. Comme s'il avait peur il a fermé les yeux, repris son souffle et gonflé la poitrine. Il a balayé son front d'une main lente.

— Je peux te payer un verre?

J'ai dit oui. On est entrés dans le bar, à deux pas du *liquor store*. On s'est tenus indécis un instant, dans l'ombre soudaine, les cris, la fumée… Puis il s'est avancé vers le comptoir, je l'ai suivi. Il y avait deux tabourets libres. On a bu une bière très vite. On avait peur peut-être, on ne savait plus que dire. Nous avions quitté le bateau. L'un et l'autre n'étions plus dans rien.

– Sortons d'ici, il a dit.

Dehors la lumière, le vent, les gens et le *liquor store* où il est entré. Il a marché tout droit vers la pile de Canadian Whisky, a attrapé sans regarder un dix onces – la bouteille était en plastique. Sans s'arrêter encore il s'est dirigé au fond du magasin, a ouvert une porte vitrée, empoigné un pack de douze Rainier fraîches. Le tout n'a pas duré plus d'une minute. La grosse femme derrière la caisse a tourné vers lui un museau pâle et lourd, avant de me dévisager longuement. À quoi pensait-elle? Elle m'a fait peur. J'ai rougi. On est ressortis.

– Ça te dirait d'aller prendre une bière? Au soleil. J'aime pas vraiment les bars. Trop de bruit, trop de fumée. Et ça revient trop cher.

– Oui, j'ai dit.

– Hein? T'as une voix que j'ai jamais pu comprendre. Et rarement entendue.

– Oui, j'ai dit un peu plus fort.

On a laissé les bars derrière nous, suivi la route qui menait au ferry. Nous étions silencieux. Le soleil nous brûlait la face. Marée basse. L'odeur de l'eau, fraîche et un peu fade se mêlait aux relents âcres des cheminées de la conserverie.

– Ça pue, il a dit.

– Oh moi, même cette odeur j'aime bien.

Il m'a lancé un regard aiguisé et surpris.

– Je voudrais prendre le ferry un jour, j'ai dit encore.

– Je serai dessus dans moins d'une semaine. J'ai des amis

à Anchorage. Peut-être trouver un embarquement aussi. Ou alors Hawaï.

– Hawaï?

– J'ai un frère là-bas. Il vit sur la grande île avec sa conne de femme. Je voudrais pêcher dans le Pacifique Sud.

– Moi je veux aller à Point Barrow.

– J'ai déjà entendu ça sur le bateau… Qu'est-ce que tu vas foutre là-haut? Et comment tu veux y aller?

– En stop, j'irai.

– Tu sais pas où tu fous les pieds.

– J'ai pas peur.

– T'arriveras pas entière. Je le connais tout ce monde que tu vas trouver en route, toi toute seule sur la piste déserte… J'ai vécu des années à Nome, c'est le même genre d'endroit. Alcool et défonce. La loi, qu'est-ce qu'on en a à foutre là-bas… Face à l'océan glacial, après, des bois qui s'étendent sur des centaines de miles, puis des montagnes désertiques, au bout de tout… Tu crois que tu peux tenir bon toute seule?

– Peut-être qu'il me faut acheter une arme.

– Tu sais t'en servir?

– Non.

Là d'où je viens aussi on peut mourir, je pense.

– Je veux y aller quand même, je dis à voix plus basse.

À nouveau les yeux jaunes sur moi.

– *Are you a runaway?* il murmure.

– Je crois pas.

Nous avons longé l'eau. Elle miroitait au soleil. Le petit port, à peine un ponton de bois entre ses bateaux de pêche en attente. Je ne savais plus s'il me fallait continuer de le suivre. Il semblait lourd et fatigué, amer peut-être, la mer, la vraie mer était si loin, si loin de nous le large et le marin qui lui faisait face. Au lieu de cela les rues trop peuplées, la confusion des bars, et cet homme qui marchait avec lassitude, son sac alourdi de bière. J'ai continué pourtant.

Bientôt il n'y a plus eu ni maisons, ni bateaux, ni rien, juste un vaste terrain vague encombré de casiers rouillés, défoncés, de tôles tordues, de panneaux d'aluminium empilés dans l'herbe très verte et les épilobes mauves, des trémails déchirés et des filets moisis. Il s'est arrêté. Il s'est mouché dans ses doigts et il a craché au loin. Une fois encore il a passé une main lente, embarrassée, sur son front moite de sueur. Il a souri timidement :

– On pourrait s'asseoir par là… Au bord de l'eau c'est propre.

– Oui… j'ai dit.

On s'est assis derrière des casiers. En face de nous il y avait le chenal sur lequel passait un bateau de loin en loin. J'ai pensé qu'ils devaient nous voir, nos deux visages cramoisis qui dépassaient des herbes, et s'étonner peut-être de ces deux phares perdus dans la ferraille, à deux pas de l'arche du grand pont qui reliait la route à la baie des Chiens.

– On est presque sous le pont, j'ai dit d'une voix étranglée.

Il n'a pas répondu. Il n'y avait rien à répondre. Il a ouvert une bière qu'il m'a tendue. Il a allumé une cigarette, une quinte de toux l'a secoué, puis il a craché au loin, du souffle très puissant de l'homme que je connaissais, de l'homme qui hurlait contre la mer.

On a bu toute la bière. Vite, parce qu'on ne savait plus

que dire. On avait trop chaud. La bière finie on n'a plus rien eu pour occuper nos mains, nos bouches. Maladroitement, il a avancé un bras vers moi. Il a entouré mes épaules, m'a fait rouler contre lui.

Le soleil le frappait en plein visage. Il était allongé dans l'herbe. J'ai regardé la lumière dans ses yeux jaunes, les filaments rouges de son iris, ses paupières alourdies, les très fins vaisseaux sous sa peau brûlée, j'ai fermé les yeux. Fort fort j'ai embrassé cette bouche, chaude et vivante contre la mienne. Il était brûlant sous moi. J'étais petite et souple et j'ondoyais sur lui. Il s'est redressé, a basculé sur moi. Il m'écrasait de tout son poids et soupirait. Il souriait. Mon Dieu… Mon Dieu… il disait.

On marche sur la route blanche, les joues en feu sous un ciel d'azur. Il s'était redressé après avoir roulé sur moi.

– On ne peut pas rester là. Si quelqu'un nous voyait… Allons au motel, tu veux ?

On s'est rassis. J'ai essuyé sa salive sur mes lèvres. Il a fait le compte des billets froissés dans ses poches.

– J'ai pas assez…

Il s'est tourné vers moi, embarrassé il a dit :

– Si tu peux m'avancer je te le rends dès ce soir.

J'ai fouillé dans mes poches. J'avais trente et un dollars.

– Ça coûte plus que ça, le motel ?

Il m'a regardée gentiment, a ri doucement.

– T'y vas donc pas souvent au motel… Pour sûr que ça suffira pas. Mais je connais quelqu'un au petit port. Le bateau était là tout à l'heure, allons voir.

L'homme était là, sévère, très grand et droit sur le pont

d'un petit seiner, armé pour la pêche à la traîne. Ses cheveux gris tombaient en dessous des épaules, retenus par un bandeau bleu déteint. Un souffle d'air les mêlait à la barbe qu'il avait très longue. Il nous a vus approcher sans sourire. Le regard d'acier blanc n'a pas cillé. Jude lui a parlé à voix basse. Je me suis écartée, les joues de plus en plus brûlantes. La bière ou la honte. L'homme a sorti un portefeuille de sa poche et a tendu un billet :

– Ça ira ?

On aurait dit un homme d'airain qui nous regardait partir, immobile sous le soleil, bras noueux croisés sur sa poitrine osseuse, ses cheveux d'argent se mêlant au vol des oiseaux cendrés. Nous avons rejoint les rues du port sans un mot.

– Je voudrais bien du pop-corn… J'ai tellement faim, j'ai murmuré en longeant le cinéma.

Il est entré et a demandé le plus gros cornet. Je me suis souvenue du whisky dans son sac. Il ressortait.

– Ça doit pas lui donner bon goût, le plastique, au whisky ?

– Ce whisky, c'est pas fait pour durer longtemps, ça a pas le temps de prendre le goût de la bouteille.

Il a souri.

Et puis on arrive au motel. Il y en a deux en ville.

– Pourquoi pas l'autre ? Je demande, pourquoi pas le Star ?

– Le Star, j'y vais des fois avec des potes. Dix dans la piaule peut-être… la grosse fête. Le Shelikof's ça n'a rien à voir.

Les femmes de la réception me font un peu peur. Il me tarde d'être dans la chambre, vite, loin de tous ces gens. Dans la chambre j'ai froid soudain. Les grands bras se referment sur moi. Les paumes rudes entourent mon visage. Le mur

est froid contre mes reins. La *runaway* elle est prise. Presque
j'en pleurerais. Il retire mon pull-over, enlève mon tee-shirt.
J'agrippe sa tête, la crinière hirsute, sa nuque puissante. Je le
regarde. Je retiens un sanglot. Doucement il me pousse vers
le lit. Alors il est très chaud et bon.

– *Tell me a story...* il murmure. Il a une voix basse et
lente, feutrée, doucement rauque. Il feule – Raconte-moi
une histoire...

Plus tard il débouche la bouteille avec ses dents, il est
toujours couché sur moi, il boit une rasade.

– T'en veux? Il dit à mi-voix.

– Oui, je réponds plus bas encore.

Il boit alors encore. Il se penche sur moi. Dans son baiser, une
gorgée d'alcool, un ambre brûlant qui m'étouffe. Et il revient
dans moi, les yeux dorés ne me lâchent plus, ils s'enfoncent
et s'enfoncent, jusqu'à me brûler l'âme.

Il dort et je le regarde. Avec surprise et embarras. La lourde
poitrine très blanche s'élève et s'abaisse lentement. Toison frisée
sur son vaste torse, presque rousse. Une toux le secoue soudain,
déchire le silence de la chambre. C'est un rugissement terrible
qui même pas ne le réveille. Je m'aplatis dans les draps, me
terre sous la couette. Un vrai lion dort à mes côtés. Paupières
mi-closes, souffle contenu, je guette. Dehors à cette heure, le
port change de couleur, d'odeur, tandis que la marée avance. Le
vent du soir. Les mouettes. Courir les rues. J'ai faim. Je passe
une main sur mon estomac très vide et creux, l'arceau aigu de
mes côtes. Sur la table de nuit le pop-corn. J'avance le bras
furtivement, rapporte cinq pétales blancs que je fourre dans

ma bouche. Ils crissent contre mes dents. Le goût de beurre et les grains de sel sur ma langue. Les yeux jaunes s'ouvrent. Je sursaute. J'avale le pop-corn d'un coup et je souris dans ma déroute. Un bras lourd s'enroule autour de mes épaules. Il revient à lui et il revient à moi. Ses doigts épais glissent sur ma joue.

— Tu es la meilleure chose qui pouvait m'arriver depuis très longtemps.

Je pense aux quais et aux mouettes. Courir dans l'air du soir.

— Si longtemps que je n'ai pas été avec une femme…

Sa main quitte ma joue et attrape la bouteille sur la table de nuit. Il se redresse et boit une longue gorgée. Il tousse.

— T'en veux?

— Oui… non… un peu.

L'alcool est trop fort. Je n'aime pas le whisky.

— On va se revoir? il dit.

Je pense aux mouettes, toujours.

— Je ne sais pas… Tu t'en vas bientôt, et moi j'ai un embarquement. Le *Rebel* part dès que les saumons sont là.

— On peut se revoir quand même. Tu peux aussi venir avec moi.

— Sur le ferry? À Anchorage?

— À Anchorage et Hawaï. Ou n'importe où.

Je ris à voix basse:

— Pas de Point Barrow alors?

— Pas de Point Barrow.

Il prend les cigarettes, m'en allume une.

— Merci, je dis.

Le soir va tomber sur le port. Déjà, le ciel que je guette à travers la vitre a perdu de son éclat. Peut-être Gordon m'attend-il au bateau. Peut-être m'a-t-il attendue. Une grande lassitude me tombe sur le cœur. Je n'ai plus envie de rembarquer. Je suis fatiguée et je voudrais m'appartenir. Point Barrow ou courir les quais.

— Tu me laisseras repartir ? je murmure.

Il ne m'entend pas.

— Tu me laisseras repartir ? J'aime juste être libre d'aller où je veux. Je veux juste qu'on me laisse courir.

— Oui, il dit, oui bien sûr…

Je relève les yeux que j'avais baissés en parlant de plus en plus vite. Je reprends mon souffle.

— J'suis pas une fille qui court après les hommes, c'est ça que je veux dire, les hommes je m'en fous, mais il faut me laisser libre autrement je m'en vais… De toute façon je m'en vais toujours. Je peux pas m'en empêcher. Ça me rend folle quand on m'oblige à rester, dans un lit, une maison, ça me rend mauvaise. Je suis pas vivable. Être une petite femelle c'est pas pour moi. Je veux qu'on me laisse courir.

— On peut se revoir ?

— Oui, je murmure. Peut-être.

Alors il m'invite au restaurant le lendemain soir. Il me laisse partir – pour cette fois encore. Et je cours vers le port. La nuit n'est pas tombée. Les mouettes, le vent du soir, l'odeur fade de la marée basse, celle plus lourde et sale de l'usine. Des gars sortent d'un bar en titubant. Murphy m'appelle du bout de la rue. Je cours vers lui. L'homme sourit de toutes ses dents abîmées. Le souffle me manque, je m'étouffe et je ris.

– Respire, Lili, d'où tu t'échappes comme ça?

J'écrase le dernier hoquet de rire d'un revers de main sur la bouche.

– Et Jude? Ça y est? Il a quitté le bateau? Qu'est-ce qu'il fout maintenant?

Les corbeaux plongent dans le container d'acier où les employés du supermarché viennent de déposer les déchets du jour. Je ne réponds pas. Je regarde par terre, le ciel, le container à ordures qui se profile devant la statue du marin mort en mer.

– Tous ces corbeaux… je dis.

Alors Murphy me laisse aller.

Il n'y a personne sur le *Rebel*. La table du carré est couverte de canettes vides. Le cendrier déborde. Joey a oublié un numéro de *Penthouse* sur la table.

Gordon me donne la semaine. On retournera au motel. Au Star parce que c'est moins cher. Viens dans l'après-midi, m'a dit Jude. Le long bâtiment de contreplaqué est de plain-pied avec la route. Sur la façade blanche, des traînées de poussière ont laissé des coulures grises. Je reconnais le duffle-bag devant une porte entrebâillée. Regard furtif vers la réception, il n'y a personne. Je la pousse. Murphy est là, avachi dans un fauteuil de skaï. Il s'ennuyait dans la rue. Jude sur le canapé. Les deux hommes sont installés devant la télévision dans un halo de fumée. Murphy a ouvert une boîte de Spam* qu'il étale sur du pain de mie avec de la mayonnaise. Il sirote un coca parce qu'il arrête de boire, une fois encore.

– L'alcool ça me rend méchant, il dit.

– Et le crack? demande le grand marin moqueur.

– Oh le crack c'est encore pire. Mais j'ai pas les moyens en ce moment.

Parce que j'ai dit que j'aimais la vodka un jour, Jude a rapporté un vingt-six onces. Il boit à la bouteille, quelquefois il se fait un drink avec un coca qu'il prend à Murphy. Murphy est content. Il commente le film :

– Bien sûr c'est idiot, il dit, des belles nanas qu'ont des beaux culs des gros seins et pas de cerveau, des mecs pleins de fric, des grosses baraques... mais ça change un peu du square et du shelter. C'est bien le shelter, pour toi ça serait le paradis parce qu'il n'y a guère de femmes. Une piaule de trente lits rien que pour toi. Mais du côté des hommes, qu'est-ce que ça peut puer des pieds et ronfler, quand la nuit on se retrouve à quarante dans le dortoir... Des fois j'irais bien faire un tour à Anchorage, voir mes gosses et mes petits-enfants.

– Toi Murphy, t'es grand-père ?

Murphy rit :

– Quarante-trois ans, huit fois grand-père... Des fois je vais les voir. Je reste chez l'un d'eux, ou bien je vais au Bean's Café. C'est bien là-bas aussi, la bouffe est bonne. On y est peut-être cent fois plus nombreux qu'au shelter mais ils ont la place pour faire dormir tout le monde. Et puis à Anchorage, c'est plus facile de trouver du travail dans le bâtiment.

Il enfourne une énorme bouchée de pain. Jude fixe l'écran d'un air sombre. Murphy finit un coca pour faire passer le tout :

– C'est mon vrai métier, la construction. Ici je pêche de temps en temps, ça me fait du bien, par rapport au crack et à tout le reste, et puis j'ai jamais de mal à trouver un embarquement, sur un gros bateau, un bateau de durs, fonction de ma taille et ma force.

– T'as jamais vu Murphy quand il se fâche…

– Ouais, et tu fais bien de pas voir ça, je deviens fou et vu mon poids…

J'ai rapporté des pizzas. Le grand marin fait la gueule : j'ai couru dans les rues. Il mord dans une portion de pizza, la recrache avec dégoût.

– T'as trouvé ça dans une poubelle ?

Murphy me regarde avec douceur.

– Tu devrais pas parler comme ça à Lili…

Je baisse les yeux. Longuement je malaxe et caresse mes mains abîmées. Les yeux du grand marin flamboient. Il me regarde. Il se moque. Il dit à Murphy en lui montrant mes mains gonflées, plus larges que celles de beaucoup d'hommes, mes pognes rares :

– Quel homme voudrait être caressé par ça, tu veux me dire ?

Murphy rit sans malice. La télé braille. Je me tais. Je noue et dénoue mes doigts pour qu'ils se tiennent tranquilles enfin. Et pourtant, hier, il disait qu'il les voulait toujours sur lui, mes mains… Je pense aux mouettes. L'après-midi tiède dans les rues, l'eau qui miroite autour des bateaux. Les deux hommes boivent et mangent, quelquefois l'un d'eux tousse et crache dans une canette vide.

– J'ai oublié quelque chose, je dis.

Le grand marin se tourne vers moi, le cuivre éclatant de son visage dans l'ombre de la chambre. Il était distant, le voilà furieux.

– Ben oui… je dis.

– Si tu l'engueules elle reviendra pas, dit Murphy en léchant la mayonnaise sur la cuillère.

Il me sourit. Le grand marin ne dit rien. Il boit une longue rasade de vodka à même le goulot. Rallume une cigarette. Il fixe l'écran avec colère. Il nous ignore tous les deux. Je me lève. Je vais franchir le seuil quand il me rappelle.

– Mais tu reviens ?

Ce ton inquiet dans la voix rude. Je me retourne. Le regard jaune a chancelé. Jude tassé sur lui-même, la peur dans ses yeux. Prière muette. Je baisse les yeux gênée, je les relève, je regarde Murphy, l'innocence du gros Murphy étalée dans le fauteuil, sa bouche ouverte remplie de pain et de mayonnaise, et qui rit devant son film. Je voudrais tomber aux pieds de Jude, enserrer ses genoux, écraser mon front contre ses cuisses, toucher son visage de ces deux mains dont il se moque.

– Oui je reviens, je dis.

J'oscille sur le seuil, entre l'air épais de la chambre et le grand soleil du dehors. Bientôt je cours. Je renonce au parc Baranof, les baies de rubus et le cassis, m'allonger dans l'herbe, le cri âpre des corbeaux sous la cime très haute des arbres… Je bois un café à la sauvette sur les docks. Cet homme me prend la vie déjà et ce n'est pas juste.

Je suis rentrée hors d'haleine. Murphy sourit. L'autre ne me jette pas un regard. La télé marche toujours. Il n'y a plus de Spam, restent le pain et la mayonnaise. La série n'est plus la même, c'est toujours une histoire de cris. Je sors de ma poche des barres de chocolat pour me faire pardonner. Je m'assieds

sur la moquette sale. Ramassée sur moi j'attends. Je pense que
le grand marin partira bientôt. Et moi j'embarquerai.

Une main s'est posée sur ma nuque. Je baisse les paupières.
L'étau se resserre et me fait ployer. Il me fait mal.

— Viens près de moi, il murmure.

Mais qu'est-ce qu'il me fait… je pense avec désespoir. Je
me tourne vers lui. Mais qu'est-ce que tu me fais… Sa voix
s'adoucit. Le velours de sa voix cassée.

— Viens, on va prendre un bain.

Murphy s'est endormi sur le lit voisin. Ou joue l'endormi.

— *Tell me a story*… Tu es la femme que je veux aimer,
toujours… Raconte-moi une histoire… s'il te plaît.

Il me fait tant de bien, il veut me faire plus de bien encore :

— Que voudrais-tu, qu'est-ce que je pourrais t'offrir qui te
rendrait plus heureuse ?

— Je suis heureuse, j'ai tout… Tu me fais du bien.

Parce qu'il insiste tant et tant, parce qu'il me tourmente
longuement, parce qu'il ne cessera plus de me faire gémir tant
que je n'aurai pas parlé, je cache mon visage dans son aisselle
moite, à l'odeur très forte de sel et de mer, l'eau salée du
grand marin sur mes lèvres… Moi, le matelot aux vêtements
informes, souillés de sang, de tripes, et de l'écume des poissons,
je murmure :

— Je voudrais un habit de femme… de vraie femme.

Il ne comprend pas.

— Je voudrais une guêpière, je dis dans un souffle.

Il rit.

— C'est joli, je murmure, et puis c'est secret. On se sent
plus nue dessous.

Il fronce les sourcils.

— Tu en as souvent porté?

— Une fois… j'étais si belle dedans… Personne ne savait. Je me sentais une reine sous mes vêtements de l'Armée du Salut.

— Tu viendras à Anchorage avec moi?

— Oui.

— Tu viendras à Hawaï?

— Je peux pas. Bientôt faudra rembarquer.

— Alors tu viens avec moi. Anchorage… la guêpière… le motel…

Il ponctue chaque mot d'un coup de reins profond et lent.

— *Do you still like me?* il demande.

Le ferry brame. Et nous dessus. Le grand marin n'est plus le même. Blouson de cuir râpé et santiags fatiguées, qu'il a cirées quand même. Ses bottes de pêche, les Xtratuf, elles sont dans l'énorme duffle-bag qu'il a jeté à ses pieds. À l'épaule un sac usé pour y cacher sa bouteille, l'alcool est interdit à bord, à la main une poche de plastique, un sac-poubelle rempli de filets, du flétan de notre dernière pêche pour ses amis d'Anchorage.

— C'est tout ce que tu emportes? il dit. Et tes bottes de pêche?

— J'en ai pas besoin des bottes. Je rentre dans cinq jours.

On s'est donné rendez-vous sur le ferry. Le pont et les coursives sont bondés d'étudiants, des visiteurs des *lower forty-eight*, partis à l'aventure le temps d'une saison pour travailler dans les conserveries. Il pleut. On se trouve une place sous l'auvent du pont. Assis par terre, on regarde Kodiak s'éloigner. Très vite, le grand marin sort sa bouteille. Un petit jeune nous lance un regard outré. Il se fâche tout à fait quand les flétans décongèlent et commencent à perdre leur eau : le sac s'est percé, une rigole coule jusqu'à son bagage. Mais le grand marin l'ignore. Je tire sa manche.

– Il n'est pas content le gars, ça le mouille…

– 'l a qu'à changer de place.

– Y en a plus, de place.

– Tant pis pour lui alors. La bouteille aussi on dirait que ça le dérange. Il n'a rien à foutre ici de toute façon. C'est pas un pays pour lui si la vue d'une bouteille le rend malade…

Puis il a faim et on s'en va au restaurant. Le grand marin a des appétits terribles. Il commande une double ration de bœuf en sauce. On boit du vin. Il fait chaud. La salle est étroite. Le néon trop cru et la table en formica m'aveuglent. Il devient très rouge comme s'il étouffait. On ressort, la nuit est tombée. Déjà les gens sont allongés. Il ne reste plus de place sur les sièges inclinables de l'auvent. Il m'entraîne plus loin sur le pont.

– Mettons-nous là, il dit.

On étend mon duvet à terre. Le sol est humide des embruns.

– Couche-toi à présent.

Il étale sur moi son large duvet. Il s'allonge. À sa tête la besace avec la bouteille. Il me prend contre lui. Au-dessus de nous le ciel. Les nuages courent sur la lune blanche, si blanche et lisse qu'on dirait un visage. Les étoiles frémissent. Un peu de pluie quelquefois vient nous chatouiller le front. Les autres sont à l'abri en troupeau endormi. Mais pas nous. Nous, on est sur la crête de la vague noire, dans la fraîcheur de la bruine. Le grand marin m'attire contre lui, on s'aime sous le duvet. Je ris quand il glisse, le vent court dans mes reins.

– Je voudrais dormir s'il te plaît… je supplie d'une toute petite voix.

Mais le grand marin n'a jamais sommeil. Pour finir je pleure un peu, alors il m'embrasse et me tapote la fesse. Il soupire. Il attrape la bouteille et prend une dernière rasade en regardant les étoiles. Il les énumère. Le son voilé des mots se mêle au va-et-vient des flots. Puis ce n'est plus que la vague de son souffle qui gronde dans la poitrine sur laquelle j'ai posé mon front.

Le pont est désert, le ferry immobile. Il est à quai depuis longtemps quand nous nous réveillons. Le soleil est très haut déjà. On replie nos duvets à la hâte. Je ris.

On marche vers la ville – Seward. Il fait très beau et on a faim. Les derniers voyageurs se sont essaimés au bas de l'embarcadère. Nous suivons l'unique rue rectiligne, bordée de maisons basses, et qui part de la mer pour s'enfoncer entre les arbres jusqu'à très loin dans des bois profonds. Le premier coffee-shop fait l'affaire. Jude laisse tomber lourdement son duffle-bag devant l'entrée.

– Mangeons maintenant!

Nous trouvons une place à côté de la fenêtre. Je m'assieds. À deux tables de la nôtre, le petit étudiant du ferry que nous dérangions a détourné la tête. Il se lève et sort quand le grand marin jette à ses pieds la poche de flétans, complètement flasque à présent. Une petite femme joufflue nous apporte du café, le gros cœur rose de son tablier plaqué sur son ventre rond.

– Pour moi ce sera le gros breakfast. Le complet.

– Et pour moi les pancakes.

– On fait quoi maintenant Jude ? On prend le bus pour Anchorage ?

– Je téléphone à Elijah et Allison. Ils viendront nous chercher.

– Elijah… Allison ?

– Mes amis. Je les ai prévenus. Ils nous attendent.

– Je croyais que…

– Quoi ?

– Qu'on allait à Anchorage rien que tous les deux.

– Eh bien on y va, non ?

Je marche tout droit vers les arbres. La forêt profonde peut-être. Le parc est vaste. Je m'arrête au premier banc. Je sors une cigarette. Gorge serrée. J'aurais pas dû quitter l'île. Le bateau. Nous allons chez des gens. Dans une maison. On va se retrouver pris dans le filet. Un grand pin noir tremble au-dessus de moi. Je suce une aiguille tombée sur la table. La petite brûlure dans ma gorge lorsque je l'avale.

Un homme s'assied à mes côtés. Je ne l'ai pas entendu approcher. Il pose un pack de bières entre nous.

– T'en veux une ?

Je relève les yeux, l'homme me dévisage. Les yeux sombres, légèrement bridés, sont comme deux poissons humides, ses cheveux noirs des algues.

– Non merci.

– T'as pas une cigarette ?

Je lui tends le paquet.

– D'où tu viens ?

Je fais un vague signe en direction de la jetée, l'embarcadère blanc aveuglant de soleil, l'eau qui scintille.

– Le ferry…
– Tu vas où ?
– Anchorage… je ne sais pas.
– *Are you a runaway?*

Le grand marin m'a rejointe. Il lance un regard assassin à mon voisin. L'Indien aux yeux de poisson s'éloigne avec la bière.
– T'énerve pas, il dit. On ira à Anchorage, et tous les deux, rien que nous deux. Mais j'ai pas les moyens de payer le motel pendant cinq jours.
– Oui, je dis, bien sûr. Moi non plus j'ai pas les moyens.
– Ils sont bien mes amis. Je descends toujours chez eux. Elijah je l'ai connu presque gamin. On n'a pas pris le même chemin mais ça ne change rien. Ils savent qui je suis et ça ne les dérange pas.
– Oui.
– De temps en temps une vraie maison ça fait du bien tu ne crois pas ?
– Je sais pas.
– Allez faut y aller maintenant. On va commencer à marcher, ils seront là bientôt.
– Embrasse-moi d'abord. Après on peut plus.
Nous marchons vers la route en tanguant. Lui dans son vieux cuir élimé, moi dans mon blouson de l'armée du Salut. Arrive-t-on de la mer, surgissons-nous des bois. Je ne veux pas me rendre. Lui non plus.
Mais bientôt ils sont là. La voiture blanche s'est garée sur le bas-côté. Elijah descend le premier, visage lisse, regard bleu

sous un casque blond très clair. Il prend le grand marin dans ses bras. Jude, un peu raide et gauche, lui rend l'accolade, tous deux rient. Allison sort de l'auto à son tour. Elle retient d'une main la masse auburn de ses cheveux que le vent voudrait emmêler. Elle sourit. Elle est jolie.

La créature du grand marin les étonne. Sans doute s'attendaient-ils à une barmaid aux seins plantureux, une danseuse de bar, une femme-pêcheur qui parle haut et fort… Jamais à cette effarouchée aux cheveux coupés au couteau, à l'allure de gamine. Je me tiens hésitante dans le Carhartt déteint qui faisait ma fierté. Il claque autour de moi comme un drapeau. Je cache mes mains dans mes poches déformées. Jude me regarde sans complaisance. Je vois les grands bois noirs derrière eux. Nous montons dans l'auto. Je rapetisse au fond de la banquette arrière. Je suis devenue muette.

À Anchorage, le grand marin m'a menti. Il n'y aura ni guêpière, ni chambre de motel que l'on ne devait plus quitter pendant trois jours. Elijah et Allison sont jeunes et beaux. Ils ont une maison, un pavillon blanc aux stores bleus entre d'autres pavillons blancs, un chien et un petit enfant de six mois. Et nous, d'où vient-on ? je pense en les regardant, assise pendant trois jours sur une chaise un canapé un fauteuil, mais assise pendant trois jours, silencieuse, de plus en plus silencieuse et triste. La parole ne me revient pas, rien à faire. Je voudrais m'enfuir. Le *Rebel* m'attendra-t-il ? Je veux retourner pêcher.

Je tente d'aider Allison. Je vide le lave-vaisselle et un verre éclate à terre.

— Va donc t'asseoir, dit-elle, tu es en vacances…

Les hommes parlent devant la télévision, sur le beau canapé de cuir. Elijah me regarde avec douceur.

– Viens t'asseoir…

Je m'assieds. Les journées sont longues. Il faut s'asseoir toujours. Sur le canapé puis sur une chaise à table. Allison tente de me faire parler. Ma voix s'étrangle, je balbutie. Je pense au *Rebel* et je compte les heures.

Au matin quand tous dorment encore, j'ouvre sans bruit la baie vitrée et me glisse au-dehors. Je m'assieds dans l'herbe rase. Je regarde le rosier devant moi, la grille du portail, le ciel laiteux. Je vois des oiseaux passer quelquefois. Les salauds, je pense, les chanceux… ils volent, eux. Mes yeux reviennent se poser sur la grille, et ce besoin alors de m'en aller le long des docks, seule, en suspens dans la clarté du matin encore nu, sans personne.

Elijah et Allison sortent un soir. Nous nous retrouvons face à face et désemparés. Dehors il fait beau.

– Sortons, je dis.

Nous marchons entre les rangées de maisons blanches, toutes. L'air est doux. Les rues droites sont parfaitement parallèles, elles ne portent pas de nom : ce sont des numéros. Nous tournons à l'angle. Les perpendiculaires sont les mêmes. Mais elles ce sont des lettres. Un vol de bernaches passe au-dessus de nous. Je lève la tête. Les cris graves et rauques traversent un ciel doré par le soleil du soir. Jude a pris ma main. Nous marchons dans le labyrinthe.

– Elijah et Allison sont gentils, je dis. Quand partons-nous rien que tous les deux ?

Les oies sauvages sont passées. Le ciel est nu à nouveau. Le grand marin ne répond pas. Quand nous avons assez tourné dans ces rues nous rentrons.

Jude a rallumé la télévision. Il me tend une bière. Je m'assieds sur le tapis rouge. Il vient vers moi. Il me renverse à terre. Il se couche sur moi. Les grands cuivres de minuit entrent par la baie vitrée, irradient le champ de bataille qu'est son visage. Bientôt je suis nue et blanche sur le tapis rouge. Les larmes viennent. Et le plaisir aussi, comme un grand froid. La peau laiteuse de ses épaules massives. Mais qu'est-ce qui m'arrive, je pense, je suis transie au-dedans. Il m'embrasse. Je tiens son visage entre mes mains. Ses mâchoires et ses joues se meuvent dans le baiser. C'est comme s'il buvait encore.

Ils sont rentrés plus tôt que prévu. Nous ne les avons pas entendus pousser la porte. Jude contre moi.

– Pour m'endormir il m'a toujours fallu être exténué... il disait à mi-voix.

Je me suis redressée d'un coup. Déjà Jude m'avait couverte de son blouson. Ils ont sursauté. Elijah est devenu très rouge, Allison très pâle. Le bébé dormait dans ses bras. Puis ils ont ri un peu. Le grand marin se tenait nu au milieu du salon. J'ai baissé les yeux sur le tapis. Son pied large et très blanc enfoui dans la laine rouge m'a semblé plus incongru encore que la nudité de son corps massif se découpant contre le ciel de la baie vitrée, sa verge raidie qui jaillissait de la toison frisée, presque rousse dans les lueurs cuivrées du soleil de minuit, un écrin de feu pour ce sexe qu'il n'essayait même plus de cacher. Allison regardait ailleurs. Elle a toussé :

– Et si on allait dormir ?

Le grand marin m'en veut. Nous n'osons plus nous regarder. Seuls à être heureux, le couple avec le chien et le petit enfant. Nous, nous n'avons rien.

– J'ai peur des maisons, je lui dis un jour, des murs, des enfants des autres, du bonheur des gens beaux et qui ont de l'argent. S'il te plaît allons-nous-en d'ici.

Nous restons. Quand nous nous aimons c'est terrible et triste. Ses beaux yeux me brûlent et me désespèrent. Il est plus seul que jamais, plus seul encore que l'homme qui crie sur la mer. Bientôt il est jaloux. Il devient fou de chagrin quand une nuit je le quitte pour aller dormir sur un canapé. Il me harcèle, pourquoi et qu'as-tu fait et où es-tu allée… Jure-moi que tu n'étais pas avec eux, ni avec lui ni avec elle… Mais où mais pourquoi…

– Tu toussais, c'était si fort qu'on aurait cru que tu criais… J'avais trop chaud, tu m'étouffais. J'ai voulu dormir à côté du jardin. Je voulais être dehors… J'ai entrouvert la baie vitrée pour sentir l'air de la nuit… Je voudrais partir loin d'ici.

On est dans la petite chambre dont je me suis enfuie pendant la nuit, quand il rugissait dans son sommeil de cette toux qui lui déchirait la poitrine. Et moi dans la solitude de mon insomnie, mon angoisse grandissait, j'avais épousé un lion qui déjà dévorait mes nuits, qui un jour me dévorerait aussi. Il s'est couché sur moi et ne me laissera plus partir. Il s'enfonce en moi, me martèle, il voudrait me faire crier, et qu'elle en meure, la *runaway*. Me garder pour toujours. Son visage congestionné s'enflamme au-dessus de moi, il gémit longuement, âpre et déchiré son râle, un sanglot.

Nous marchons dans les rues en silence. C'est un jour de déroute. Nous avons quitté la belle maison. La banlieue d'Anchorage s'étend, grise et sale sous la pluie. Spenard*: des façades tristes et uniformes se succèdent tout au long de l'avenue rectiligne, interrompues seulement par les néons criards d'un concessionnaire de voitures, le terrain vague d'un entrepôt, l'éclat d'un débit de boissons. Il a soif, je pense. Sa bouteille est vide depuis longtemps. Nous avons laissé nos affaires dans un motel bon marché, gris et terne comme le reste. Mais c'est un abri. C'est chez nous pour la nuit. Et maintenant nous marchons. À l'angle de la rue des néons rouges et verts – un bar. Jude se redresse et hâte le pas.

Le PJ's. Une fille nue jusqu'à la taille nous ouvre la porte. Elle prend nos blousons dégoulinants de pluie. Elle nous sourit. On s'enfonce dans l'antre. Quelques hommes sont assis dans l'ombre. On se trouve une table. Une autre fille, en guêpière, vient prendre la commande. Vodka et bière. Des porte-jarretelles roses retiennent des bas noirs, tendus à craquer sur de longues jambes charnues. Un petit string en forme de papillon violet scintille sur la bosse renflée et lisse du pubis. Sur la scène, une femme un peu grasse se déhanche, une main posée sur la jarretelle qu'elle défait lentement. Sa bouche énorme et très rouge semble embrasser le micro. Elle chante et gémit d'une voix rauque et mélodieuse. Je la suis des yeux fascinée. Le grand marin a bu sa vodka d'un trait. Il en demande une autre. Il me parle enfin après des heures de mutisme:

– C'est la première fois que tu vas dans un bar à danseuses?

– Oui.

– Ça te dérange?

– Non.

Les filles courent de table en table, leurs seins bougent avec elle et le spot en tournant envoie des reflets d'or sur les jambes gainées de rouge, bleu, noir… Elles rient. Il voulait m'impressionner. Il essaye encore et fait venir la serveuse. Il lui dit deux mots à voix basse, montre un billet qu'il plaque sur la table. Elle me fait un clin d'œil et pose son plateau. Alors elle finit de se déshabiller, lentement, mais ce n'est pas lui qu'elle regarde c'est moi : elle me sourit comme à une sœur. Ses hanches vont et viennent, par saccades lentes d'abord, puis de plus en plus rapides. Les muscles de son dos ondulent en vagues sinueuses, depuis les épaules rondes jusqu'à ses reins souples, les cuisses agitées de soubresauts. Quand elle est nue – ce n'est pas long –, elle prend le billet.

– Merci, elle dit au grand marin, vous voulez boire quelque chose d'autre ?

Il m'offre encore une vodka et m'achète un tee-shirt au nom du bar. Nous repartons. La brume est tombée. J'ai froid. L'avenue semble ne plus finir, rien que la pluie et les voitures. J'ai pris sa main. La tristesse d'errer nous a réconciliés. En route un *liquor store* : il refait le plein d'un dix onces de vodka.

– J'ai faim, il dit. Ça te dirait une pizza ?

Une cafétéria minable s'offre à nous à l'angle de la rue. Nous traversons. Jude pousse la porte, une fille qui s'ennuie pose sur nous un regard décoloré. Elle prend la commande en bâillant, repousse une mèche triste, se rassied, attend. Alors on ressort. On s'assied sur le trottoir humide en attendant la pizza. La pluie glisse sur nos joues. Il allume une cigarette, la lumière terne et sale d'un ciel plombé pèse sur son visage

fatigué, rongé d'alcool – ciel de misère –, on a tellement froid.
Pour la première fois depuis longtemps il me parle vraiment : *Where is home*, il dit. La bouteille dépasse de sa besace. Il crache à ses pieds. Se mouche entre ses doigts.

– C'est où, chez moi ? Il continue. J'ai rien. Je vais d'un bateau à un autre, des quais de Kodiak à ceux de Dutch. Pas de femme, pas d'enfants, pas de maison. Une chambre de motel quand je peux me la payer. Mais même les bêtes ont une tanière.

Ses épaules sont affaissées, des mèches ternes tombent sur son front rougi, peau grumeleuse d'homme qui a beaucoup bu. Il sort la bouteille de sa besace et prend une rasade, me tend la vodka.

Il tousse longuement. Quand il reprend son souffle enfin, il rallume une Camel. La fille nous appelle et nous ne répondons même pas.

– Je suis fatigué tu sais, je suis tellement fatigué.

L'homme sans tanière n'attend pas de réponse. Je me tais. Le monde l'écrase, désert glacé, impitoyable pour les désespérés, comme la lumière blafarde du jour finissant qui enlaidit, humilie son visage de grand brûlé. Alors je les sens, sur ce bout de trottoir détrempé, un frémissement diffus dans mon dos, une onde légère comme un souffle – mes ailes qui n'ont cessé d'être là. Pour moi aussi l'errance mais ce n'est pas la même.

Nous prenons la pizza et repartons le long de l'avenue grise. La pluie n'a pas cessé. Le carton se ramollit dans nos mains. Il fait de plus en plus froid. Mais nous ne craignons plus rien : le motel n'est plus loin, lumières très rouges à l'angle du carrefour, le néon d'un petit croissant de lune jaune qui vacille dans la brume.

On rentre, on referme la porte et c'en est fait de la misère, on est chez nous, on tire les rideaux sur le ciel sale de la rue. On se glisse entre les draps, on s'étreint dans la blancheur du lit. Enfin je le vois sourire, de ce premier sourire timide et incrédule.

— Tu me fais peur, il murmure.

Son front roule sur ma poitrine, il reste longtemps ainsi, j'écoute, les battements de son cœur, le roulement étouffé de la circulation sur l'avenue, la pluie, demain je serai partie. Comme s'il devinait mes pensées il dit à mi-voix :

— Demain tu seras partie.

— Oui.

— Je ne peux pas te demander de rester. Pour ce que j'ai à t'offrir.

— Je demande rien. Sa vie faut la gagner tout seul.

— Les femmes aiment bien avoir leur confort, une maison.

— Pas moi. Je veux vivre dehors.

— En tout cas, moi, j'aimerais ça.

— Et pêcher ?

— Pêcher c'est ce qui me sauve la vie. La seule chose qui soit assez puissante pour me sortir de tout ça — il fait un geste vague de la main —, mais me construire ma baraque, oh oui j'aimerais. On aurait un enfant et il s'appellerait Jude.

— Avec moi t'es pas tombé sur une femme comme on les rêve.

— Ça faisait longtemps que j'pensais plus en rencontrer aucune.

— J'suis une *runaway*, une bête coureuse des routes, je pourrai pas changer. Je finirai dans un shelter.

– Marions-nous.

– Je veux retourner pêcher.

Il me serre contre lui :

– On se marie et on va pêcher ensemble.

– Je veux plus être sur terre. Je crois que j'aime mieux me noyer.

Il s'est redressé pour attraper la bouteille, il ne m'a pas lâchée, sa poitrine écrase mon visage un instant.

– Tu veux un coup de vodka ?

– Non… oui. On boit trop ensemble.

– Moi je bois tout le temps, mais pas toi, toi c'est rien.

Il prend une rasade et me donne la becquée. Je tousse. Je ris. Ses yeux brillent dans l'ombre. Je vois l'éclat de ses dents dessous sa lèvre retroussée lorsqu'il rit à son tour.

– Dormons maintenant.

– C'est ça, dormons.

Quelqu'un de la réception tape à la porte à cinq heures. Déjà la trêve est finie, il va falloir retourner au monde, dehors, la rue. Je me dégage doucement des grands bras.

– Dors encore, je dis, faut que j'y aille.

– Je reviendrai te voir, il dit. Je t'écrirai de Hawaï et je t'attendrai. Toujours.

La brume recouvre Anchorage. Mon avion décolle dans un ciel opaque. Dès que l'on prend de l'altitude, pourtant, c'est l'été. Je n'irai plus à Anchorage. Le grand marin dort encore, couché sur le creux tiède que j'ai laissé dans nos draps. J'ai gardé l'odeur de sa peau. L'hôtesse me sert un café avec un cookie. Des gars devant moi demandent une bière. Ils parlent de Dutch et d'un bateau qui serait parti par le fond. L'avion plonge sur l'île de Kodiak. Ma gorge se serre, je vais retourner à la mer… En retrouvant les grands chalutiers au repos dans la rade, l'océan moucheté de petits bateaux, leur sillage d'écume, je sais soudain qu'il me fallait revenir. Mon cœur s'accélère, je vais retourner pêcher.

Je récupère mon sac aux pieds du grizzli empaillé, dans la toute petite salle de l'aéroport. De gros hommes bottés attrapent le leur. Je sors. Le soleil. Il est tôt encore. Je marche jusqu'à la route, déserte. Je tends le pouce. Un taxi s'arrête. Le chauffeur se penche pour m'ouvrir la portière.

— Je rentre en ville, il dit. Ma course a été payée. Je te ramène.

Je monte. Je pose mon maigre bagage à mes pieds. Le petit homme n'a pas d'âge, une tête d'oiseau chétif et pâle, des yeux gris délavés, une voix très haut perchée qui s'éraille. Il me tend une cigarette. Ses mains sont fines et translucides, on les croirait en verre.

Nous longeons la mer. La route est droite jusqu'à la base des gardes-côtes. Pas un arbre, la terre noire et nue. Puis c'est Gibson Cove et les premiers cotonniers. Nous roulons encore. Les bois clairsemés s'épaississent. À ma droite les docks à carburant et les géants silencieux, amarrés le long des premières conserveries. Qui me font mal à l'âme, qui me tordent le ventre, qui m'appellent, aussi fort que le fait Jude. Le *Topaz* est rentré. Le *Lady Aleutian* et le *Saga* n'ont pas bougé depuis mon départ.

Le chauffeur parle vite et beaucoup : Edward, né et grandi en Arizona, arrivé jusqu'à Kodiak de hasards en incertitudes. Les cigarettes débordent du cendrier. Sur la banquette arrière, des livres jetés pêle-mêle. La radio l'interrompt, on l'appelle pour une course.

— Passe au Tony's un soir, je t'offrirai un verre, dit-il en me laissant devant le premier ponton où un grand gars hirsute l'attend, jogging et sweat déchirés, un sac-poubelle sur l'épaule.

Le pont du *Rebel* est désert. Il fait grand soleil. Alors je marche jusqu'à la baie des Chiens. Au milieu du pont je me penche sur la rambarde. En dessous de moi les mouettes, l'eau bleu sombre qui avance en ondulations profondes et lentes. Je crache pour imiter Jude. Je continue ma route. Les bois profonds de l'île Longue sont noirs devant moi, le ciel pommelé très bleu. J'arrive au petit port. Je fais quelques pas et ferme les yeux, l'odeur de l'eau se mêle aux relents de la forêt épaisse, de l'autre côté de la route. Je hume l'air longuement alors la fatigue m'étourdit, je me sens très légère soudain.

Je marche jusqu'au *Milky Way*. Pas un bruit. Jason doit dormir encore. Je m'étends sur le pont. Le bois est chaud sous mes reins. L'eau clapote contre la coque. Tout en haut du mât, un corbeau factice fixe la montagne. Le ciel sent l'algue et le coquillage. Presque je dormais quand Jason surgit de la cabine, ébouriffé, le visage gonflé de sommeil encore.

Gordon est assis à la table du carré, un mug de café entre ses doigts potelés. Il penche la tête, il sourit lorsque je rentre. Une femme me salue d'un hochement bref et sort.

– C'est Diana... dit Gordon très vite – et il toussote. Tu as eu du bon temps à Anchorage?

– Oui... Mais ça fait du bien de rentrer.

Il se racle la gorge.

– J'ai une mauvaise nouvelle Lili... Je suis désolé, vraiment... L'assurance du bateau n'a pas voulu payer pour ton accident. Andy ne veut plus te prendre pour la saison. Il pense que tes papiers ne sont pas en règle. Trop risqué, il dit.

Le petit homme balbutie des excuses, ses yeux écarquillés baissés sur ses mains croisées.

– Je n'y suis vraiment pour rien.

Le regard myosotis revient se poser dans le mien. Il est clair comme celui d'un enfant.

– Mais tu peux rester à bord aussi longtemps que le *Rebel* est au port.

J'ai retrouvé Jason au bar, assis derrière une pinte de Guinness.

– Jason, on peut aller pêcher ensemble!

Il jubile, Jason. Il lance sa casquette en l'air en hurlant un yahou féroce.

– Faut fêter ça matelot! Ce soir on peint la ville en rouge... Et deux tequilas, deux!

Je pense au grand marin. Qu'est-ce qu'il dira, qu'est-ce qu'il va faire quand il saura? Couler le bateau?

— Jason, je murmure, *I'm in trouble*…

Jason s'attend au pire venant d'une *runaway*.

— J'ai un ami, un grand, un très grand marin… Je reprends mon souffle, continue à voix plus basse : Il est terriblement jaloux. Peut-être qu'il nous tuera s'il nous voit ensemble.

Jason roule des yeux fous sous ses sourcils froncés :

— Et il est où?

— À Anchorage. Et bientôt Hawaï.

Il éclate de rire et commande deux autres tequilas, des vodkas, du rhum, et des White Russians.

— Nous serons les fous de la mer, il clame dressé sur sa chaise, quand m'apprendras-tu à cracher le feu? Quand partons-nous enfin faire de la contrebande et nous saouler dans tous les ports d'Alaska?

Je rentre au *Rebel*, le port miroite et danse. Je marche droit vers ma couchette. Je m'enfonce et je sombre. Quand je me réveille au matin Joey m'a couverte de son duvet.

Il fait très beau. Je mange comme un ours. Avec Jason nous repeignons le *Milky Way*. Quand arrive le soir, nous grimpons parfois dans la mâture. Les jambes pendantes au-dessus du vide, nous jouons à avoir peur. Le vent mugit en s'engouffrant sous les arches, la mer avance au-dessous. La tête nous tourne. Des sternes passent à nous frôler. Elles plongent en piqué avec des cris stridents. Les notes nasillardes, aiguës, se mêlent aux sanglots des goélands argentés. Quand nous retrouvons la terre, le cœur battant, les pupilles dilatées, un vertige nous prend. Alors nous allons boire des rhums et de la vodka. Mais souvent je préfère l'innocence d'un milk-shake : C'est comme l'enfance, je dis à Jason.

Aujourd'hui nous avons mené le *Milky Way* jusqu'au grand port. Nous l'avons amarré contre le quai, à l'endroit où s'effectue le carénage à marée basse. Quand l'eau s'est retirée, nous avons gratté les algues et les berniques de la coque et repassé une couche d'antifouling. Nous pataugions dans la vase. Les mouettes tournoyaient dans un ciel où couraient des nuages qui repartaient vers le grand large. La marée est remontée presque trop vite. Tout dansait et avançait en vols et en gerbes d'or. Et nous, nous étions orange et noir, de l'antifouling jusque dans nos cheveux, gluants de peinture et de vase. Murphy est passé sur le dock et a agité la main.

— Des nouvelles de Jude ? il a crié.

J'ai levé la tête et j'ai buté contre le gril*. Étalée dans la vase je ne pouvais plus me relever tant je riais.

— Il va bien ! j'ai dit lorsque j'ai repris mon souffle. Il est toujours à Anchorage et je vais le rejoindre à Hawaï dès que j'ai l'argent !

Des oiseaux sont passés au-dessus de Murphy, silhouette sombre plaquée sur le ciel, au visage épanoui de tournesol géant. Le soleil faisait des taches d'or sous mes paupières. La mer nous arrivait déjà aux mollets. Il était temps de remonter à bord.

On attendait l'eau pour repartir. Jason m'a montré un flotteur de verre suspendu au-dessus de sa couchette :

— Il est très ancien, du siècle dernier peut-être. Ou alors de la guerre, j'sais pas… Il arrive du Japon. Ça faisait des dizaines d'années qu'il naviguait sur les flots avant que je le trouve.

Nous en trouverons d'autres quand nous irons pêcher… Sur les plages de la baie d'Uganik et tout le long de la côte ouest, à Rocky Point, Karluk, Ikolik…

– Oh… je dis rêveusement en touchant la boule bleutée, irrégulière, mouchetée de bulles d'air prisonnières du verre soufflé. Comme je voudrais être un flotteur…

«Serre-moi… serre-moi fort.» L'homme au visage dévasté, au visage de pierre laminée qui toujours se tient entre le square et les chiottes publiques m'arrête, s'accroche à moi. De toutes mes forces je le serre dans mes bras.

– Merci, il dit – et il va son chemin.

Je croise Murphy. Il sort du McDo, un hamburger dans les mains.

– Tu travailles encore?

– Ben oui Murphy, on s'en va pêcher le tourteau à la fin du mois.

– Tu travailles trop Lili, fais comme moi, prends des vacances. Viens vivre au shelter, t'auras la gamelle tous les soirs, des douches et un dortoir rien que pour toi ou presque. Prends des vacances… une douche, tu mets une robe, et tu vas te saouler!

Je ris.

– Quand même, il m'attend, mon skipper, faut pas que je traîne…

Depuis, du plus loin qu'il me voit, Murphy, il crie:

– Alors ça y est? Tu t'es saoulée enfin?

Et moi qui crie en réponse, par-dessus la rue et les docks:

– Pas encore!

Le *Milky Way* était repeint. Jason attendait ses casiers. Qui n'arrivaient pas. Le *Rebel* repartait. Je m'étais installée sur le *Lively June*. Je marchais désœuvrée depuis le chantier de Tagura ; à la hauteur du parc Baranof je me coulais entre les cassissiers. Quelquefois je m'endormais derrière un buisson, sous le grand cèdre ou derrière le tsuga* géant. Des croassements insistants et rauques me réveillaient toujours, les corbeaux posés en cercle autour de moi sur les aulnes rouges. Je m'essayais à les faire venir manger dans ma main, mais ils n'aimaient pas le pop-corn. Alors je me relevais et rejoignais l'embarcadère du ferry sur lequel je m'asseyais en regardant passer les bateaux. Le grand marin était toujours à Anchorage chez Elijah et Allison, dans la belle maison au tapis de laine rouge. Je l'appelais chaque soir de la cabine du port. Sa voix sévère au téléphone :

— Est-ce que tu dors seule ?

J'éclatais de rire.

— Bien sûr !

Il ne me croyait qu'à moitié.

— Hum, il faisait encore, tous les jeunes chiens du port doivent te tourner autour.

— Je vais peut-être aller pêcher le tourteau avec Jason.

— Qui ça ?

— Un gars du *Venturous* qui cherche un matelot.

— Tu vas au bar ?

— Pas souvent. J'aime mieux aller manger une glace au McDonald's.

— Tu viendras à Hawaï avec moi ?

– Hey kid !

Un coup de klaxon dans mon dos. Je compte mes derniers sous, assise sur mon banc préféré, celui qui domine le port tout entier. Je me retourne. C'est John dans un vieux pick-up qui a été blanc un jour. Il m'appelle de derrière la vitre baissée.

– J'aurai besoin de toi demain. M'aider à préparer une tranchée pour poser une canalisation. Vingt dollars la journée, ça te va ?

– Oui, je réponds.

– Vous partez pêcher bientôt ?

– Je ne sais pas. Jason attend toujours les casiers.

– Je passe te prendre demain à sept heures.

Il repart jusqu'au B and B où le truck freine en geignant. Je le vois en sortir dans un nuage de poussière. L'après-midi est presque chaude. Un gars longe le quai, petite bedaine en avant et épaules tombantes, il ralentit quand il arrive à ma hauteur.

– Je peux ? il dit dans un murmure en désignant le banc.

Il écarquille ses yeux ronds, une petite bouche molle esquisse un sourire, des mèches raides et délavées pendent sur un visage d'enfant fané.

– Oui, je réponds.

L'homme s'assied à mes côtés. On regarde la rade en silence. La flotte des seiners y est presque au complet. Les saumons se font attendre. La pêche a fermé pour trois jours.

– Prends ça… il me dit d'une voix inaudible, me tendant des feuillets chiffonnés.

Le petit homme s'est relevé très vite, il s'éloigne déjà. J'ai déplié les trois bons alimentaires. Je me lève pour le rattraper mais il a disparu à l'angle du bureau des taxis.

John m'a laissée au matin avec une pelle, un niveau, une règle et une montagne de gravier, après avoir passé un rapide coup de minipelle sur le terrain. Il ne me restait plus qu'à niveler le tout. Sur près de cent mètres. Il est revenu au soir. La tranchée était à niveau, la canalisation pouvait être posée. Mes yeux se fermaient d'épuisement. Les siens étaient flous et se fermaient aussi. Il dégageait une puissant parfum de whisky. Il m'a tendu les vingt dollars, a roté bruyamment et m'a demandé d'être le lendemain à sept heures sur le chantier naval de Tagura.

Le bateau est toujours en cale sèche depuis que John s'est pris ce rocher le mois dernier. Je crois qu'il avait trop bu, John. J'asperge d'eau la coque du tout petit schooner de bois pour empêcher les bordés de se rétracter, le calfatage de craquer, et ceci plusieurs fois par jour. Je gratte, ponce, refais vernis et peinture. Le *Morgan* est une merveille de bateau. Vingt-six pieds, quille élancée pour naviguer dans les eaux profondes, la coque s'arrondit comme un ventre de fillette pour tenir sur les grosses mers, s'effile gracieusement jusqu'à l'étrave.

— C'est le bateau le plus marin que j'aie jamais eu. Il a été construit l'année de la traversée de l'Atlantique par Lindbergh, en 1927, tu te rends compte ? Et il est comme neuf… me dit John avec fierté.

J'étrille la carène comme on ferait d'un grand cheval. Je rentre prendre un café dans la cabine de bois huilé et me cale sur la chaise de pilotage. Je pose mes mains sur la roue antique du vol de Lindbergh, derrière moi le petit poêle de fonte vrombit, mes yeux reviennent se poser sur la table à carte, ces cartes déroulées et tachées de brun – du café ? Je retourne travailler.

Quelquefois j'entends la corne du ferry. Je cours pour le voir passer. Un soir que je finissais sur le *Morgan*, j'ai voulu le rattraper. J'étais restée tard. J'ai manqué glisser en descendant l'échelle. J'ai couru jusqu'à la berge mais déjà il franchissait les bouées du chenal. Je l'ai vu disparaître. J'ai agité le bras longtemps mais ce n'était plus que vers la mer qu'allait mon salut. Le *Tustumena* était reparti et s'éloignait de plus en plus de moi. Je suis rentrée. Au bord du chemin, les vieux trucks faisaient des ombres d'or dans la lumière douce du soleil de dix heures.

Un matin que je suis perchée en haut du mât, dans la vieille veste tachée de peinture que m'a donnée Jason, je baisse les yeux et il est là le grand marin, il est venu me chercher pour m'emmener à Honolulu. Il arrive par le ferry du matin. Et John me laisse partir.

– Vas-y kid, prends quelques jours… Peggy nous annonce de la pluie, t'auras pas besoin d'arroser le bateau, et de toute façon tu pourrais pas peindre.

On s'éloigne du petit chantier naval de Tagura, sur le chemin de gravier, entre les talus d'épilobes et de rubus en fleurs, les piles de casiers rouillés, les trémails déchirés, une carcasse de truck, un bateau délabré envahi de ronces. Il fait très beau très frais encore, l'air sent bon la vase, la terre, et l'odeur plus imprécise de bois pourrissant et de rouille. Le grand marin est rouge et gauche, je danse à ses côtés, les yeux de fauve sur mes épaules nues. Il prend ma main, s'arrête.

Le pont de la baie des Chiens, les grandes arches de béton au-dessus du terrain vague où nous étions un jour, cramoisis dans l'herbe et sous un ciel d'azur. On arrive en ville et on s'arrête au premier bar. On boit de la bière et il s'en va vomir aux chiottes. Il revient. Il essaye encore mais la bière ne passe pas.

— Viens, allons prendre la chambre maintenant.

On prend du Canadian Whisky et de la vodka au *liquor store*, des cigarettes, du jus de fruits et de l'ice cream au supermarché. Nous retournons au Shelikof's parce que c'est plus beau. Les femmes de la réception me font moins peur. Dans la chambre, le soleil s'engouffre sur le couvre-lit. Déjà j'ai faim. Alors il me nourrit d'ice cream et il m'abreuve, couché sur moi, ses cuisses en étau autour de ma taille. En mère oiselle il me donne la becquée. La glace glisse de la cuillère quand il la penche vers mes lèvres, et coule dans mon cou.

— Ouille c'est froid, je dis.

Il la rattrape de sa langue, le brûlant sur le glacé c'est bon. Je suis toute barbouillée et les draps sont poisseux après. Il débouche la bouteille de ses dents et boit une rasade, puis il m'embrasse, la vodka coule entre mes lèvres. Je ris et je m'étouffe.

— *You are mine*, il dit.

Nous dormons. Souvent et pas longtemps. Quand il se réveille, il rallume la télévision. Puis une cigarette. Il attrape la bouteille et prend une rasade. J'ai les yeux fermés. Je fais semblant de dormir. J'entends le long soupir de quand il a bu. C'est être dans lui. Le grand corps est au repos à mes côtés comme un bateau sans erre, un des titans mythiques amarrés le long des docks à carburant. Mais je n'aime pas sa télévision. Elle me donne envie de fuir comme s'il m'avait prise au piège, de courir le long des quais jusqu'à perdre haleine. Quand j'ose, je lui demande de l'arrêter.

— Tu comprends, pour finir ces gens, ces voix, ils sont avec nous dans la chambre, et moi je veux être seule avec toi.

Il l'éteint alors. La rallume juste après. Il ne peut pas s'en empêcher. Je regarde par la fenêtre. Je pense au vent, aux bateaux sur le port, aux oiseaux, aux couleurs du ciel. Je sens mon corps rétif qui voudrait courir. Je m'ennuie un peu, c'est bon aussi. Il vient contre moi et me redonne la becquée. Il a acheté des nectarines très belles et juteuses qui arrivent de Californie, du pain, du poulet. Il m'en tend un morceau :

— Ce poulet est si tendre que l'on peut même manger les os. En plus il n'est pas cher…

Le jus des nectarines coule le long de mon menton, dans mon cou, sur mon torse pâle, dans le creux des côtes. En bonne mère chatte il lèche ma peau et me nettoie. Sa langue râpeuse est appliquée autour de mes seins. Il me chatouille. Je ris…

Il me raconte une histoire :

— Il y avait une rivière et j'allais y pêcher. Les feuilles des arbres faisaient danser des ombres d'or sur l'eau. Elle était noire sous les saules. On était mômes… Mon frère avait trouvé un vieux kayak. On partait. Une couverture dans le fond du kayak, une boîte de conserve un peu rouillée à force pour faire le café, un morceau de pain, une boîte de haricots rouges pour quand on n'avait rien pris… Des allumettes. J'avais un couteau et je l'avais sculpté. Un petit totem avec une tête de corbeau au bout. Je m'en servais pour ouvrir les truites. Leur sang très rouge glissait sur la lame et mon corbeau devenait rouge aussi… C'était beau… Quand le soir tombait on faisait un feu. Mon frère ramenait le bois, moi je préparais les truites. Et le feu : j'étais l'aîné. La nuit venait. J'apprenais les étoiles à mon frère.

Il y avait des chouettes… le claquement de leurs ailes parfois quand elles prenaient leur envol – mon frère avait peur –, le hululement grave d'un grand duc, des petits cris secs, d'autres plus aigus et plaintifs. Et puis comme des chants monotones, tristes, si tristes… Un jour il a ramené une bouteille mon frère. Une vingt-cinq onces de vieux whisky, un tord-boyaux que mon père avait oublié dans son truck. Devait être trop saoul ce jour-là pour s'en souvenir, le père. On a bu sous les étoiles. C'était merveilleux. Après on a dégueulé tous les deux. La couverture a failli brûler. Et moi j'suis tombé dans la rivière. C'était froid. On s'est juré de ne plus retoucher à cette merde.

Je ris. Il se redresse, il fronce les sourcils, on est couchés sur le lit, les draps tachés d'ice cream.

– Te moque pas. On n'a pas retouché à ça pendant au moins deux ans. J'avais douze ans, lui onze. Après c'était pas pareil… Après y avait les filles, les bals du comté, et puis les bals tout court, et après les bars… Et les filles toujours. Après on voulait être des hommes. La rivière, les étoiles, fini.

Je regarde le ciel derrière la vitre. Je pense à la rivière et ses eaux noires, aux feuilles d'or au-dessus, et qui dansent.

Il sourit, pour lui-même.

« J'ai grandi dans les bois tu sais. C'était beau. On partait avec le frère. Ma mère nous attendait. Des jours et des nuits durant. On revenait affamés, couverts de vase et d'égratignures dans la clarté d'un matin, ou l'ombre du soir qui s'étendait sur les forêts – ce frisson sur la peau –, nos fronts brûlés de soleil, balafrés de ronces, comme une auréole de gloire. On était des jeunes lions. »

Il reprend de sa voix basse, presque dans un soupir.

« Puis la bière… C'était fini, on courait les bars et les filles. Puis j'ai couru les routes avec mon père. On se louait pour bûcheronner. Les bois à nouveau mais ce n'était plus pareil. On allait de ville en ville, de campagne en bourgade, de taverne en bar, depuis le Maine jusqu'au Tennessee, de l'Arizona au Montana, passant par la Californie… Les grands bois de l'Oregon, les côtes brumeuses du Pacifique… On se saoulait terriblement. Les bars étaient notre vie. Et le gros travail qui vous tue. On dormait de baraquement en motels, de motels en asiles de nuit, d'asiles de nuit en baraquements. Une maison pour moi c'est devenu une chambre de motel. »

Il sourit : « Des fois, on faisait venir des filles, quand c'était la paye, qu'on avait la chambre. Si on n'avait pas tout bu déjà. Un jour on a fini la nuit à la prison du coin : on s'était battus l'un contre l'autre. Pour une danseuse.

La mer m'a sauvé, il dit. J'ai bu sans cesse jusqu'à 28 ans. Depuis les bois de l'enfance à ceux de l'Alaska j'ai été saoul. Et puis j'ai embarqué. Ici. J'ai aimé cela. Terriblement. Je n'ai plus pu me saouler que lorsqu'on rentrait à terre. Terriblement. »

Le grand marin il dit encore, une nuit d'été du grand nord d'Alaska, dans cette chambre dorée par les grands cuivres de dix heures, il est allongé, il tourne vers moi son visage brûlé, il dit, de sa voix basse et lente, un peu voilée, doucement rauque – il dit – « Pour dormir, il m'a toujours fallu être épuisé, de tout, toujours. D'alcool, de sexe, ou de travail. »

Le soir vient. Nous nous douchons. Debout contre moi, il est très grand. Je le lave : les bras puissants, l'antre généreux des aisselles sombres, sa poitrine, la fleur rosée des tétons, cachée dans la toison roussie qui redescend, s'éclaircit sur l'estomac bombé jusqu'à n'être plus qu'un filet, renaît sur son ventre pour s'épanouir dans le creux obscur des cuisses où niche l'étrange animal, que je lave avec respect et comme un semblant de crainte : il vit sous mes doigts. Puis ses fesses dures, les colonnes de marbre blanc des jambes, ses pieds qui toujours me rappellent un tapis de laine rouge – je me retiens de rire… Mes mains glissent à plat sur son corps, remontent jusqu'à l'ancre des épaules auxquelles je me raccroche un instant. Le sillon ombré de la nuque entre les tendons puissants, les amarres de son cou, il ferme les yeux. Il sourit. Je fais mousser le savon dans sa barbe, passe mes doigts sur le contour des paupières alourdies, les arcades, broussailleuses, le front haut… C'est son tour : ses larges mains savonnent longuement mon dos, ma petite croupe dure, mes pieds, plus délicatement. Enfin mes cheveux. Le shampooing déborde sous le jet violent, me brûle les yeux… Il m'embrasse – goût de savon. Je ris.

Nous sortons quand la nuit est tombée. Pas loin. Nous marchons jusqu'au port. Nous nous asseyons sous le mémorial dans l'ombre du marin mort en mer. En chemin il a racheté du whisky – ou de la vodka. Ou du rhum. Du poulet peut-être, celui qui est si bon que l'on mange même les os. Du café pour la machine qui est dans la chambre. Des biscuits pour moi. Nous regardons les bateaux dans la rade. Il dit quelque chose. Je me tourne vers lui, son visage à demi mangé par l'ombre du marin de pierre. Il me sert un drink. Je ris… Je relève la tête et regarde longuement la statue : le sel et le vent ont rongé ses traits. Je me souviens alors de cette femme, sur une plage de la

Manche, qui tournait vers l'horizon le même masque dévoré par la mer, les vents, les tourments de l'attente.

– Oh Jude, il n'a plus de visage le marin mort en mer.

– Oui…

– J'ai vu un mémorial en France : c'est une femme qui attend son marin. Son visage est rongé pareil.

Jude a un rire bref, amer.

– Les femmes n'attendent pas trop par ici, elles partent à Hawaï ou avec un autre mec quand elles en ont marre. Ou les deux.

– Pourquoi tu dis ça ? D'ailleurs c'est toi qui pars à Hawaï, pas moi.

– Tu m'attendrais, toi ?

– Oh non ! J'irais pêcher plutôt. Avec ou sans toi. J'aurais même pas envie que quelqu'un m'attende à terre.

– Ah, tu vois ?

– Tu comprends pas… C'est pas pareil ! Moi je veux pas d'une maison, je veux plus, moi, j'veux vivre ! J'veux partir et aller pêcher comme vous. J'attends pas moi. Non j'attends pas. Moi je cours. Vous partez bien, vous, vous courez tout le temps… Moi aussi je veux être en mer, pas à Hawaï.

– Tu viendras pas à Hawaï ?

– Si Jude, si. Un jour. Mais d'abord faut que j'aille pêcher.

Il ne dit plus rien. Je me rapproche de lui timidement et je fixe l'horizon noir. Il passe un doigt lentement sur ma joue. Nous rentrons. Il allume la télévision. L'éteint. La rallume.

Il garde de sa vie de marin cet état de demi-veille, toujours. Nuits hachées. Il dort deux heures. Trois heures. Il se relève, prend une cigarette. Il marche un peu, fait le tour de la pièce, va s'asseoir devant le poste qu'il a rallumé doucement – ou face à la fenêtre. Il fume, attrape la bouteille sur la table de nuit. Il regarde. La lune – quand elle est là –, le ciel – toujours. La mer qu'il devine derrière les maisons.

Un souffle pressant contre ma tempe me réveille tout à fait. Le grand corps revient se coucher sur moi. Un manteau brûlant. Les éclats mouvants du poste dont il a baissé le volume au plus bas passent sur son visage, penché sur le mien, jouent avec le grain irrégulier de sa peau. Sa voix sourde dans l'obscurité :

– *Tell me a story…*

Et c'est lui qui raconte encore.

– Il y avait un plongeon – des plongeons sans doute, mais pour nous c'était *le* plongeon… tu sais, ces oiseaux au très grand vol, aux très grandes ailes surtout… Il y avait ce lac où nous allions pêcher quand nous avions passé la rivière. Le ciel et l'eau… c'était immense. Nous y avons pris de très belles carpes. Des poissons-chats aussi, des ombles et des poissons-castors… Nous avions peur d'aller là. D'abord c'était loin, et le kayak prenait l'eau pas mal. En fait il ne valait rien. Et quand le vent se levait… Nous avons eu de la chance tu sais. La nuit semblait plus vaste quand nous poussions jusque là-bas. Nous dormions sur la berge. Je faisais le feu. Mon frère ramenait le bois. Je préparais le poisson… Le rite, quoi. Quand j'y repense, c'était le début de la mer. C'est là que ça a commencé, sur ce lac, le grand désir de l'océan. Mais je le savais pas encore. Bien sûr, je savais rien encore…

Il se redresse sur un coude, débouche la bouteille entre ses

LE GRAND MARIN

dents, prend une lampée. Je sens son souffle chaud, le parfum
du whisky quand il me ramène à lui. Il reprend :
— Il y avait ce plongeon, je te disais, ces plongeons... Ils
criaient dans la nuit. Parfois c'étaient des ricanements qui nous
glaçaient, surtout quand la lune éclairait le lac avec les ombres
des arbres qui bougeaient... puis des cris déchirants, plaintifs,
et qui devenaient graves, avançaient sur l'eau, profonde et
noire elle était, l'eau, et ça montait vers la lune comme un
rire fou. On se serrait l'un contre l'autre sous la couverture.
On se jurait de foutre le camp dès le lever du jour. Au matin, il
n'y avait que cet amas de branchages sur la rive d'où montaient
les cris de la nuit – le nid du plongeon, d'où sortaient des petits
miaulements ridicules qui nous faisaient rire de nous-mêmes.
Quand je ferme les yeux parfois, je l'entends à nouveau le
cri. Et j'ai la chair de poule. Et je sens le même frisson me
secouer l'échine.

— Et ta mère ?
Il a un rire bref et triste.
— On lui en a fait voir pas mal. Je pense qu'elle se repose
un peu maintenant qu'on est partis. Mon père, lui, prend soin
de moi. Il a arrêté la boisson. Il aimerait que j'arrête aussi,
mais il n'en parle pas. D'ailleurs j'ai pas envie. Il m'envoie un
peu de fric quand je suis vraiment dans la merde. Une fois il m'a
offert un duvet, du sacré bon matos, il a dû se ruiner pour ça...
C'était quand je traînais dans les rues à Anchorage un hiver.
— T'allais pas au Bean's Café ?
— Rarement. Pour la soupe des fois. Mais je repartais tout
de suite. J'ai jamais aimé vivre en troupeau. Je préférais dormir

dans les parcs avec d'autres *bums*. Ou tout seul. Je me faisais
un trou dans la neige. Dans mon duvet j'avais pas froid. J'étais
bien.

Je me serre contre lui. Je suis sous la neige avec lui. J'enroule
mes jambes autour des siennes. Nous n'avons plus froid.

— Une année que je ne pêchais pas, j'ai voulu construire ma
maison. Mon père avait eu ce coin de bois pour pas cher. J'avais
fait une bonne saison sur un chalutier. J'ai travaillé comme
un malade. La cabane avançait… Et puis l'hiver est arrivé. La
piste a été coupée par la neige. J'avais fait mes réserves pour la
boisson. J'ai toujours été prévoyant… il dit. On m'a retrouvé
des semaines plus tard, à demi mort.

— À demi mort?… De quoi?

Il ne répond pas. Il allume une cigarette. Puis il murmure:

— Quand tu t'enfermes avec le monstre…

Au bout de trois jours il faut se lever pourtant.

— Je pars ce soir, il dit. Viens avec moi.

— Je veux aller pêcher le crabe d'abord.

— C'est qui ce Jason?

— Un gars très jeune, sur son petit bateau. Tu l'as vu passer
sur les docks quand on travaillait sur le *Rebel*. Il s'arrêtait en
fin de journée des fois. C'est la première fois qu'il va pêcher
seul et qu'il sera skipper.

— Tu couches avec lui?

— Jamais! Je veux juste retourner pêcher.

— Viens avec moi à Hawaï, on se trouvera un embarquement
à Honolulu.

— Pas encore. Je ne veux pas déjà quitter l'Alaska.

— Marie-moi.

On s'en va voir les docks. J'ai lâché mes cheveux très longs pour la première fois. Je suis fière de marcher à côté du grand marin, cheveux défaits, crinière de femme au vent. Lui aussi est fier.

— Dis-moi quelque chose, je lui dis. Autrement je me sens seule.

Sa voix basse tout de suite ça me fait du bien. Alors il parle, lentement.

— Je veux que tu sois toujours avec moi.

C'est beau et bon. On est seuls sur la plage. Il tombe un crachin très fin. Tout, tout gris. Les oiseaux et leurs cris se sont dissous dans la brume. On a froid. On s'essaye quand même à faire l'amour sur le sable mouillé, entre deux rochers noirs. Je dis encore :

— Dis-moi quelque chose. Autrement je me sens trop seule.

Il est sur moi, il avance doucement, la pluie nous coule dans les yeux, les rochers me meurtrissent les côtes, nos vêtements nous entravent.

— Moi aussi je me sens seul, il dit — et il rit un peu. On aura essayé...

Il nous faut revenir vite parce que la mer est remontée. Bientôt le passage que nous avions pris est coupé. On s'assied sur un tronc d'arbre, à la limite de la plage et du chemin. Il sort la bouteille de vodka de sa besace, l'ice cream. Il me sert un drink, avec de la glace par-dessus. Il me donne son walkman à écouter. Tom Waits. Quelquefois il penche sa tête contre la mienne pour écouter aussi – *We sail tonight for Singapore.*

Un gars passe devant nous. Il nous adresse un vague bonjour.

– Qu'est-ce qu'il fout par ici celui-là? dit le grand marin doucement. C'est notre plage.

– Oui. Peut-être qu'il faut le tuer pour ça.

– Viens avec moi à Hawaï.

– Pas encore, pas ce soir, je veux aller pêcher le crabe.

– Tu feras attention à toi.

– Oui, je dis.

– T'iras pas à Point Barrow.

– Pas encore.

– Et si t'as plus le bateau, si Gordy doit reprendre le *Lively June*, tu vas au shelter. T'y seras en sécurité.

– Je trouverai toujours une vieille bagnole pour y passer la nuit. Y a plein de camions abandonnés au bord de la plage, près de l'Armée du Salut.

– T'es folle. Je devrais pas partir. Je devrais rester et te faire un petit.

Je ris à voix basse.

– Pourquoi me faire un petit?

– Pour te garder loin des bagnoles pourries.

On attend le ferry. La nuit est tombée depuis longtemps, depuis la grande plage où nous attendions dans la brume. On s'est réfugiés dans sa voiture, une vieille épave qui plus jamais ne bouge de derrière le shelter. Il a ses larges mains autour de ma figure. Je regarde, dans l'éclat blanc et cru du lampadaire, ses traits gonflés, sa peau cuivrée et grumeleuse, la gemme humide de ses yeux. Je pense qu'il est beau. Je pense qu'il est le plus beau, le plus grand, le plus brûlant. Il voudrait que je l'aime encore. Jamais il ne sera rassasié d'amour, de sexe, d'alcool.

— Non... je murmure, non, on pourrait nous voir... dans la vieille voiture à côté du shelter, la boue tout autour...
Il insiste. Alors je l'aime avec ma bouche. Pour finir je pleure. Lui cela lui fait du bien. Il voit les larmes dans mes yeux.

— Tu m'en veux? il dit en me serrant contre lui.

— Non. Pourquoi je t'en voudrais?
Il a repris mon visage entre ses mains. Les yeux jaunes sondent les miens.

— Je suis désolée, je dis encore.

— T'iras au shelter, il dit dans l'ombre. Tu demanderas à parler à Jude. Mon père. C'est lui qui s'en occupe. Il s'appelle Jude. Tu le tiendras au courant de ce que tu fais. Il me fera parvenir les nouvelles. Et il te donnera des miennes si les lettres n'arrivent pas.

— Jude, comme toi?

— Oui. Jude aussi. Et moi je serai quelque temps avec mon frère à Hawaï. À terre. Le temps de trouver du boulot. Je t'attendrai.

— Ton frère vit toujours là-bas?

— En partie. Jude a une baraque sur la grande île. Il travaille dans le bâtiment. En ce moment il a un chantier à Kawai. C'est là où je vais.

— Jude, ton frère? Lui aussi?

— Ouais lui aussi.

— Vous vous appelez tous Jude alors?

Il rit, de sa voix basse, feulement léger, me serre contre lui, reprend une rasade de whisky.

— Moi c'est Jude Michael. Mais je préfère qu'on m'appelle Jude. Et on fera un autre petit Jude ensemble.

La pluie a repris. L'eau coule en rigoles sur le pare-brise. Les ruisseaux affolés nous cachent enfin des rares passants.

Jude rallume une cigarette.

— C'était il y a longtemps, il dit. Mon grand-père était bûcheron en Caroline du Sud. Il allait très mal, un arbre l'avait frappé. Il allait mourir sans doute. Ma grand-mère qui était jeune encore est allée prier saint Jude. Elle lui a juré que tous les descendants porteraient son nom si son homme s'en sortait. Elle a brûlé des cierges chaque jour. Il s'en est sorti.

— Et les femmes, elles s'appellent Judith ?

Il prend une rasade, m'embrasse, ses paumes calleuses entourent mes tempes.

— Y a pas eu de femmes depuis.

Le ferry gronde dans la nuit. Depuis longtemps il gronde. Il faut y aller. Il empoigne son sac de marin, le jette en travers de ses épaules. La pluie tombe sur nos fronts, fraîche et légère. Le vent rabat les boucles sombres de ses cheveux. Son visage ruisselle. Je pense à une peinture que j'ai vue enfant, les enfants de Caïn fuyant dans la tempête peut-être.

— Tu ressembles à quelqu'un d'une image très ancienne, je dis.

— Sisyphe ?

— Peut-être aussi…

Jude Michael Lynch, Sisyphe peut-être, écrasé par le monde, brûlé par la fureur et la passion, l'alcool, le sel et l'exténuement.

Ou bien cet autre encore, celui qui se fait dévorer le foie par un aigle, jusqu'à la fin des temps, pour avoir rendu le feu aux hommes. Je ne sais plus, mais au fond peu importe, il les est tous.

On arrive au ferry. On attend dans la bruine qui se mêle aux embruns. Une femme qui prend les billets, au bas de l'embarcadère, lui demande s'il y a de l'alcool dans son sac. Non bien sûr, il répond.

— Rentre maintenant, il dit.

— Je veux rester encore.

Alors il m'embrasse très vite et très fort.

— Tu es la meilleure des choses qui pouvaient m'arriver depuis longtemps.

— Tu me l'as déjà dit, je murmure.

— Je le redirai encore. Tu vas avoir froid. Où est ton foulard?

Je lui tends mon visage et le foulard défait. Le vent souffle. Il le renoue. Je lui tendrais mon visage encore et encore, mais déjà le ferry brame. Nous nous redisons au revoir.

— On devrait se marier.

— Oui. Peut-être qu'on devrait se marier, je réponds.

— On se marie et on va à Dutch Harbor cet hiver pour se trouver un embarquement.

Je rentre sous la pluie très fine. Plus tard, j'entends le ferry depuis ma couchette, il pleure dans la nuit. Je me souviens que j'ai oublié de lui faire sa natte, une petite natte qu'il m'avait demandé de lui tresser.

Au matin tôt je suis sortie. Le ciel s'était dégagé. Il faisait beau. J'ai marché jusqu'au bureau des taxis. Derrière il y avait les lavabos, une femme en est sortie, puis un homme, tous deux emmitouflés dans de vieux pardessus crasseux. Ils se tenaient par la main. La femme semblait très jeune. Elle avait des joues rondes et cuivrées sous ses cheveux noirs qui tombaient en mèches éparses, des traces jaunes autour de la bouche. Peut-être qu'elle avait vomi. Elle a manqué tomber. L'homme l'a rattrapée et calée contre lui.

— Maintenant tu bouges plus, il la grondait gentiment, je marche et tu t'accroches à moi… Comme ça, oui.

Elle a ri et s'est laissé guider, les yeux mi-clos. C'était comme une poupée de chiffon qu'il serrerait dans ses bras. L'homme a relevé la tête. Dans son visage rugueux, marqué de bouffissures qui emprisonnaient ses yeux, l'éclat limpide de deux prunelles vert émeraude, cerclées de veinules rouges, a coulé jusqu'à moi.

— Et mon ami Jude ? Il va bien ?

— Oui il va bien. Il est à Anchorage. Bientôt à Hawaï et j'irai le rejoindre…

— Tu le salueras de notre part. Sid et Lena, tu lui diras…

Ils sont repartis en chancelant, deux scarabées noirs, se découpant entre le ciel et les eaux claires du port. Ils longeaient le quai lentement, s'arrêtaient, semblant hésiter, basculaient un instant, se redressaient, repartaient, vers le square, peut-être.

Les oiseaux s'appellent, crient étrangement. Des poissons bondissent, des loutres de mer, les marsouins dansent autour du bateau, ils se poursuivent et se rejoignent dans des gerbes irisées. On est entre ciel et mer comme entre deux bras. Jason crie, il crie toujours, il a peur. Il n'a jamais été skipper auparavant. Il m'en veut de courir, de bondir au moindre de ses ordres, d'être rouge et congestionnée lorsque je remonte l'ancre contre le courant. Il rêvait d'une elfe, légère et gracieuse sur le pont, la cracheuse de feu. Il rêvait que nous devenions les deux pirates fous et beaux, les meilleurs pêcheurs d'Uganik Bay, de tout l'Alaska bientôt. Mais je ne partage pas sa couchette, la pêche au tourteau est misérable. Il redoute chaque nuit que l'ancre ne ripe. Je me tais et je cours. Je fais n'importe quoi quand les gueulantes reprennent.

— Mais fais-le avec classe, bon sang! hurle-t-il quand il me faut amarrer le *Milky Way* aux piliers des conserveries d'Uganik.

Je n'ai pas de classe quand j'ai peur, je voudrais répondre.

La pompe à eau faiblit : il nous faut remplir le carter sans discontinuer. Ce n'est pas long avant que l'on n'ait plus d'eau douce. Nous chargeons le canoë de tous les récipients vides du bateau, casseroles, bouteilles, cafetière, et rejoignons la crique verte où coule un ruisseau. Nous faisons le plein. La pompe à eau rend l'âme dans la baie de la Terreur. Jason ne crie plus. Il est au bord des larmes.

— Je vais faire du café, Jason, et on verra après…

Un *tender* rouge et noir a mouillé dans la baie. Le *Midnight Sun*. Nous avons repris le canoë. Les trois hommes d'équipage nous regardent arriver avec un étonnement mêlé de douceur. Nous sommes hagards et semblons perdus. Jason est presque muet, et moi je balbutie des mots que nul ne comprend. Le skipper sort de la timonerie et c'est un homme très bon qui vient à notre secours. Crinière sombre et barbe fournie derrière lesquelles paraît un visage cisaillé de rides, il marche jusqu'à nous et on dirait un ours. Jason reprend ses esprits.

— Justement le *Midnight Sun* est plein et rentrera ce soir pour décharger en ville, nous dit l'homme, mais dès demain ils seront de retour. Ils prendront la pompe au passage. Rentrez donc, dit-il encore.

Il prépare du café, sort les biscuits, nous fait manger.

— Je peux utiliser la radio du bord pour commander la pièce ?

— Mais bien sûr.

— Merci… Tu boiras un coup pour nous à Kodiak, dit Jason avant de monter dans la timonerie.

— J'ai eu ma dose des bars, me dit-il en me reservant du café.

— Vous ne buvez plus ?

— Je serais mort si je buvais encore. Je me suis traîné assez longtemps dans les rues, dans ma pisse et mon vomi comme une pauvre bête rampante… C'est fini tout ça.

Le regard brûlant de l'homme se pose sur moi. Il me sourit :

– Prends un biscuit encore.

Il nous a parlé de Dieu. Quand on le quitte il est très tard. Il nous raccompagne sur le pont. La lune est pleine. Et dans la baie de la Terreur je crois le sentir, son Dieu. Un seiner se rapproche lentement du *Midnight Sun*, le liséré rouge de l'hiloire s'enfonce profondément dans l'eau.

– Le *Kasukuak Girl* est sacrément plein ce soir. C'est le dernier que je décharge, nous dit-il. Après faut que j'y aille les enfants… Attraper la marée pour franchir le passage de la Baleine sans problème. Attendez-moi pour demain. J'aurai la pièce.

Il rabat le panneau de cale, saisit un saumon qui surnage dans l'eau baveuse et la glace fondue. Il me le tend.

Jason a mis les gaz à fond. Sourcils froncés sous son bandana effrangé, mâchoire tendue il fonce dans la nuit. Le canoë glisse dans l'air glacé, sur les eaux noires moirées par la lune. Arrivé au bateau il va dormir sans un mot. Agenouillée sur le pont, je dévore le saumon rouge et cru à belles dents, comme un animal heureux. La poche des œufs se rompt dans ma bouche, j'égrène avec ma langue les fruits onctueux de la mer qui cèdent et fondent dans ma gorge. La lune baigne le pont. Le *Kasukuak Girl* a mouillé non loin de nous. Le point rouge d'une cigarette incandescente frémit sur la passerelle.

– Je voudrais aller sur la plage, Jason, peut-être qu'il y aura des flotteurs japonais…

Le soleil est haut déjà. Nous avons déjeuné en silence. Jason ne parle plus depuis que j'ai dénoué les deux bras maigres qui m'entraînaient vers sa couchette un soir.

– Y a des grizzlis sur la côte.

– Je ferai attention.

Jason m'amène au rivage alors. Il me laisse une corne :

– Tu souffles dedans quand tu veux rentrer ou s'il y a un problème. Dès que j'entends le signal, j'arrive.

Le canoë est reparti. Je longe le rivage. Des bois flottés jonchent la plage. Ils sont très lisses et beaux, blanchis par la mer et le temps, mais il n'y a pas de boules de verre bleues, de celles qui ont voyagé des années sur l'eau. Alors je m'en vais chercher les ours. Je flaire derrière les buissons de mûres et de rubus. Un aigle gît, le front écrasé sur le sable, ses ailes déployées engluées de vase séchée. Coup de coutcau dans le ventre soudain, une lame de feu peut-être, j'en perds l'équilibre. Je tombe à genoux sur la plage tout près de l'aigle disloqué, les yeux aveuglés de larmes. C'est à peine si je peux souffler dans la corne pour appeler Jason.

Le *Midnight Sun* est de retour avec la nouvelle pompe à eau. Mais ni les cachets du skipper bienveillant, ni ses prières, ni même les tisanes de Jason ne parviennent à calmer le mal. Je me tords de douleur sur ma couchette. On m'évacue le lendemain. Le petit hydravion que Jason appelle par la VHF se pose dans la baie. Les mains crispées sur le ventre, recroquevillée sur le siège à côté du pilote face aux écrans et au ciel, les vers marins me dévorent. Je pense aux poissons que j'ai poignardés, à tous ceux qui ont servi d'appâts. J'ai pourfendu tant de ventres blancs quand ils palpitaient encore, j'ai tant tué, il faut payer. Le ciel s'engouffre dans la carlingue. Ou est-ce nous qui nous y engloutissons ?

L'hôpital ne m'a pas gardée. Empoisonnement, ils ont dit. Ça va passer… Je suis rentrée au *Lively June* plus triste et pauvre que jamais. Le *Rebel* est à quai. Gordy m'accroche au passage. Coup de bourre. Je repars avec eux. J'ai eu le temps de passer en ville : une lettre du grand marin en poste restante. Il est à Hawaï. Il m'attend sur une plage. Il boit du rhum et de la Budweiser. Il s'est fait un ami qui partage avec lui ses bons alimentaires et sa bière. Quelqu'un s'est fait égorger à deux pas de leur tente la nuit dernière. Le grand marin a faim malgré les bons alimentaires. Viens me retrouver, il dit encore, j'aurai peur pour toi bien sûr avec tous les hommes en rut qui boivent et vivent sur la plage, mais est-ce que je sais ce que tu fais avec les *young dogs* de Kodiak... Viens Lili viens... On va le faire enfin notre ice cream baby.

Dix jours sur le *Rebel*. À charger chaque nuit la cargaison de saumons des seiners. Une femme à bord, Diana. Elle est belle, elle conduit le bateau souvent. Elle est féroce. Nous femmes n'avons pas le droit à l'erreur si nous voulons être acceptées, me dit-elle implacable. Nous devons être les meilleures. Elle méprise ma voix hésitante. Mais quand le temps se lève, cinquante nœuds un jour, elle disparaît dans la cabine, se terre au creux de sa couchette. Le mal de mer l'a anéantie. Je m'assieds aux côtés de Joey dans la timonerie. Des oiseaux blancs tournoient lentement dans le halo du feu de mât. Nous sommes sur la vague noire. Joey m'enseigne le maniement des commandes. C'est bon.

Quelquefois, l'après-midi, à l'heure où les bateaux pêchent, Joey prend le canoë et s'en va vers la plage. Les grandes forêts d'Afognak et de Shuyak s'étendent jusqu'à très loin, par-delà les falaises noires qui s'élèvent entre les pins. Je n'ose pas demander de l'accompagner. Il s'en va seul. Et toujours il rapporte des choses étranges et belles, le visage grave et lumineux de celui dont l'enfance habitait les bois. Des cornes de chevreuil ou des plumes d'aigle, des branches polies par les flots, usées jusqu'à n'être plus que courbes pures, l'essence de ce qui fut un arbre. Un jour il trouve un champignon énorme et dur qu'il se promet de peindre et de sculpter lorsqu'il aura séché.

Nous travaillons dès la tombée du jour. Diana et les hommes crient. La peur ne me quitte pas. C'est l'exil, je pense. Tous dorment ce jour-là, il fait grand soleil sur le pont. Allongée sur ma couchette, les yeux ouverts dans la semi-pénombre, je pense aux *tenders* dans la nuit, ceux qui attendaient dans la baie de Perenosa la veille. On ne peut pas le dire aux autres, on ne peut pas expliquer à ceux qui n'ont rien vu de cela – oui –, les grands *tenders* dans la nuit, les énormes bateaux d'acier, avec leurs noms de vie de mort et de saga… leurs moteurs vrombissants, les treuils qui grincent, des hommes orange qui s'acharnent dans le vent, visage ruisselant sous le feu des lampes à sodium, film étrange et bouleversant se reflétant sur les eaux noires. Non on ne peut pas le raconter. Qui comprendrait?

Un jour on rentre au port. J'ai froid dans les os. Je voudrais penser *Let's go home – But there is no home*. Jamais plus. J'ai des cauchemars. Nous repartons… Et puis je tombe dans la cale à poissons, les saumons par milliers baignent dans une eau sale, épaisse de mucus et de sang – la baie de Viekoda. Nous filons dans la nuit rejoindre la baie d'Izhut où d'autres bateaux nous attendent pour décharger leur pêche et refaire les pleins. On avance dans la nuit.

L'île a refermé sur moi ses bras de rochers noirs. J'ai retrouvé le *Lively June*, la clé cachée sous le rebord de la passerelle, l'odeur de gasoil et de cirés mouillés. Au lavomatic j'ai fait la connaissance d'un homme qui joue au golf et pêche le saumon rouge. J'ai traîné la jambe jusqu'à son bateau, le *Jenny*. Il a préparé du café et fait du pop-corn. Après ça allait mieux. Je suis ressortie, j'ai marché jusqu'à la poste. L'employé m'a tendu une lettre, j'ai reconnu la grande écriture. La vieille enveloppe était fermée par une espèce de pâte noire – du goudron ? J'ai filé au parc Baranof, jusque sous le grand cèdre. Là je me suis allongée. J'ai déplié la lettre de Jude, froissée, tachée de gras et de bière comme la précédente. Je l'ai lue. Des nuages passaient dans le grand ciel d'été. Je me suis endormie. J'ai rêvé que j'étais sur le pont d'un bateau. Autour de moi la tempête. Des vagues venaient s'écraser sur ma tête nue. Elles étaient glacées. Des hommes travaillaient à mes côtés, empaquetés dans des cirés énormes, les hommes sans visage du film d'Ian. Et moi j'étais presque nue à patauger dans une eau grise qui m'arrivait bientôt à la taille. Je ne craignais rien. Ni la fatigue, ni le froid. Les hommes étaient contents de moi et je faisais du bon travail. J'étais devenue un vrai pêcheur. Au réveil, le soleil entre les branches s'était posé sur mon visage. Je me suis redressée. Des lupins faisaient des taches qui dansaient devant le petit musée Baranof. Alors j'ai marché jusqu'à la route. J'ai traversé. En face l'eau bleue et le ferry : il repartait pour Dutch Harbor au soir. Je pourrais aller à Dutch, j'ai pensé, je me trouverais un embarquement pour le crabe. Mais ce n'était pas la saison. Et d'ailleurs qu'aurais-je pu faire sur le pont avec cette jambe malade ? C'est l'exil, j'ai pensé encore. Je suis rentrée. J'ai fait mon sac. Je me suis juchée dans le fauteuil escamotable de la timonerie et là j'ai attendu.

John a tapé au carreau, j'ai reconnu le visage maigre et blanc derrière la vitre, les yeux délavés sous le renflement des paupières flétries, qui clignotaient parfois comme si la lumière les blessait. J'ai ouvert. Le fil mince de sa bouche s'est plié dans un sourire presque timide. Le bleu de travail flottait autour du corps osseux, il a ramené une casquette très sale sur ses cheveux jaunes et filasse.

— Paraît que ça va pas ? il a dit en entrant.

Je l'ai fait asseoir. Justement j'avais fait du café. Je lui ai tendu une cigarette et il est allé cracher sa chique dans la poubelle.

— Tu devrais venir chez moi quelque temps. Ma maison est à Bell's Flat à vingt miles d'ici. Je te ferais des cataplasmes de plantes et ça te guérirait très vite.

— Merci John, mais j'aime mieux être sur le port.

— J'écris des pamphlets politiques des fois. Tu me dirais ce que tu en penses…

— Sur quoi t'écris, John ?

— Sur la vie.

— Tu me les montreras un jour.

Il a haussé les épaules. Sa bouche a repris son pli amer, un peu narquois :

— J'aurais bien besoin de ton aide encore, dès que tu le peux, dès que ta jambe va mieux. J'ai des jardins à faire, une autre tranchée à creuser, et le *Morgan* devrait encore être arrosé de temps en temps. Fait plus aussi sec, le bois reste pas mal humide et les joints de calfat n'ont pas pété, mais ce serait plus sûr quand même. Et puis il y aurait bien encore de l'huile de lin à passer sur le pont.

– Dès que je peux. Je commence à être vraiment fauchée. J'attends un chèque d'Andy mais avec lui c'est long.

– Je pourrai pas te donner plus que la dernière fois, tu comprends bien qu'avec les travaux sur le *Morgan* et la saison perdue... Ça sera toujours vingt dollars la journée.

– Vingt dollars ça me permettra toujours de manger et d'en mettre un peu de côté.

– Tu sais qu'on a une ouverture de pêche au flétan dans un mois ? Vingt-quatre heures non-stop.

– Oui.

– Tu pourrais trouver une place sur un bon bateau, maintenant que t'as fait la saison de morue et la dernière pêche au flétan. Y aurait moyen pour toi de faire un coup d'argent.

– Je sais plus si j'oserai retourner pêcher un jour. M'arrive toujours des pépins. La prochaine fois je passe par-dessus bord ?

Il rit.

– Ça arrive à tout le monde les accidents de pêche.

– Tu vas la faire toi l'ouverture ? je demande.

– Je sais pas encore. J'ai jamais aimé ça leurs vingt-quatre heures non-stop, une course... C'est à qui fera mieux que l'autre et y a toujours un con pour s'en aller au fond parce qu'il a voulu faire plus que son bateau ne pouvait.

– D'abord moi pour la faire faudrait que ma jambe se remette. Personne ne voudra d'une infirme sur le pont.

– Oui, il dit. Si tu venais chez moi je te ferais des cataplasmes de plantes qui te soigneraient tout de suite.

– Je veux pas bouger d'ici.

– Et ça te dirait pas qu'on la fasse ensemble, l'ouverture ?
Je te donnerai un bon pourcentage. Moitié-moitié. J'ai un
quota de six mille livres. À plus d'un dollar la livre… J'ai mes
coins secrets pour le flétan. Toi tu t'occupes du matos, appâter
les palangres, remettre les lignes en état, la cale à poissons
nickel, la glace, et moi je m'occupe du reste. Mener le bateau
et trouver le poisson.

– Faut voir… Si ma jambe est remise.

Il se lève.

– T'as pas une autre cigarette ? Il faut que j'aille bosser
maintenant, un jardin à faire, j'aime bien ça les jardins. Et je
gagne autant qu'à aller pêcher.

John est reparti. L'eau clapote contre la coque. Il fait sombre
et bon dans l'ombre du bateau. Des mouches parcourent
les vitres du château interminablement, cherchant l'issue.
Quelquefois je les attrape et les remets dehors. Mais toujours
elles reviennent. Après elles meurent. Cela m'angoisse. Je
tourne la tête et regarde les docks ensoleillés. Je pense alors
qu'il me faut commencer à coudre ma ceinture, une ceinture
de cuir secrète qui épousera mon ventre et mes reins comme
une seconde peau, à laquelle j'accrocherai un couteau, un
poignard très effilé dans un étui que je ferai moi-même.

L'idée de Lucy, rencontrée un été sous le grand soleil de
l'Okanagan. Elle était indienne Lucy, c'était mon amie… nos
joues rouges ce jour-là, son coquard bleu sur l'œil, son rire
et la besace chamarrée qui me battait les reins, devant nous
la route blanche, les cactus à candélabres, le désert… Il me
tuera si je pars avec toi, elle disait en riant. De toute façon il

me manquerait trop… mais fais-toi un couteau, ton couteau, on est comme des bêtes, faut sauver sa peau.

Je commence ma ceinture puis je sors ma boîte de couleurs. Je dessine et je peins des hommes ailés, des sirènes, le grand marin dans la pénombre et moi couchée contre sa cuisse. Peut-être que j'irai pêcher le flétan. Si on en prend assez j'irai à Hawaï.

Je suis sortie. La lumière aveuglante. J'ai longé le ponton désert. Sur le bateau chamarré, le grand blond au visage nerveux est sorti de la cabine. Il m'a invitée à monter à bord d'un signe de la main. J'ai enjambé la lisse et me suis assise sur le capot de cale.

– Je suis Cody, il a dit.

– Moi c'est Lili. Ça veut dire quoi Kayodie?

– Coyote. C'est un animal remarquable chez les Indiens Crows, un peu comme le corbeau, doué de pouvoirs surnaturels et d'une intelligence folle. Il est toujours là le coyote, parmi nous, il change seulement de visage.

– C'est un beau nom pour un bateau.

– Oui. Je te vois boiter depuis que tu es rentrée. J'ai un remède qui devrait te faire du bien. Un liniment pour chevaux. Ça remet tout en place.

Il est rentré dans la cabine, je l'entends fourrager dans un carton. Il ressort et me tend un petit pot empli d'une pommade transparente.

– C'est très puissant. Lave-toi les mains après.

– Oh merci.

– Je fais régulièrement des stages de guérisseur dans une

tribu indienne, au sud de l'Arizona, il continue. Un jour je
serai medicine man.

– Ah… Et tu pêches pas en ce moment?

– J'ai pêché le saumon quelques semaines. Pas terrible. Et
puis on a commencé à avoir panne sur panne, l'hydraulique
qui nous lâche, puis le filet que l'on déchire gravement en le
prenant dans un fond trop rocheux, enfin Niképhoros qui
devait faire la saison et qui nous laisse en route…

– Oh… je dis. C'est dommage.

– Et toi?

– Moi j'attends d'aller mieux pour retourner pêcher. Enfin
j'espère. Je n'ai pas encore beaucoup d'expérience mais il faut
bien commencer, n'est-ce pas? Et puis j'irai faire un tour à
Hawaï quand je le pourrai.

– Pour quoi faire?

– Pour aller retrouver quelqu'un.

– Ah, il répond.

Nous nous taisons un instant. La lumière danse sur les
eaux.

– Tu es ici depuis longtemps? je demande alors.

– Je suis arrivé après le Vietnam. Enfin non, ce n'est pas
juste, j'ai pas mal bourlingué avant d'atterrir à Kodiak. J'ai
bossé avec un pote au-dessus de Fairbanks, dans la prospection
de l'or. Quand on ne s'est plus entendus j'ai tourné et viré
jusqu'à arriver ici.

– T'as déjà pêché le crabe?

– Non, jamais. Je laisse ça aux autres.

– Ah… Tu viens d'où?

– Du Vietnam, il dit – et son regard vacille avant de prendre

une étrange fixité, se reprend. Enfin non, ça c'était avant…
C'était après aussi.

– Ah… Tu es né où?

Il semble hésiter, me regarde avec surprise:

– Je suis né… Je suis né dans l'Est je crois, quelque
part entre le Texas et le Nouveau-Mexique… Tu veux une
bière?

– Oh non, je réponds, j'ai à faire.

La marée revenait et c'était la brise et les oiseaux avec. J'ai
levé la tête vers les quais en remontant la passerelle. Les volets
des maisons de bois semblaient m'observer depuis le flanc
des collines. Le coffee-shop était blanc de soleil. Au-dessus les
montagnes vertes et leur marée en fleurs. Sur l'asphalte noir
du trottoir, assises aux tables du dehors, les jolies serveuses,
qui ne m'aiment pas et pourquoi, fumaient en riant très fort.
Leurs beaux cheveux brillaient dans la lumière que ricochaient
les eaux du port. J'ai marché en boitillant. J'ai marché et j'ai
marché encore, évitant le square et les bars. Je me suis assise
à l'embarcadère de ferry. Devant moi l'eau bleue du chenal,
au loin les bois de Long Island.

Le *Rebel* est rentré au port. Il était tard. La patine d'un
vieil or éclairait le ciel. J'ai croisé Joey sur le ponton. Le front
sombre s'est éclairé un instant et une lueur a pétillé dans les
pupilles noires enfoncées sous les arcades épaisses.

– On n'a plus rien à bouffer, il m'a dit en riant, je vais voir
si je peux trouver quelque chose avant que la soif me prenne.

Alors je lui ai donné la soupe de poisson que je venais de
faire avec les têtes de saumons que m'avait données Scrim. Des

yeux flottaient à la surface. Moi je les trouvais bons aussi. Ils faisaient partie de la soupe.

Joey est repassé le lendemain. Il pleuvait. Bruine fine. Le cri des mouettes était triste dans la brume. Il a tapé au carreau. J'étais assise dans l'ombre. Je regardais les mouches sur les vitres du château.

— Je t'emmène boire une bière… Rien d'autre à faire avec ce temps pourri.

— La soupe était bonne ?

Joey a eu un drôle de sourire et n'a pas répondu. Diana n'avait pas dû aimer les yeux, ni même lui, tout Indien qu'il était. J'ai attrapé un pull et je l'ai suivi.

Il était tôt encore. Le Tony's ouvrait juste. Nous nous sommes assis au comptoir et Joey a commandé deux Bud. En face de nous, un homme aux cheveux blancs buvait des cafés avec Susie. Il avait un complet de laine et un chapeau de feutre mou. J'ai reconnu celui qui appâtait il y a deux mois en face du *Rebel* quand les Beatles chantaient de partir naviguer. Il jouait au flipper dans l'ombre.

— Salut Ryan, a fait Joey dans sa direction.

— Il s'appelle Ryan ? j'ai dit. Il a un beau bateau…

— Le *Destiny* ? Ça a été un très beau schooner mais il est pourri aujourd'hui. Un jour ils vont couler ensemble, Ryan et son bateau. Au port.

— Il ne peut pas faire quelque chose ?

— C'est un homme fatigué Ryan. À part la bière et son flipper…

Un gars est entré, la pupille folle, son crâne lisse luisant de pluie. Une barbe très fine lui descendait jusqu'à la ceinture.

Susie s'est levée et lui a montré la porte. Il a protesté un instant avant de ressortir sous les cordes serrées qui tombaient à présent. Joey m'a tendu une cigarette. Et puis il m'a parlé des bois. Il aimait tant les saisons de *tendering*, l'été, racontait-il, quand il trouvait le temps d'échapper au bateau et de filer vers la côte. Là il retrouvait son enfance, nichée dans les forêts profondes, enfouie sous les terres musquées de l'île. En ce temps-là il avait douze ans et une carabine, sa vie à venir, et tous les bois montagnes et cieux du monde devant lui, ouverts comme un territoire immense et vierge qui n'appartiendrait jamais qu'à lui seul.

– Tous les enfants du pays ont connu cela. C'est là que les hommes grandissent.

– Et les femmes ?

– Les femmes je sais pas, moins sans doute. Ça dépend… Mes vieilles tantes elles grandissaient dehors. Ma mère peut-être, je lui ai jamais demandé. Ça me regardait pas son enfance.

– Moi aussi j'aimais ça courir.

– Ah, tu vois ?… Mais après ça passe, faut que ça passe, faut grandir Lili, y a la bière qui prend le relais, le travail, la vie en couple… les gosses que tu fais qui eux recommenceront à courir les bois, les laisseront un jour à leur tour.

– Pour la bière et le reste ? Pourquoi on arrête de courir les bois pour les bars, la dope et tout ce qui nous fait mal ?

– Je sais pas, c'est comme ça. Pour ne pas mourir d'ennui je suppose, d'ennui ou de désespoir. Et puis y a la bête, dans nous. Faut la calmer. Quand tu l'assommes ça va mieux.

Je bois une longue gorgée de bière. Je soupire. Oui, la bête.

– Mais pourquoi ? je dis encore. Pourquoi faut que ça

se finisse toujours, les belles courses à travers forêts et montagnes?

– Parce que c'est comme ça. La loi des choses. Les soucis. Tout s'éteint avec les années.

– Oh non, pas toujours.

– Oh si. Reprends une bière et tire pas cette tronche. Tu feras comme les autres tu verras. Tu courras autre chose que les docks et les bateaux bientôt. Un jour la vie te rattrapera.

– Non pas moi. Moi jamais. J'irai pêcher. Le crabe aussi, un jour.

– Fais attention.

– À quoi?

– À tout. À la vie, ici, partout.

Nous avons bu beaucoup de bières. Le petit homme au feutre mou n'a pas quitté sa place. Il a abandonné le café pour des bloody mary. Ryan s'est détaché du flipper pour se coller au comptoir et maintenant il boit d'un air morose. Deux gaillards qui sentent les appâts et le sel s'offrent bruyamment des shots de Jägermeister. Les épaules de Joey s'affaissent. Le regard noir et triste semble scruter le mien :

– Mais qu'est-ce que tu veux toi pour finir? Tu disais Point Barrow au début, pour des raisons qu'avaient pas de sens, maintenant c'est le crabe qui t'habite. Et puis des fois c'est Hawaï, pour un mec je suppose… M'étonnerait que ce soit pour les beaux yeux d'une femme.

– D'abord je veux pêcher. Je veux m'épuiser encore et encore, que rien ne m'arrête plus, comme… comme une corde tendue, oui, et qui n'a pas le droit de se détendre, tendue au risque de se rompre. Et après Hawaï… Et Point Barrow un jour.

– La pêche… Vous êtes tous les mêmes, vous qui arrivez ici comme des illuminés. Moi c'est mon pays, j'ai rien vu d'autre, pas voyagé plus loin que Fairbanks. Je cherche pas l'impossible. Je veux juste vivre et élever mes gosses. C'est chez moi cette île! Remarque moi je suis rien qu'un con, un sale négro d'Indien…

– Non Joey, j'aime pas quand tu dis ça.

Le bar s'est rempli. Et nous, nous avons pris racine, le cul collé sur nos sièges, les coudes solidement plaqués sur le bois dur du comptoir. L'homme aux cheveux blancs est toujours là, en face de nous. Je lui souris, il agite le bras, deux matelots qui se saluent depuis le pont de leur bateau. Joey a repris et sa voix devient traînante :

– Alors t'as laissé ton pays pour venir pêcher l'aventure…

– Je suis partie c'est tout.

– Pfff! Vous êtes des milliers comme ça, qui arrivez depuis plus d'un siècle. Les premiers c'étaient des féroces. Vous c'est pas pareil. Vous êtes venus chercher quelque chose qui est impossible à trouver. Une sécurité? Enfin non même pas puisque c'est la mort que vous avez l'air de chercher, ou en tout cas vouloir rencontrer. Vous cherchez… une certitude peut-être… quelque chose qui serait assez fort pour combattre vos peurs, vos douleurs, votre passé – qui sauverait tout, vous en premier.

Il boit au goulot de sa bouteille longuement, paupières mi-closes, la repose sur le comptoir, rouvre les yeux :

– Vous êtes comme tous ces soldats qui partent affronter le combat, comme si votre vie ne vous suffisait plus… s'il fallait trouver une raison de mourir. Ou comme s'il vous fallait expier quelque chose.

– Je veux pas mourir Joey.

Il a baissé la tête et s'est mis à marmonner : Sale négro d'Indien. J'ai fini ma bière. J'ai dit merci Joey. Je suis rentrée au *Lively June*. La pluie tombait toujours.

Il a plu pendant cinq jours. Ma jambe désenflait. Le tracé bleuté sous la peau virait au mauve. Joey est repassé et je lui ai fait du café. Il avait retrouvé son visage paisible et triste.

– Sois patiente Lili, il m'a dit, le regard tourné vers la fenêtre d'où tombait une lumière blanche et terne.

Dehors un ciel morne.

– Sois patiente. Tu veux tout et tout de suite. On a dit des bêtises au bar l'autre jour. Des fois ça me prend, je m'énerve contre ceux qui débarquent ici. Je préférais presque les vrais chercheurs d'or. Mais vous, vous cherchez un métal autrement plus puissant, autrement plus pur.

– C'est des bien grands mots tout ça.

– Mais au fond t'avais peut-être raison aussi, hier… Les vétérans, Cody, Ryan, Bruce… Jonathan et tous les autres… ils ne sont pas venus chercher la mort, enfin, pas forcément. *Nature is the best nurse.* Ce qu'ils ont retrouvé ici, en pêchant, le désir de vivre, brutal, le vrai combat avec la nature vraie… rien ni personne n'aurait pu le leur rendre. Nulle part ailleurs sans doute.

– On n'arrive pas tous du Vietnam.

– Non. On a eu les pionniers, puis des hors-la-loi qui cherchaient à se faire oublier. Aujourd'hui on a de tout : ceux qui fuient un drame ou une saloperie qu'ils ont faite. Pour finir, on se coltine tous les révoltés, tous les tordus de la planète qui veulent recommencer une nouvelle vie. Et les rêveurs aussi, comme toi.

– Moi ça m'a pris comme un désir obscur, aller voir au bout de l'horizon, derrière « *the Last Frontier* », je murmure. Mais des fois je pense que c'était un rêve. Que c'est un rêve. Que rien ne peut sauver rien, et que l'Alaska n'est qu'une chimère.

Joey soupire, écrase sa cigarette dans la boîte de sardines vide, il a l'air très fatigué soudain, il a dû rester à boire très tard au bar hier et son visage accuse le coup sans complaisance.

– Ce n'est pas une chimère. De ça au moins tu peux être sûre. Ouvre les yeux, regarde autour de toi…

– Je regarde – oh, je regarde.

– Ailleurs beaucoup d'entre vous seraient déjà morts. Ou enfermés.

– Mais Joey, pourquoi vous courez tous, pourquoi on court ?

– Tout court Lili, tout avance. L'océan, les montagnes, la Terre quand tu marches… Quand tu la parcours, elle semble avancer avec toi et le monde se déroule d'une vallée à l'autre, les montagnes, puis les ravins où l'eau déboule et s'en va vers le fleuve qui court vers la mer. Tout est dans la course Lili. Les étoiles aussi, la nuit et le jour, la lumière, tout court et nous on fait pareil. Autrement on est morts.

– Et Jude ?

– Ton grand marin vaut mieux qu'il coure encore. Autrement c'est qu'il s'est noyé.

Joey est reparti. C'était midi. Je n'ai pas voulu le suivre au Breaker's. Allongée sur ma couchette, j'ai mangé une boîte

de sardines. Dans le ventre du bateau il faisait presque nuit.
J'écoutais. Le bruit régulier de la pluie sur le pont supérieur
comme un crépitement léger. La plainte lointaine d'un oiseau
de mer. Le chuintement de l'eau contre la coque. J'ai écrasé
mon front contre le bois humide. Un cognement contre la
porte m'a réveillée. Je m'étais endormie et je rêvais encore.
Je me suis extirpée de mon duvet. Il n'y avait personne sur le
pont. Un petit fulmar gisait sur le bois détrempé. Une goutte
de sang perlait au renflement de ses narines tubulaires.

– On s'emmerde… dit Murphy.
– Oui on s'emmerde. On pourrait aller faire un tour à
Anchorage pour changer. Je verrais ma fille, peut-être qu'elle m'a
enfin trouvé le livre… Toi tu verrais tes enfants, tes petits-enfants… Y'en a peut-être des nouveaux.
– Et puis on irait dire bonjour aux potes du Bean's Café.
– J'crois que Sid et Léna seraient partants… Tu viens avec
nous Lili ? On prendrait le ferry tous ensemble. Le *Tustumena*
sera là ce soir.
– J'aimerais ça mais j'peux même pas… je réponds en
soupirant, Andy m'a pas payée encore.
Nous regardons la pluie tomber, assis sous l'auvent de la
capitainerie. Le marin mort en mer s'est noyé dans la brume.

Ryan m'a appelée lorsque je passais devant le Ship's :
– Viens prendre une bière Lili !
J'ai hésité. Ses yeux avaient les mêmes reflets que les eaux
gris ardoise du port. L'homme était beau derrière les cheveux
blond cendré qui encadraient son visage.

Le bar obscur était presque vide. La serveuse n'était plus la même. À l'angle du comptoir, sous les tableaux de femmes nues, trois vieilles Indiennes buvaient en silence. Ryan semblait avoir oublié ma présence.

– Et ton bateau? j'ai dit. Quand est-ce que tu le sors pour aller pêcher?

Il a été long à répondre.

– Un jour peut-être... il a marmonné, laconique.

– Ah... Tu es d'où?

– Je viens du cul du monde, quelque part dans les *lower forty-eight*. Mais ça fait longtemps. Et j'ai presque oublié. Et vivement que je finisse d'oublier tous ces culs-terreux... Et toi, qu'est-ce que tu fous ici?

Il ne me regardait pas.

– Je suis venue pêcher.

– Ben tu l'as fait alors. Tu rentres quand?

– Euh... je sais pas. Peut-être jamais.

– T'as pas de mec?

– Non... Enfin, pas ici. Et même.

– On ne veut pas de gens comme toi ici. On est bien entre nous. On ne veut pas de touristes qui viennent faire une expérience, se taper des mecs et raconter après qu'elles ont connu l'extrême.

Je me suis levée. Mon tabouret s'est renversé. J'étais toute rouge, la lèvre tremblante. J'ai marché d'un pas hésitant vers la sortie. On aurait cru que j'étais saoule.

La pluie avait enfin cessé. Murphy et Stephen n'étaient plus là. Sid et Lena remontaient lentement la côte du shelter où attendait sur les marches un petit groupe sombre. J'ai longé les quais en rasant les façades des entrepôts. Je n'irai plus jamais au bar, j'ai pensé. Je suis rentrée précipitamment sur le *Lively June*, manquant glisser sur le ponton détrempé. Le petit fulmar n'avait pas repris vie.

J'ai refait le sac que j'avais défait au matin. Point Barrow ou Hawaï, j'ai pensé encore une fois. Des hommes ont crié sur les docks. Puis le froissement d'ailes d'un oiseau qui prenait son envol. Je me suis terrée dans l'ombre de la couchette, un animal dans sa tanière. J'ai entendu le remorqueur. J'ai attendu la plainte du ferry. Qui n'arrivait pas. L'ombre de Manosque-les-Couteaux a rempli la cabine, le souvenir d'une autre peur et d'un bar enfumé comme unique horizon, quelqu'un dans un blouson de cuir noir et ses santiags défoncées, une chambre humide et sombre comme un caveau, le matelas posé à même le sol et qui avait pourri peut-être. C'était une angoisse, une vision de cauchemar, des vers y grouillaient déjà peut-être, au-dessous du corps de mon naufragé qui m'attendait encore comme il attendait ses tueurs, la seringue à insuline camouflée entre deux bouteilles, le petit chien triste qui guettait mon retour, l'oreille tendue derrière la porte au bois gonflé qui ne se décidait jamais à grincer…

Je me suis réveillée à onze heures. Je me suis levée, habillée. Coiffée. Prête à partir. Mais où? Le ciel était à peine moins clair qu'au coucher. J'ai fini par reprendre mes esprits. Je me suis recouchée. Au matin il faisait beau. Ça allait mieux.

Je marche dans les rues tièdes. Ma jambe est lourde et douloureuse. J'ai pressé le pas devant les bars, traversé la ville assoupie, passé le McDo, continué jusqu'à la poste : j'avais écrit une longue lettre au grand marin. Pour moi il n'y a rien. Je ressors et je marche jusqu'à la petite maison jaune sur sa remorque qui est toujours en vente. Je repose ma jambe, assise sur les marches de bois. Je rêve que ce sont les miennes. Avoir une toute petite maison couleur bouton-d'or. Je la mettrais sur un terrain vague et elle serait toujours là pour quand je rentrerais de pêche. L'idée est jolie et me remplit de joie. Je me relève et coupe à travers la parcelle herbeuse, dépasse l'épave de Jude dans laquelle nous nous étions réfugiés un jour, gravis la côte jusqu'au shelter. La porte est ouverte. À droite de l'entrée, une grosse thermos de café trône sur une table entourée de tasses, le sucre, une corbeille qui déborde de biscuits. Un homme est assis derrière un bureau, le front penché sur un registre. Je tousse, je demande Jude. L'homme hausse des sourcils noirs, dessous un regard jaune que je reconnais. J'ai rougi. Il rit :

– Tu viens pour Jude ?

Je bafouille :

– Oui… enfin, pour le Jude de Hawaï, mais là je voudrais parler au Jude du shelter.

Il s'est levé et il sourit. L'homme est costaud, épaules de

bûcheron, visage marqué, creusé des rides de l'effort et de marques plus anciennes, les balafres d'une vie excessive. Il a vu mon regard sur la thermos et les biscuits.

– Sers-toi du café… il me dit. Je suis Jude père. Et toi tu es Lili.

– Je crois qu'il n'a pas reçu mes lettres.

– Je l'ai eu au téléphone il y a deux jours. Il m'a demandé si tu étais passée. Toujours pas de travail à part ça. Il a parlé d'aller chercher un embarquement à Honolulu. Il t'attend.

L'homme a la voix du grand marin. Le vieux cuir de sa peau m'attire et m'embarrasse. Je baisse les yeux. Le soleil entre à flots sur les carreaux gris. Il se dirige vers la bonbonne, emplit une tasse de café qu'il me tend.

– Un sucre?

– Non, merci.

– Un biscuit?

– Ça je veux bien.

Et quand je tends la main vers la corbeille de cookies il ne peut s'empêcher de rire.

– À côté de toi j'ai des mains de bébé… Tu as du travail en ce moment? il demande.

– Peut-être aider à creuser une tranchée. Dès que j'en serai capable… je réponds tristement. Je me suis fait mal en tombant dans la cale du *Rebel*… J'espère aussi pouvoir faire la prochaine ouverture du flétan. Dès que j'ai de l'argent, je rejoins Jude.

– Tu as un endroit où dormir?

– Oui. J'ai le *Lively June*.

Il sourit encore. Je ne comprends pas pourquoi.

– Tu t'appelles June aussi?

– Non. Je m'appelle Lili.

– Viens au shelter si tu as un problème. Il n'y a jamais guère de femmes. Tu y seras bien. Un dortoir et quatre douches rien que pour toi. Et la soupe du soir.

– Oui je sais… Murphy m'a dit.

– Je donnerai de tes nouvelles à Jude dès qu'il m'appellera. Le courrier est parfois très long à arriver tu sais.

Il a un dernier regard sur mes mains :

– À bientôt.

Je suis ressortie. Le soleil éblouissant et la petite route blanche. J'ai croisé deux hommes qui rentraient au Shelikof's, leur sac de mer sur l'épaule. J'ai continué vers le port. Un pick-up Chevrolet arrivait en face de moi. Il freine en pilant. La poussière fait un halo doré. Andy baisse la vitre et m'appelle. Un instant je m'affole mais il sourit. Le pli de sa bouche semble carnassier sur la mâchoire carrée.

– Tu travailles? Je cherche du monde pour repeindre le *Blue Beauty*. Y en a bien pour trois semaines de taf.

– Quand? Où?

– Sois sur le chantier de Tagura demain à sept heures. Le *Blue Beauty* est sur cales à côté du radier.

Il repart. J'ai encore oublié de lui demander mon chèque.

Je repeins la salle des machines. Andy me paye six dollars de l'heure. Pour les autres c'est dix. Je les entends au-dehors. Ils grattent la coque, redressent l'hélice, changent les plaques de zinc rongées par l'électrolyse. Ils parlent fort, apportent des bières parfois, et alors c'est le bruit des canettes que l'on décapsule qui résonne jusqu'à moi.

Et puis je ne les entends plus guère. Le trichlo pour dégraisser le fond de cale et les moteurs me monte à la tête. La peinture m'achève. J'enroule un foulard autour de mon visage. Cela n'arrête pas les vapeurs. J'ai demandé un masque à Andy : il m'a rapporté des filtres antipoussière. Ça ne marche pas non plus. Quelquefois je sors respirer sur le pont. La lumière m'aveugle. Je titube. Je bois un café et fume une cigarette sous le ciel qui m'aspire. Andy m'a promis le droit de repeindre le mât si je travaille vite et bien. Je retourne dans la salle des machines pour finir au plus vite, avant qu'il envoie quelqu'un dans le mât à ma place. Les autres s'en vont. Je reste seule à bord.

Un bruit sourd sur le pont me réveille un matin à cinq heures. J'enfile un pantalon. Un gars extrêmement long et maigre se tient dans le carré.

– Salut, il dit, je suis Tom… une nouvelle recrue pour le job.

Je me recouche, tout habillée sous ma couverture un peu sale. Il passe dans l'entrebâillement de la porte une tête d'échassier, me demande trois fois si je ne suis pas *lonely*.

– Je ne le suis pas, je réponds.

Je me redresse et depuis ma couchette je demande :

– Tu es drôle… Excuse-moi de te poser une question aussi stupide mais t'as pris de la coke ?

– De la coke ? T'y connais quelque chose toi ? Non je n'en ai pas pris depuis au moins quinze jours.

– J'y connais rien c'est vrai. T'es drôle c'est tout.

Je me rendors.

Tom revient d'un mois de pêche au colin. Mauvaise pêche, me dit-il d'un air sombre. Les cernes mauves, de la même teinte que ses prunelles, lui font des yeux démesurément grands, épuisés dans le long visage émacié. Il a un regard qui me happe. Sa pomme d'Adam très saillante s'agite avec lui lorsqu'il parle, un drôle d'oiseau prisonnier entre les tendons du cou maigre. Il continue, assis sur la lisse, les jambes agitées de secousses nerveuses comme s'il était prêt à bondir sur le pont toujours :

– J'ai encore perdu mon temps. Pas fait une thune. C'est presque une chance qu'on ait déchiré le chalut, j'ai pu me barrer. Maintenant ce job pour Andy… Ça me fera trois ronds avant de rembarquer. Il me tarde d'ailleurs. C'est souvent plus fatigant d'être en ville, question dope et *booze*… Mais quoi faire avec cette rage, cette chose furieuse que j'ai à l'intérieur ? Comment faire vraiment pour la calmer autrement qu'en l'écrasant ? L'épuisement. Tout est bon pour. Plus c'est violent meilleur c'est.

– Toi aussi t'es un héros, je dis rêveusement.

Tom ricane.

– Un héros ?

– Ben oui, un dieu de la mythologie quoi.

Cette fois il rit pour de bon et m'envoie une bourrade.

Tom m'apprend à soulever des poids très lourds en utilisant mes cuisses comme leviers. Nous nous entraînons sur le pont du *Leviathan*, le bateau voisin. Un jour je déplace un casier à crabes de trois cents kilos, par à-coups, depuis la cambuse jusqu'à la lisse.

– Maintenant tu peux aller pêcher le crabe sur la *Boring sea**.

– Pourquoi la *Boring sea* ?

– Parce que cette mer, autant elle peut être mauvaise, des creux de cinquante pieds ou plus, autant tu peux crever d'ennui

quand c'est le calme plat, un vrai désert... à se tirer une balle
– la cure de *rehab*, on l'appelle aussi.

– Pourquoi *rehab* ?

– Parce que c'est la cure de sevrage obligée, rapport à la
dope.

– Ah. Tu crois que j'irai un jour ? Tu penses que je serai
capable ?

– Reste têtue, renonce jamais, t'y arriveras comme les autres.

Un soir que je rentre du parc Baranof, ils sont deux au
bateau, assis à la table du carré. Le crâne nu de l'homme
brille sous le néon pendant qu'il prépare les lignes de cocaïne.
La barbe fine et tressée disparaît entre ses cuisses. Je reconnais
celui qui se faisait sortir du bar quelques jours auparavant. Il
roule un billet d'un dollar, sniffe longuement, se tourne vers
moi les yeux brillants, le regard un peu fou.

– T'en veux ?

– Oh non... je réponds en pensant oui.

– Je t'ai vue sur le port souvent... il reprend, le regard ardent.
Moi c'est Blake. Et je peux te surprendre, tu sais... Je peux
vraiment te faire crier si seulement tu veux bien me suivre...

Tom rit. Je m'assieds avec eux. Les deux hommes parlent
bateaux, skippers et dope. Une lettre du grand marin dans
ma poche me brûle la cuisse. Blake ne propose plus de cocaïne.
Il roule un joint d'herbe.

– T'en veux ?

– Non, je réponds gênée, après je m'évanouis.

– Petite nature, va...

Je rougis de honte.

Au matin j'ouvre les yeux.

– *Good morning*, dit Tom depuis sa couchette.

– *Good morning*, je réponds depuis la mienne.

Et je vais faire du café en chantant.

La coque est repeinte de neuf, recouverte d'antifouling, l'hélice rutile au soleil. Tom a embarqué sur un autre chalutier. Il m'a donné une accolade et m'a dit : À bientôt à Dutch, j'te payerai un coup à l'Elbow Room, le bar préféré des *crabbers*… Je continue seule. Je travaille longtemps et tard. Puis je marche à travers la ville, un peu égarée, jusqu'au B and B. J'ai mal au ventre et j'ai très soif. La serveuse s'exclame lorsque je pose mes mains sur le comptoir :

– Elles sont repeintes de neuf elles aussi.

J'ai de la peinture sur le visage, des mèches restent collées entre elles. Les gars autour de moi s'inquiètent :

– Tu vas crever si tu continues… Faut porter des gants et pas se laver au trichlo. C'est du poison cette merde.

Je ris et je redemande une bière.

Il fait nuit noire et je rentre en tanguant. Ma tête est légère, je pourrais toucher les étoiles. Je m'endors d'un coup. À six heures je suis debout. Je bois un café en regardant le mât – bientôt il est pour moi – avant de redescendre dans la salle des machines.

Le mal au ventre me réveille un matin. Je me lève et le monde tourne. Je me rattrape de justesse au mur. À midi je rejoins la ville. Je mange assise contre les jambes du marin perdu en mer. Les corbeaux font cercle autour de moi et chacun a droit à un morceau de surimi. Scrim me croise devant le coffee-shop :

– Tu es saoule ?

– Non c'est la peinture, je réponds en me frottant les yeux.

– Faut que tu arrêtes… Tu vas finir légume.

L'idée me fait rire. Quand je rouvre les yeux il a disparu. Des larmes me perlent aux paupières. Perdue soudain, je reste plantée sur le trottoir. Une auto s'est arrêtée. Brian me hèle :

– Où vas-tu ?

– Je sais pas.

– Monte !

Je me laisse aller contre le dossier, il sent bon l'after-shave Old Spice. Brian m'observe dans le rétroviseur. Je ferme les yeux.

– Ça va pas ? Qu'est-ce t'as pris comme cochonnerie ?

– Je prends pas de cochonneries, des bières un peu le soir et même pas toujours… et là je vais être en retard pour le travail. Faut vraiment que je termine la salle des machines si je veux repeindre le mât tu sais.

J'ouvre les yeux quand le moteur ralentit, je vois les *city docks*, et le *Venturous*.

Brian a fait un café à la belle machine à espressos. Il m'a donné un cookie. Il me désigne la cabine entrouverte :

– Maintenant tu t'allonges et tu dors.

– Est-ce que tu me prendrais comme matelot pour ta saison de crabe ?

– On en reparlera plus tard… Va dormir.

Je croise Andy quand je redescends vers le chantier. Il n'a pas l'air content de me voir dans les rues à cette heure.

– La peinture me rend malade, je bredouille. Tout tourne.

Alors il se radoucit et il me donne la journée :

– Bois du lait. Beaucoup. Dors. Et reviens demain. Il faut finir la salle des machines au plus vite.

– Est-ce que je vais vraiment repeindre le mât après ?

Un homme pose son baluchon sur le pont, le lendemain.
– J'arrive de loin, il dit. Andy vient de m'embaucher pour
repeindre le pont. J'espère que ça va le faire parce que j'ai plus
de papiers depuis longtemps… Au fait, je m'appelle Gray.
C'est vrai il est tout gris, depuis son visage jusqu'à ses
vêtements râpés, ramassé sur lui, la tête enfoncée entre ses épaules
râblées, son regard étrange, doux comme la glace sous le soleil.
– Mais vous n'allez pas repeindre le mât ? je demande avec
inquiétude.
Il s'éponge le front et ne répond pas. Quelques rares cheveux
remuent dans la brise. L'homme reprend son sac, entre dans
la cabine et jette son bagage sur la couchette qui fait angle
avec la mienne. Il déballe quelques affaires, sort une bible qu'il
place sur l'oreiller.
– Moi c'est Lili, je dis alors. Je repeins la salle des machines.
Servez-vous du café. Et le mât il est pour moi.

– Bonne soirée Gray. Je vais faire un tour au bar. Il y en a
des pas mal ici…
Les yeux bleu-gris aux reflets étranges me regardent avec
douceur. Mais la bouche épaisse a un pli sévère :
– J'ai connu cela il y a longtemps, le bar. C'est mal, c'est
pas bon pour toi. Je sais ce qu'il te faut moi…
Dans l'encadrement de la porte la grosse carrure fait
barrage entre moi et le beau ciel du soir, la grue orange, l'eau
qui miroite par-delà le radier. Je file. Le vent souffle. Deux
femmes saoules s'invectivent devant le B and B, leurs cheveux
battant l'air comme des bêtes exaspérées. J'ai poussé la porte.
Elles me suivent. Assis derrière la vitre je reconnais Dean qui

travaillait sur l'hélice du *Blue Beauty*. Il pianote nerveusement sur un coin de table, les genoux agités de secousses fébriles.

— Bonsoir Dean…

— Oh… Lili.

Son regard court de moi à la fenêtre, mal à l'aise.

Aujourd'hui vendredi, *pay day* pour lui. Je lui avais passé deux cents dollars quand Andy m'avait enfin payée. Je sais tout de suite en le voyant qu'il ne pourra rien me rendre, ni aujourd'hui ni jamais.

— Tu comprends, il dit, il me reste cent dollars à peine. Et j'attends un mec…

Un mec — crack ou cocaïne ? Je hausse les épaules et marche vers le fond du bar. Ed, le petit chauffeur de taxi, s'excite sur son tabouret, les yeux brillants. Il agite ses bras dans les airs, petites mains d'enfant qui tournoient comme deux toupies et de plus en plus vite.

— Je suis tellement emmêlé dans toutes ces histoires ! il crie de sa voix aiguë.

À ses côtés il y a Ryan, avachi sur le comptoir, et un vieil homme derrière son whisky, barbe jaunie de nicotine, cheveux épais et blancs qui encadrent un beau visage régulier. C'est Joy-cheveux-rouges qui m'apporte la bière ce soir. Les deux femmes saoules se regardent d'un œil torve d'un bout à l'autre du bar. L'une s'effondre contre le juke-box avant de se relever lentement. Elle parvient à regagner le comptoir auquel elle se raccroche comme à une bouée, son regard myope tout à fait perdu derrière les lunettes qui se sont tordues dans sa chute.

— Elle ferait une pipe à n'importe qui ! Pour cinq dollars…

pour qu'on lui paye un coup à boire… clame celle qui est restée debout, ses beaux yeux verts lançant des éclairs. Moi au moins je les fais pour rien !

Dean et son dealeur baissent les yeux. Dean a un regard de chien battu et me regarde comme s'il fallait les excuser.

— Du calme les filles, lance Joy de sa voix puissante, autrement je vous fous dehors !

Le vieil homme au visage blanchi boit à mes côtés. Il me tend un petit sac rempli de saucisses sèches.

Nous mangeons sans un mot. Puis il dit :

— Je m'appelle Bruce.

Dean s'est faufilé jusqu'à moi. Le mec est ressorti. Je lui offre une bière.

— Désolé Lili, je pourrai rien te donner encore, j'ai plus une thune. Et demain faut sans doute que j'aille en prison. Une vieille histoire d'alcool à régler. Depuis le temps qu'ils me courent après… rit-il. Remarque, ça me fera des vacances… une semaine de *rehab*. Blanchi, nourri, logé, télé en prime…

Il demande deux tequilas. Nous rions enfin. Deux hommes aux cheveux très noirs se sont approchés de nous.

— C'est bien toi la nana qui bouffait un poisson dans la baie de la Terreur ?

Je me souviens du seiner qui avait mouillé non loin du *Milky Way*, la nuit du saumon cru.

— Vous êtes du *Kasukuak Girl* ?

— Bouffer le poisson cru… Elle ferait une bonne squaw, dit le plus âgé des deux en riant.

Dean est parti. Le ton monte entre Bruce et Ed, le *cabdriver* aux mains de verre qui vocifère à présent. Bruce dit qu'il aurait

fallu lancer une bombe atomique sur Hanoi dès le début de
la guerre. Ed renverse son verre.

— Du calme, les gars… gronde Joy depuis l'autre extrémité
du comptoir.

— Mais pourquoi tu dis cela?, je demande avec angoisse.
Pourquoi une bombe atomique? C'était déjà assez horrible,
non?

— Justement, il répond d'une voix basse, presque inaudible,
tout serait allé vite au moins. Ça aurait évité le napalm, l'horreur
et la folie qui se sont éternisées.

— Mais Bruce, pourquoi est-ce qu'il faudrait toujours
remplacer l'horreur par une autre horreur?

Bruce écarte les mains dans un geste d'impuissance:

— Parce que c'est comme ça. Parce que l'horreur est là,
toujours.

Je ne dis plus rien. Je regarde Bruce qui regarde au loin,
d'un regard pensif, vide peut-être.

— Je donnerais ma vie, tu m'entends, il murmure, je donnerais
ma vie, tout de suite, sur ce coin de comptoir, si je pouvais
éviter qu'un autre vive ce que j'ai vécu. Ma vie elle est finie.
Mais si ce qui en reste pouvait au moins servir à empêcher
qu'une seule personne voie cela, en meure…

Il se tourne vers moi:

— C'est pas ton histoire, toi, tu dois aller pêcher.

Une main puissante se pose sur mon épaule. Je sursaute et
me dégage. Glenn, le skipper du *Leviathan*.

— C'est donc toi qui bosses pour Andy? Il ne m'a dit que
du bien de toi… Ça te dirait de venir repeindre le *Leviathan*?

L'homme est très grand, un profil taillé au couteau, des

yeux de braise dont l'un est barré d'une balafre, qui part de la joue et remonte le long de l'arcade sourcilière.

– Oh non, je peux pas…

Sa hanche s'est collée à la mienne. Je me lève et enfile ma veste.

– Où tu vas?

– Je rentre. Il est tard. Je commence tôt demain.

– Cette nuit tu restes avec moi, il dit en posant sa main sur mon poignet. C'est comme ça.

Je me dégage.

– Merci pour le verre.

J'ai filé. Dean sort du Breaker's quand je passe le square déserté. Il vient vers moi le pas dansant :

– Je te raccompagne. C'est pas une heure pour une femme seule. Jusqu'au chantier naval en plus.

Il prend mon bras. Je me dégage. Je ris tête renversée. Le ciel pâle de la nuit d'été. Il prend mes deux mains. Nous rions ensemble. Et puis je le repousse et je rentre. Les bateaux morts se découpent sur la mer le long du terrain vague de Tagura. Des vagues clapotent contre les rochers. Les épaves semblent avoir été piquées sur la toile mouvante de l'eau. Quelques capsules brillent sur la route. On dirait le chemin du Petit Poucet. Je remonte silencieusement l'échelle, enjambe le bastingage, saute sur le pont sans bruit. La bible ouverte est posée sur la table du carré. Gray respire lourdement dans la cabine. Il dort.

Gray repeint le liséré de l'hiloire. Je suis remontée prendre l'air un instant.

L'homme donne des coups de pinceau lents et précis.

– Un jour j'aurai ma maison à moi, il dit rêveusement.
Je ne la peindrai qu'au pinceau. C'est plus long mais ce sera
parfait.
Puis il chantonne :
– C'est beau le rouge… c'est beau.
Le soleil du matin glisse sur son cou, un souffle d'air
agite ses quelques cheveux gris. Il travaille bien. Il est patient. La
peinture a coulé le long du manche sur ses doigts épais, englué
quelques poils noirs. Il claque de la langue avec agacement,
s'interrompt un instant, regarde ses mains qui luisent au soleil.
– Tu aimes la couleur rouge toi aussi ? il reprend de sa voix
feutrée. Et la couleur rouge sang, tu aimes ?
Je ravale ma salive et finis mon café. Je redescends dans
mon antre obscur. La salle des machines est presque terminée.
J'ai mal au ventre quand je me couche mais ce n'est plus
la peinture. Le souffle lourd de l'homme qui se tourne dans
son sommeil est presque à mes côtés, et alors son grognement
sourd, un gémissement parfois, ce souffle rauque quand il
rêve… Je me lève en silence. Je roule mon duvet entre mes
bras et rejoins la timonerie. Le ciel de la nuit est là, quelques
filets d'eau glissent sur les vitres. Dehors il pleut. Je m'endors
sur le plancher de toujours.

Andy sourit en gonflant la poitrine :
– Demain tu attaques le mât.
J'ai attaqué le mât. Dessous c'est le vide. Puis le dur : le
pont d'abord. Puis la terre ferme beaucoup plus bas. Si je me
loupe je tombe. Lili petite crêpe, écrasée sur le goudron. Gray
serait content, lui qui aime le sang. Il m'a fallu tout poncer.

J'enroule une jambe autour du mât. C'est elle qui me maintient. L'autre pend dans le vide. Je m'étire pour atteindre au plus loin, jusqu'à me retrouver presque à l'horizontale. J'ai le vertige. Puis je prends de l'assurance et cela devient inné comme un instinct de bête. Mon corps connaît la loi des forces sans que j'aie même à y penser. Dessous les autres. Les pauvres, je pense, qui se traînent à terre comme des fourmis… Pauvres, pauvres d'eux. Moi je suis dans les airs. C'est quand même plus beau. Un goéland juvénile, gris sale, m'observe depuis la barre de l'antenne. Nous nous regardons un moment l'un et l'autre. Je reprends le travail.

Midi. Nous mangeons ensemble avec Gray. Il a sorti un morceau de pain qu'il bénit. Puis il le tranche avec son couteau. Il l'accompagne de beurre de cacahuètes et de Spam. La vieille lame est devenue concave à force d'avoir été aiguisée. Sur le vieux manche de bois poli, un peu de peinture de l'hiloire a coulé. Sa grosse mâchoire broie le pain sans un mot. J'ai préparé le café. Mes poignets sont douloureux et je les malaxe longuement. Il relève ses yeux gris, regarde ses mains :

– Tu penses que j'ai des mains puissantes ? il dit de sa voix lointaine, les tournant rêveusement. Moi je n'en suis pas sûr…

– Oh oui elles sont fortes tes mains, je réponds. Les miennes me font mal en tout cas, et tout mon corps avec.

– La douleur est bonne… La douleur est si bonne, n'est-ce pas ?

Je hausse les épaules et retourne jouer avec le vide… Le plaisir et la fierté d'être perchée en haut du mât. Le vent siffle à mes oreilles. Si je manque mon coup je meurs.

J'ai fini le mât et j'ai refait mon sac. Gray s'est éloigné avec son baluchon, petite forme grise et lente qui s'amenuisait sur le chemin, le dos rond toujours. Son sac était-il si plein, sa bible si lourde ? Un instant j'ai eu de la peine pour lui. Le *Blue Beauty* retournait à l'eau. J'ai regardé le *travel lift** avancer sur les *bajoyers**, le bateau reposant sur des sangles énormes, soulevé de terre comme une coquille de noix. Très lentement l'engin l'a fait descendre dans le radier. Étale de haute mer. Le *Blue Beauty* a semblé reprendre vie lorsqu'il a touché l'eau. Et moi j'ai eu le cœur serré. J'aurais voulu être un bateau que l'on rend à la mer. Je me suis arrachée du chantier naval. Un cafard terrible m'a saisie. J'ai eu peur. Le travail était fini pour moi. J'étais nulle part à nouveau. Le grand marin m'attendait – mais attendait-il encore ? – Andy payerait-il ? Et quand…

Il y avait ce truck abandonné au bord du rivage. J'ai marché dans les hautes herbes en m'accrochant aux ronces. La porte avant était entrouverte : j'ai poussé mon sac sous la banquette et refermé la porte. J'étais plus légère soudain, Andy me payerait bien sûr et moi j'irais à Hawaï. J'ai rejoint la route, regagné la ville. J'avais froid malgré le soleil. J'ai erré dans les rues. Le grand gaillard chauve à la barbe de mandarin marchait vers moi.

– Hé Lili ! C'est pas encore aujourd'hui que je te fais crier ?

J'ai ri, un peu.

– Non, pas aujourd'hui… Je m'ennuie, le *Blue Beauty* est retourné à l'eau et j'suis perdue. Je voudrais travailler encore. Et puis il faut que je gagne mon billet pour Hawaï.

– Allons nous saouler ! Et après je te surprendrai…

– J'ai pas envie de me saouler ni même de te suivre.

Blake a soupiré.

– Tu m'déçois Lili… Va sur les quais de Western Alaska si tu veux vraiment bosser, y a à faire sur les lignes du *Boreal Dawn*. Il revient des Pribilof et repart bientôt vers Adak. Les îles Pribilof et les Aléoutiennes… J'ai pensé à Jude qui rêvait de retourner pêcher.

– *I've stayed on the rock too long*… j'ai murmuré, les mots qu'avait maugréés Tom un soir qu'il était rentré défait encore, hâve, pantin prisonnier de sa pauvre carcasse, soudain écœuré par sa vie à terre, les bars, la dope, cet appel furieux toujours à sortir de soi-même pour le déséquilibre, la folie, l'excès.

J'ai marché jusqu'aux conserveries. Le *Boreal Dawn* était amarré contre l'*Abigail*, les moteurs à l'arrêt. Je suis restée plantée sur le quai, souffle coupé. Grave et silencieux, sombre et majestueux sur les eaux claires du matin, il était beau comme une église. Bientôt il repartait en pêche. Il était bien trop beau pour moi, petite femme au torse maigre, aux bras chétifs. Le rire clair d'un gars sur le dock s'est mêlé au cri des oiseaux. J'ai eu envie de pleurer comme si je perdais la bataille. Il y avait trop d'hommes toujours, partout, je ne pourrais jamais mener ma vie comme la leur. Et je n'irais sans doute jamais sur la mer de Béring. Une fois de plus j'ai senti l'humiliation d'être femme parmi eux. Ils revenaient du combat, moi j'arrivais des rues du port…

Les matelots étaient penchés sur les baquets de fer. L'un d'eux a levé la tête et m'a fait signe de descendre.

– Y a du boulot en masse si tu veux te faire trois sous…

Tina Turner braillait à fond sur le pont. Un sursaut de joie furieuse m'a sauté au cœur. J'ai agrippé l'échelle de fer et je les ai rejoints.

Niképhoros m'arrête lorsque je rentre au soir. Il m'offre un verre et m'invite à une partie de billard. Je joue très mal. Un gars s'approche, il veut me montrer comment tenir mon bâton. Niképhoros devient fou. Il lance sa canette à travers la salle. Elle frôle la cloche de cuivre et manque le miroir de peu. Joy l'Indienne pousse une gueulante. L'homme bat en retraite. Niképhoros ferme les yeux et respire un grand coup. Les ailes de son nez frémissent comme les naseaux d'un cheval fou. Je me fais toute petite et retourne m'asseoir derrière mon verre de bière. Bruce me sourit depuis l'autre bout du comptoir.

Niképhoros s'est calmé. Il dit qu'il me construira un bateau, qu'il me présentera à sa mère en Grèce qui va m'aimer beaucoup c'est sûr, que d'ailleurs on se mariera là-bas, qu'alors on restera ensemble à la vie à la mort – et qu'il tuera quiconque me manque de respect.

– La Grèce… il dit encore – ses prunelles noires ont la douceur triste du velours. Ça fait plus de vingt ans et ça me manque toujours autant. Les odeurs… quand tu marches dans les collines et que tu fermes les yeux… Tu sais que tu vas pouvoir reconnaître chaque plante, chaque herbe, chaque fleur que ton pied a foulées tant le soleil a brûlé la terre, tant les parfums sont puissants là-bas.

– Oui, je murmure, et les cigales…

– Et les cigales aussi, qui gueulent dans la lumière et le feu du soleil. Le soleil, un couteau blanc entre nos épaules…

La salle s'est remplie. Les gars du *Mar Del Norte*. Le chalutier a bien pêché. La patronne sonne la cloche. Tournée générale.

– *Do you want go to Hawaii ?* demande Niképhoros encore.

Oui je veux y aller, peut-être, mais pas avec lui. Alors je quitte le bar.

Il y a toujours la grosse bonbonne de café et les biscuits quand je franchis la porte du shelter. Jude père, à l'entrée, lève sur moi son regard pénétrant.

– Bonsoir Lili… Dure journée de travail ? Des nouvelles de Jude ?

J'ai rougi, encore, je murmure :

– Pas depuis quelque temps. Il bossait dur dans sa dernière lettre. Et moi le *Blue Beauty* est retourné à l'eau… J'ai appâté aux conserveries et on m'a dit qu'il y avait à faire sur l'*Alutik Lady* pour les prochains jours. Mais là je viens juste voir si je peux dormir au shelter.

– Tu n'as plus le *Lively June* ?

– Je pourrais si je veux.

Il me tend le registre. Je remplis un formulaire. Il y a du monde autour de la table, trois planches posées sur deux tréteaux dans un coin de l'entrée. Les gars, assis devant leur énorme assiettée de pâtes à la viande hachée, se poussent pour me faire une place. Je retrouve ma famille, mes frères, j'étais simplement en retard pour le repas du soir.

– T'arrives à temps… dit mon voisin, un homme efflanqué à l'immense nez busqué, aux dents chevalines. Mais la bouffe a refroidi, tu devrais mettre ton assiette au four micro-ondes.

– Je ne sais pas comment ça marche… je murmure confuse.
Les gars rient gentiment. Le vieux cheval fatigué se lève et le
fait pour moi. Je dévore. Debout dans l'angle de la pièce, Jude
nous regarde manger, les bras croisés, le sourire bienveillant
d'un père posé sur sa marmaille. C'est lui qui prépare les repas.
Nous prenons le café sur les marches de ciment. Devant
nous le ciel se couvre sur le mont Pillar, des lambeaux de brume
s'accrochent au vert profond des pins. Trois hommes cuivrés
parlent entre eux en mexicain. Un gars que je reconnais pour
l'avoir vu sur le pont du *Guardian* vient s'asseoir à mes côtés.
Je lui donne une cigarette. Il me tend son briquet.

– Où sont Sid et Lena, et Murphy ? Et le grand physicien ?
Tu sais ? je demande à Jude lorsque nous regagnons les dortoirs
– les hommes à droite en troupeau serré, moi toute seule à
gauche.

– Pas rentrés d'Anchorage encore… C'est l'été, faut qu'ils
en profitent. Murphy doit être chez ses enfants. Ou au Bean's
Café. Quant à Stephen… peut-être qu'il a enfin trouvé son
livre, tu sais, le livre qui doit l'aider à changer la théorie de la
relativité.

– Oui, je sais, il m'en a parlé.

Il pleut pendant trois jours et c'est l'automne – *the fall**, ils
disent. La chute de quoi ? Des feuilles, de la lumière… La nôtre ?
Le soleil de l'été a brûlé nos ailes et nous retombons comme
Icare. La lumière sur les eaux du port est une gifle, je suis les
quais, les rues sont désertes. Un cab attend devant les lavabos
du port. Le chauffeur, un gros homme rouge, s'est endormi, la
tête basculée en arrière. Je traverse le square. L'odeur fade des
conserveries est plus lourde aujourd'hui. Elle semble suinter

des petites façades ordinaires. Mais des senteurs plus puissantes
nous arrivent du large. On dirait que le vent se lève. Vent du
nord? La marée monte. Deux gars dépenaillés s'invectivent
sur un banc. Des éclats de voix, des cris, juke-box hurlant,
s'échappent des portes béantes du Breaker's. Je traverse la rue.
J'hésite, j'entre le cœur battant. Je me glisse au bout de la rangée
des vieilles Indiennes qui sont assises dans l'ombre, très droites
et dignes devant leur whisky. La dernière de la file me salue
d'un hochement de tête. Je le lui rends. Son visage est resté
de marbre. Elle sort une cigarette et la porte à sa bouche du
bout des doigts. La serveuse vient vers elle, derrière l'énorme
comptoir de bois en U où sont gravés des noms.

– Le taxi est là Elena…

Elle se lève alors. Le gros homme rouge qui dormait dans
son taxi la prend doucement par le bras et l'aide à marcher
jusqu'à la sortie. Ses voisines n'ont pas bronché. Elles hochent
seulement la tête.

– Elena est bien fatiguée aujourd'hui… dit l'une.

– Sûr… répond l'autre avec douceur.

Je demande une Bud et du pop-corn, je sors une cigarette
du paquet glissé dans ma botte et me tasse sur mon tabouret.
Je fais la vieille Indienne aussi. Les hommes pourraient s'y
laisser prendre des fois. Alors ils me laisseraient tranquille. Un
gros gaillard pose une patte sur mon épaule :

– *Are you a native, girl?*

Je me tourne vers l'homme :

– Non.

– J'te paye un verre… Rick. *Crabber* devant Dieu tout-
puissant, et toutes les forces de la Création.

– Lili… P'tite Lili devant l'Éternel, et un jour j'irai pêcher le crabe sur la mer de Béring moi aussi.

L'homme a un sursaut :

– J'te paye un verre d'accord, mais c'est pas pour t'entendre dire des conneries. Parle-moi d'autre chose, de ta pêche au saumon, de ta saison du hareng, à la rigueur du chalutier sur lequel tu bosses… Mais pas de pêche au crabe, tu ne sais pas ce que c'est. C'est la vie des mecs qui est derrière. N'entre pas dans ces histoires d'hommes… T'es pas de taille.

– J'ai fait une saison de morue noire sur un palangrier, je murmure.

Rick le *crabber* se radoucit :

– *OK sweetheart.* Mais qu'est-ce que tu veux aller foutre là-bas ? De quoi tu veux te punir ?

– Vous le faites bien vous… Pourquoi j'y aurais pas droit ?

– T'as mieux à faire… Avoir une vie à toi, ta maison, te marier, élever tes gosses.

– J'ai vu un film avec mon skipper… Les casiers géants qui basculaient dans les flots… L'océan bouillonnait, c'était comme être au cœur d'un volcan, les vagues faisaient des rouleaux noirs, on aurait dit de la lave, jamais ça s'arrêtait… Ça m'appelait. Je veux être dedans moi aussi. C'est là qu'elle est la vie.

La serveuse nous a apporté deux bières. Rick se tait.

– Je veux me battre, je continue dans un souffle, j'veux aller voir la mort en face. Et revenir peut-être. Si je suis capable.

– Ou ne pas revenir, il murmure. C'est pas un film que tu vas trouver mais la réalité, la vraie. Et elle ne te fera pas de cadeau. Elle est impitoyable.

– Mais je serai debout ? Je serai vivante ? Je m'battrai pour ma vie. C'est la seule chose qui compte, non? Résister, aller au-delà, surpasser. Tout.

Deux hommes se sont empoignés dans l'arrière-salle. La serveuse pousse une gueulante. Ils se calment. Rick regarde au loin, un très léger sourire sur ses lèvres pleines, il soupire :

– C'est la raison qui nous pousse tous à le faire. Résister. Lutter pour notre vie dans des éléments qui nous dépasseront toujours, qui seront toujours les plus forts. Le challenge, aller au bout, mourir ou survivre.

Il roule une boulette de tabac qu'il glisse entre sa lèvre et la gencive.

– Mais tu ferais mieux de te trouver un mec, rester au chaud et à l'abri de tout ça.

– Je mourrais d'ennui.

– Moi aussi je serais mort d'ennui s'il m'avait fallu choisir un job peinard...

Il soupire, boit une gorgée de bière, reprend :

– Mais c'est pas une vie quand même le bateau, ne rien avoir à soi, jamais, se faire utiliser d'un embarquement à l'autre. Et toujours devoir refaire son sac, refaire le sac de sa pauvre vie. Recommencer toujours, chaque fois... C'est épuisant au bout du compte, désespérant et épuisant.

– Il faudrait trouver un équilibre, je dis, entre la sécurité, l'ennui mortel, et la vie trop violente.

– Il n'y en a pas, il répond. C'est toujours tout ou rien.

– C'est comme l'Alaska, je dis encore. On oscille sans cesse entre la lumière et l'obscurité. Toujours les deux courent et se poursuivent, toujours l'une veut gagner sur l'autre, et l'on bascule du soleil de minuit à la grande nuit d'hiver.

– Tu sais que c'est pour cela que les Grecs appelaient le Grand Nord le pays de la lumière?

Niképhoros m'a cueillie quand je sortais du bar. Un van noir freine devant le Breaker's en soulevant la poussière. Superbes l'un et l'autre. Il se penche à la fenêtre et m'appelle, les sirènes de ses bras semblent rouler dans les arabesques des vagues quand il fait jouer ses muscles.

– Viens faire un tour avec moi Lili! On va essayer ce bel engin…

J'hésite:

– Je devais aller voir l'*Alutik Lady*, il y a peut-être du travail pour appâter.

– Je t'y mène après, on fait juste un tour.

Je grimpe. La musique est à fond. Il me tend ses cigarettes et démarre en faisant hurler les pneus. Je m'enfonce dans le fauteuil de skaï violet. Nous traversons la ville comme des fous, brûlons trois feux rouges dans un halo de lumière, slalomons entre deux enfants qui font du vélo. Niképhoros jubile. L'air s'engouffre par les fenêtres, il me tend une bière qu'il a débouchée entre ses cuisses.

– T'as un beau van Niképhoros!

– Je reviens d'Acapulco. J'ai bien gagné cette année…

– T'as pêché là-bas?

Il rit sourdement. Les boucles noires dansent sur le front bombé, ses joues mates et hâlées. Sa bouche pleine s'ouvre sur des dents très blanches:

– J'ai embarqué quand j'étais môme, à quinze ans j'ai quitté la Grèce… Je n'ai pas cessé de pêcher depuis. Les sept mers je me les suis toutes faites… Faut bien que je prenne des vacances de temps en temps. À Acapulco, je saute de la grande falaise pour les touristes.

Et disant cela il se débarrasse de son tee-shirt qu'il envoie voler à l'arrière. Les tatouages de ses bras continuent sur tout son torse. Il gonfle la poitrine, fait rouler ses pectoraux, me regarde, sourit. Nous avons quitté le port, passé la base des gardes-côtes, Sargent Creek, Olds River, et suivons la piste direction plein sud.

– On va où Niképhoros?

– Au bout de la route. De toute façon il n'y en a qu'une. Soit on prend l'nord soit l'sud. J't'emmène au soleil. Ça te dit le Mexique? Je te montrerai le rocher d'Acapulco et je ferai le grand plongeon pour toi.

– Tu sautes de très haut?

Il rit encore:

– Cent quinze pieds environ... Le plus dur n'est pas la hauteur, c'est de calculer le temps que ça va te prendre pour arriver en même temps que la vague... Si tu la loupes tu t'écrases sur la roche.

– Oh... Moi qui me croyais forte quand j'étais en haut du mât.

On roule longtemps. Jusqu'à la fin de la piste. Niképhoros gare le van dans une clairière. Les sapins de Douglas se mêlent aux épicéas et aux grands tsugas. Les chatons pourpres des aulnes rouges pendent en grappes lourdes au bord du chemin. Une odeur de mousse et de champignons monte dans le halo du soir, des fragments dorés. La musique s'est arrêtée. Nous buvons encore une bière et fumons des cigarettes. La futaie est épaisse et sombre.

– Tout est silencieux Niképhoros. Y a pas d'oiseaux ?

Il ne m'écoute pas, le regard brillant, un bras passé autour de mon siège, l'autre qui caresse sa belle poitrine velue, comme une fourrure soyeuse. Son sourire s'est fait plus vague.

– Je devrais rentrer Niképhoros. J'ai ce bateau à aller voir.

– Tu veux un bateau ?... Choisis lequel, je te l'achète. On ira pêcher ensemble. Tu seras le capitaine, moi le matelot.

– Je veux rentrer, allez Niképhoros, allez, démarre...

Trente miles au moins pour rentrer au port. Je scrute les bois opaques. Y a-t-il des ours ? Niképhoros ne bronche pas. Il a rallumé une cigarette et pose une main sur mon épaule. La colère m'a prise, aussi subite que violente. J'ouvre la portière et descends du van en claquant la porte. J'envoie de mauvaises ruades dans les pierres de la piste. Le van s'est mis en route enfin, il est dans mon dos.

– Fais pas la gueule Lili... Remonte en vitesse !

– Va te faire foutre ! je réponds, lançant une pierre dans le fossé.

L'homme du Sud est blessé. Je l'entends crier derrière moi.

– *Fuck you !* Mais enfin Lili, reviens quoi !

Je marche sur le chemin d'un pas rageur. Il insiste, le moteur vrombit puis se calme, je continue, j'ai peur qu'il m'écrase de colère lorsque le van me dépasse, revient sur moi en marche arrière – il tentait seulement de me faire barrage... Alors je relève les yeux sur Niképhoros, je n'ai plus qu'envie de rire, je monte dans le van. Lui aussi sourit.

– Ce n'est pas respectueux ce que tu as fait là Lili, me dit-il sévèrement, le regard froncé tourné vers la route.

– Mais je te respecte Niképhoros !

336

Il me fait signe de me taire et tend une mangue qu'il a tirée de sa besace :

– Prépare-la-nous s'il te plaît.

J'ai dégagé le couteau que je porte autour du cou, je partage le fruit en deux, le découpe en losanges, lui tends la première moitié. Il sourit, me demande de mordre dedans d'abord. J'enfonce mes dents dans la chair orange et sucrée, le jus coule sur mon menton, je lui rends sa part dans laquelle il mord, les paupières mi-closes. Nous rentrons silencieux. Je me tiens droite. Nous sourions l'un et l'autre.

– Pourquoi tu as quitté le *Kayodie*? je demande lorsque nous passons les docks à carburant.

Niképhoros a un rire amer. La belle bouche ourlée se gonfle dans une moue dédaigneuse :

– Cody est complètement dingue… On faisait la fête dans la baie d'Izhut quand ça l'a repris – un flash-back encore –, il m'a plus reconnu, il a cru soudain que j'étais un Viêt et il a brandi le couteau. À trois on a eu du mal à le maîtriser… J'ai sauté sur le premier *tender* et je me suis cassé. T'aurais fait quoi toi?

Il est trop tard pour passer au bateau quand Niképhoros me dépose sur le port. C'est l'étale de haute mer. Je marche vers le shelter en longeant le quai. Odeur de vase. Je relève la tête. Un ciel rougeoyant fait des vagues. Je suis des yeux le vol chaloupé d'un busard. Il passe très bas sur la montagne, tourne longuement autour de son axe, s'abat au sol les ailes relevées en V. Alors je le perds de vue.

Le *Morgan* a quitté le chantier. On l'a remis à l'eau un beau matin de septembre. Nous partons pêcher le flétan dans deux jours. J'appâtais sur le pont quand John arrive. Il ne m'a pas vue. Je l'entends vitupérer à mi-voix. Deux matelots se moquent sur le pont voisin.

– Hello John! je fais timidement.

Il est confus. Je ris. Il se laisse tomber lourdement sur le panneau de cale, passe une main vague sur son front cireux comme s'il tentait de rassembler ses esprits.

– On va aller faire le plein de gasoil, il dit, ça devrait me remettre d'aplomb…

Je lui tends un bras, l'aide à se redresser. Il retombe. Nous rions. Il parvient à se lever enfin et rentre dans la cabine. Les gars d'à côté me font un signe de la main. John a enclenché le moteur, je range les baquets et dénoue les amarres. Nous quittons notre place et manquons défoncer trois coques. Le *Morgan* zigzague en sortant de la rade et met le cap vers le large. John vire, il frôle la bouée. Des nuages courent dans le ciel. Je suis contente. Les mouettes sont saoules elles aussi, à tourner en criant dans la lumière, autour des grandes citernes blanches. John s'est repris et nous gare sans encombre aux docks. D'ailleurs il n'y a que nous. Je défais le nable* du réservoir lorsque John retrouve enfin la clé. L'employé me tend la pompe que j'introduis dans l'orifice, je presse. Un geyser de gasoil me jaillit au visage.

– On dirait bien que le réservoir était déjà plein… dit John. Prenons de l'eau alors…

Je me suis essuyée dans un chiffon douteux. Les nuages courent toujours sur les montagnes mauves. De petits macareux rasent les vagues. Le cri traînant d'oiseaux s'attarde… Il fait bon. Nous nous asseyons sur le panneau de cale. John me tend une bière.

– J'avais oublié que je t'aimais tant, il dit en rotant. Mais j'ai une femme maintenant, une gentille copine… Elle s'appelle May*.

– Comme le printemps ?

– C'est ça, comme le printemps. Mais ça n'a rien à voir avec nous : toi et moi ce n'est pas pareil, on est des artistes tous les deux, continue-t-il en dodelinant de la tête. Je voudrais te donner de l'acier. Et toi tu créerais avec. En grand. En très grand.

– Pourquoi de l'acier, John ?

Il pousse alors un grand gémissement puis un cri. Son visage se convulse dans une grimace douloureuse. On dirait qu'il pleure. Mais il rit soudain. Je ris avec lui. Il me tend une autre bière. Juste au-dessus de nous, un pick-up freine violemment sur le dock. Nous levons la tête : une femme en est sortie. Ses cheveux tournoient furieusement dans le vent. John a pâli.

– John ! Encore saoul… Je te donne une heure pour être à la maison ! Et tu ne touches plus au whisky ni même à la bière !

La femme repart comme elle est venue. Le dock est nu à nouveau. John a rangé la bière. Il baisse la tête et fait le dos rond.

– C'était May ? je demande.

– Oui, c'était May. Comme le printemps. Largue…

Je dénoue les amarres. Nous rentrons au port. C'est l'heure où le shelter va ouvrir ses portes.

Gordy m'aperçoit lorsque je remonte la côte. J'arrive au shelter, la radio annonce une alerte au tsunami. Déjà Dutch Harbor a été évacué.

– Allons tous au mont Pillar, je m'exclame, nous le verrons arriver !

Les gars sont d'accord. Jude rit :

– Il n'est pas encore là, vous avez le temps de souper avant.

Un groupe de Mexicains pose pour la photo, le dos tourné au port. Ils m'ont demandé de me placer devant : nous sourions tous à l'objectif et moi j'imagine la vague derrière nous, énorme, les benêts hilares quand ils vont être submergés… Gordon nous interrompt et me ramène chez lui, comme la mauvaise fille prise à traîner dans des quartiers interdits. Il y a un étang, des arbres et un petit hydravion posé parmi des nénuphars.

– Il est à toi l'avion, Gordy ?

Mais Gordon a l'air blessé. Une libellule s'est posée sur sa tête. Sa femme me mène dans une chambre proprette. J'attends qu'ils dorment pour m'enfuir dans la nuit. Le gardien du shelter me laisse rentrer. L'heure est pourtant passée depuis longtemps. Les gars dorment dans leur dortoir surpeuplé. L'alerte a été levée.

Mais depuis ce jour-là, j'y pense et cela me rend triste, l'appel du shelter tous les soirs à huit heures… Toute cette nourriture prête et chaude qui nous attend et qui n'attend que nous, n'est rien que pour nous, les *bums*… Les gros gâteaux à la crème, la bonbonne de café et les biscuits à volonté… Et les douches et les draps propres, la chaude amitié des hommes, leur voix rude et tendre et leur odeur forte. Pour finir c'est désolant de se découvrir si faible, si fragile, émue et désarmée par de la nourriture – l'abondance, tant d'abondance et une telle chaleur, moi pêcheuse de crabes bientôt…

Je me dis alors qu'il va vraiment falloir que je retourne dormir au hasard des voitures pourries. Question de fierté, Gordon et les autres, il le faudra bien.

John est arrivé à six heures. J'étais levée depuis longtemps. On est partis dans l'aube grise. Le port semblait dormir encore. Pourtant, une fois franchi le goulet du port, on pouvait voir tous ces petits bateaux partis peu avant nous qui essaimaient sur l'océan. Le vent s'était levé dans la nuit.

Debout face aux cadrans, dans le minuscule habitacle du *Morgan*, John nous conduit. Silencieuse à ses côtés je regarde. Des gerbes d'eau viennent balayer les carreaux. Un vol d'oiseaux gris tournoie devant nous. Peggy, à la radio, nous donne le temps : Avis de coup de vent, vagues de dix pieds augmentant jusqu'à quinze, vent de nord-ouest de trente-cinq nœuds forcissant dans la journée… Puis ce sont les pêcheurs qui parlent entre eux. OK Rogers, ils disent toujours.

– J'savais pas qu'il y avait autant de Roger ici, je dis à John.

Il lève un sourcil surpris, rit sans que je comprenne. Il a déroulé la carte.

– C'est là qu'on va… Faut passer Spruce Island, Ouizinkie Harbor… Shakmanof Point… À midi on pose le matos. Marée montante. On devrait les trouver… Tu prends la barre ?

– Je ne me suis jamais servie de la roue. On avait le joystick* à bord du *Rebel*, et le pilote automatique surtout pour les *green*.

– Pas dur. D'abord tu fixes ton cap… Ensuite tu ne

manœuvres la roue que quand tu te sens en haut de la vague. C'est cet instant qui va diriger ton élan.

Je ne quitte pas la boussole des yeux. Je sens la portance des vagues sous les flancs du bois, la poussée contre l'étrave du vent qui nous est contraire, l'instant où le *Morgan* réagit à la manœuvre. Le bateau se cabrait au début, il m'obéit à présent et semble vivre entre mes mains.

– Un jour j'aurai mon bateau John.

Il rit :

– Continue comme ça… Tu veux une bière ?

– Non John. Pas en mer.

– Alors je te fais un café.

Je reste seule à la barre. La proue du *Morgan* fend l'eau grise. Les vagues passent sur le pont encore et encore. Si j'avais l'ice cream baby je ne serais pas là.

Midi. Nous avons eu le temps de prospecter les eaux. Au signal je jette balise et bouée, puis l'ancre. Les dix premières palangres se déroulent sans un cri. Coup de jet sur le pont. Déjà il est cinq heures. Nous faisons la pause. Le vent forcit.

– Normal, dit John, pêche au flétan. On va pas y couper.

Il boit bière sur bière depuis le matin et il s'amollit. Je me durcis, vibrante vers la mer comme la corde d'un arc, de plus en plus vivante, de plus en plus tendue à mesure que l'heure de ramener les lignes approche.

John prend les commandes extérieures dans le renfoncement de la timonerie. La bouée paraît entre deux creux de vagues. J'envoie ma perche et la remonte à bord. Je glisse l'orin dans le vireur. Je le love jusqu'à l'ancre que je hisse à bord. Les premières palangres rapportent des morues noires que nous rejetons à l'eau. Déjà elles sont mortes. Ballottées par les vagues elles s'en vont ventre en l'air, taches pâles qui s'enfoncent mollement dans les flots. Mouettes et fulmars nous suivent en hurlant, plongent en piqué pour tenter d'en saisir une. C'est un sillage fou dans le ciel qui s'alourdit. Je love la ligne.

Une pluie fine s'est mise à tomber. Le premier flétan arrive à bord. John gueule quand je l'accroche dans le flanc.

– On t'a pas appris à bosser correctement ? Tu bousilles le poisson… Dans la tête, toujours dans la tête faut planter la gaffe ! Après l'usine nous fout sur une liste noire, c'est toute notre pêche qu'ils payeront au rabais.

Je ne dis rien. Je baisse la tête. J'ai honte.

– Oui je savais. Mais j'avais peur de le manquer.

– Reprends ta gaffe et le croc. Le croc c'est pour défaire ton poisson de l'hameçon. D'une main tu gaffes pour le remonter à bord, tu fais torsion avec ton crochet de l'autre main, entre l'hameçon et sa bouche, un coup sec, il tombe tout seul… Voilà, c'est bon, t'as compris…

Les flétans sont là. John crie. Je m'arc-boute pour tirer les poissons hors de l'eau et les faire basculer par-dessus la lisse. Les géants des mers battent l'air de leur corps lisse et plat, balayent le pont de long en large. Ils ne cessent plus d'arriver à bord. La houle s'est levée avec le vent et le *Morgan* roule lourdement. Deux flétans sont emportés par-dessus le pavois. Penchée sur l'eau noire, le visage ruisselant, je suis en nage. L'ancre surgit des flots, l'orin puis la bouée finale. John hurle de joie :

– Sûr tu l'as gagné ton billet d'avion, largement… et le début de tes vacances à Hawaï en prime !

Il disparaît dans la cabine, ressort bientôt une bière entre les mains. Il a l'œil vague, la nuit tombe, le vent n'a pas faibli, au contraire. Un instant je pense que nous avons assez pêché, que la mer se fâche et qu'il faudrait s'arrêter. Ne pas tuer davantage. J'ai un peu peur soudain. John est bientôt saoul. Ça non plus la mer ne doit pas aimer. J'empoigne un flétan. Je serre les dents, cheveux dégoulinants de mer et de pluie. Je l'ai saisi à bras-le-corps et je tente de le soulever jusqu'à la table de découpe, une planche clouée en travers de la lisse et du rebord de cale. Il est bien trop grand, il glisse entre mes bras, la houle me fait perdre l'équilibre et la masse mouvante des corps qui couvrent le pont, sur lesquels je bute, nous tombons ensemble, je ne l'ai pas lâché. C'est une embrassade étrange dans le vent et les paquets d'eau qui nous frappent en rafales.

Le *Morgan* dérive. John sort de la timonerie. J'ai déjà nettoyé trois poissons, agenouillée à même le pont. Il jette sa canette vide par-dessus bord, rote en se tournant vers moi.

— Pas comme ça… Faut les hisser sur la planche de découpe.

— Des fois ils sont trop lourds, John.

— Tu les couches sur la table, ensuite le couteau… Tu plonges dans le ventre, tu rejoins l'ouïe, tu tranches les branchies, tu remontes… la membrane, là, de ce côté, de l'autre. Et tu tires, t'arraches tout, l'estomac, les tripes, tout doit venir d'un coup. Ensuite les couilles, au fond… c'est le plus dur des fois. T'as plus qu'à racler avec la cuillère. Cinq secondes ça devrait te prendre au plus.

— Je sais, John, je murmure, j'ai déjà vu faire. Mais cinq secondes j'arriverai pas.

Il ne m'entend plus depuis longtemps, John, il a basculé avec le flétan. Il jure et gueule, à quatre pattes sur le pont.

— Tu es saoul John, je crie dans le fracas des vagues.

— Saoul moi?

Il s'est relevé.

— Je vais te montrer un peu...

Le voilà qui monte sur la lisse, qui s'essaye à marcher dessus, bras écartés comme un funambule, entre les creux noirs hérissés d'écume et le pont. Le bateau roule lourdement.

— John! Descends... S'il te plaît, John!

John se balance de gauche à droite, il perd l'équilibre, ses bras battent l'air, il tombe. Sur le pont. Je respire.

— Faut pas boire John, faut pas boire en mer, je dis d'une voix hachée, va te reposer un peu John, je m'occupe des poissons et après je ferai du café... On boit le café John, et on ramène les autres palangres...

John se relève, il fulmine :

— Toute ma vie j'ai pêché... j'ai pêché toute ma vie, et c'est toi, une petite étrangère qui arrive du fin fond de sa campagne, qui voudrais m'apprendre mon métier?

— Oui John, non, va t'allonger, s'il te plaît...

John est rentré. Nous dérivons.

La lune s'est levée. Elle nous éclaire. Les corps pâles jonchent le pont, traversés de spasmes. Leur face blanche et nue, aveugle, est tournée vers la lune. Elle semble onduler avec la gîte. Ils balayent le pont, presque cadavres déjà, balancés de bord à bord contre les flancs du *Morgan*. Le pavois trop bas en laisse parfois déborder un par-dessus la lisse – s'il vit encore, le flétan a un sursaut furieux pour rejoindre les profondeurs auxquelles on l'a arraché. Lorsqu'il est mort, le poisson éventré est emporté avec les vagues, qui sont très fortes et hautes à présent. Il

s'enfonce lentement, forme blanche qui s'estompe dans la
nuit des flots. Je vide les poissons que j'ai réussi à coucher
sur la planche de bois. Même ouverts ils tressaillent encore.
Il faudrait qu'ils meurent plus vite, il faudrait qu'ils meurent
avant mon couteau. John cuve sur sa couchette. Ou boit-il
encore ? Je patauge sur le pont. Des glaires de poissons, de la
tripaille sont restées prises dans les mèches qui s'échappent
de mon ciré. J'essaye d'attraper à pleins bras le flétan aussi
grand que moi parfois – la main plongée dans l'ouïe, l'autre
agrippant le corps lisse –, de le hisser sur la table de découpe. Il
m'échappe, sursauts convulsifs. Je tombe avec lui en sanglotant.
C'est un combat épuisant, ce poisson que j'étreins et traîne
dans l'odeur âcre de sel et du sang. Lorsque j'y parviens enfin,
je le saigne, coup de couteau profond dans la gorge, j'entaille
depuis cette ouïe dont les branchies se referment sur sa main,
l'écorchant à travers le gant. J'éventre le grand corps qui résiste
encore – et cela fait un bruit étrange, le crissement d'une soie
que l'on déchire. Le poisson se débat, des soubresauts rageurs,
des coups de queue désespérés qui m'éclaboussent de sang.
Je passe la langue sur mes lèvres, j'ai soif, ce goût de sel… Le
couteau continue son avancée féroce, tourne au plus profond
du ventre, remonte le long des vertèbres jusqu'à rejoindre
l'ouïe. Alors j'arrache d'un coup l'énorme paquet de tripes
que je lance dans la mer. Les mouettes tournent en hurlant,
tentant de saisir les viscères au vol, plongent dans les flots…
Il faut encore trouver les deux testicules, comme deux œufs
enfouis au plus profond du ventre, enserrés dans leur gangue
de cartilage et de chair. Racler le sang noir et compact amassé
le long des vertèbres. Le flétan se tord à chaque coup de racloir.

Je le fais basculer dans la cale à poissons. Parfois il retombe sur le pont et se mêle aux autres.

Le corps à corps avec les gisants m'a mise en nage. Des bourrasques d'eau me cinglent le visage, dégoulinant jusque dans mon cou, s'infiltrant sous mon ciré. Le vent gronde à mes oreilles. Il souffle vraiment fort à présent. Le *Morgan* disparaît dans le creux des vagues, la lune bascule dans les flots pour réapparaître l'instant d'après. L'océan renversé, ciel basculé. Un petit cœur pourpre continue de battre sur la planche de découpe, palpite sous le halo imperturbable de la lune dansante, nu et seul dans les tripes et le sang, comme s'il n'avait pas compris encore. Alors c'est insupportable, j'allais le jeter à la mer avec le reste des boyaux, ça non je ne le peux pas, visage barbouillé de larmes et de sang, ce goût de sel sur les lèvres – de sang aussi?... Dans ma déroute je me souviens de mon premier flétan tué sur le pont du *Rebel*: je l'attrape et l'avale – au chaud dans moi ce cœur qui bat, dans ma vie à moi la vie du grand poisson que je viens d'embrasser pour mieux éventrer. Que fait John? J'ai peur.

Je finis de vider les plus gros flétans agenouillée sur le pont. Les lourdes paupières à demi fermées me regardent avec stupeur, peut-être. Là, là… je murmure en faisant glisser ma main sur le corps lisse, je pleure encore un peu, je mange le cœur du beau gisant. Puis je ne tombe plus, je ne sanglote plus. Je fais mon travail. Les cœurs que je gobe les uns après les autres font une boule étrange dans mon estomac, une brûlure glacée.

Les derniers flétans ont été rentrés dans la cale, couchés sur leur face sombre pour ne pas marquer la chair. J'ai cassé la glace au pic pour en remplir les ventres et couvrir les corps.

Je suis rentrée. John ronfle sur la banquette. J'ai allumé une cigarette, fait du café, réveillé John. Il allait mieux. Nous sommes repartis vers la prochaine balise. John a pris une bière. Nous avons du mal à retrouver la bouée, rouge éteint qui disparaît entre les vagues. Debout contre la lisse je tiens la perche, mes genoux enflés heurtent le bois dur au rythme de la gîte. Je m'étire pour gaffer la bouée, j'y parviens presque quand John nous en éloigne à nouveau. Au troisième échec je le pousse sans plus réfléchir et prends les commandes. Il s'écarte. Je redresse la proue du bateau, vire légèrement de bord.

— Reprends les commandes John.

Je cueille la bouée d'un geste vif, saisis l'orin pour le glisser dans le réa. Vent dans la face qui nous écorche. La pluie a repris de plus belle, la lune s'est voilée. Mais quelle heure est-il dans cette nuit opaque ? John est silencieux. Le bateau trace lentement dans l'axe du corps de ligne. Les flétans ne cessent plus d'arriver à bord. À nouveau ils balayent le pont, augmentant la gîte, revenant par à-coups nous frapper les mollets. Mes genoux meurtris heurtent en cadence le pavois. John tient les commandes. Je gaffe. Visages ruisselants sous le ciel obscur, bouleversé. Les nuages se poursuivent, les oiseaux blancs tournent et virent, leur vol hurlant… La ligne s'arrête.

— Est-ce qu'on est pris dans le fond John ?

On vire, à peine. Penchés tous les deux au-dessus de l'eau noire, scrutant les remous. Quelque chose, un grand corps pâle est pris dans la ligne. John la remonte. À peine. La queue d'un grand poisson surgit des flots, un requin bleu s'est pris dans la palangre.

— Passe-moi la gaffe… Un couteau.

– Un requin John… C'est un requin vraiment?

– Passe-moi l'couteau j'te dis.

– Qu'est-ce tu vas faire?

– Faut que j'libère la ligne, que je tranche la queue.

– Il va mourir?

– Il est mort.

J'ai hissé la queue à bord.

– Jette-la.

– Pas tout de suite.

Le corps inerte s'enfonce lentement. La dernière bouée paraît.

Nuit d'encre. Il est très tard. Ou très tôt. Nous avons terminé de nettoyer les derniers flétans. La cale est aux trois quarts pleine. Nous posons les dix dernières palangres. Je nettoie le pont.

– Arrête ça, la mer le fera pour nous. On va plutôt manger un morceau, j'ai mis une morue de côté. Allez viens.

Nos cirés détrempés gisent à terre. John a fait cuire la morue. Je pétris mes mains tuméfiées, tailladées depuis le poignet jusqu'au bout des doigts. John se cure les dents.

– On a le choix maintenant : soit on s'y remet tout de suite, soit on se repose quelques heures.

– C'est toi qui décides John.

– On dort. Deux heures. On l'a bien mérité.

Il sort une bouteille de whisky et prend une rasade en remontant les réveils. Je rabats le duvet sur ma tête. Le sang séché sur mes joues me démange. Mon corps est rompu. La fatigue m'écrase. Deux heures, je pense. Deux heures à dormir. Que c'est bon. Nous dérivons.

J'entends les réveils. John n'a pas bronché. Un peu plus je pense encore, un tout petit peu plus… Je me rendors. Nous dormons quatre heures. Je me réveille la première. Le petit poêle à fuel ronronne. Dessus la cafetière, et un fond de café épais comme du goudron. Je m'en verse une tasse. Mon visage est brûlant. Mon corps aussi. Il fait trop chaud. Le froid et la nuit derrière le carreau embué, battu par des bourrasques d'eau. Je suis sortie sur le pont, lavée à présent par les paquets de mer qui le balayent. L'air est cru, brûlure glacée dans les narines, les poumons, sur la peau. Le vent semble avoir faibli, le bateau dérive mollement. Les baquets vides n'ont pas bougé, amarrés solidement contre le château. L'énorme queue du requin bleu que j'ai attachée à l'ancre tressaille à chaque sursaut de vague, une figure de proue barbare, fantomatique. Je rentre. Je refais du café, je secoue John longtemps avant qu'il émerge.

C'est l'heure John.

Travail machinal. Gestes mécaniques. Vent dans la face. Les flétans s'en sont allés avec le changement de marée. De loin en loin, un poisson esseulé aux orbites vides, grouillantes de puces de mer. Il fait froid et nuit encore. L'eau qui nous frappe de plein fouet s'infiltre sous les cirés. John écrase rageusement les étoiles de mer contre le pavois. Les bouches énormes et monstrueuses qui semblent téter l'hameçon éclatent sur le bois sombre. Elles parsèment le pont de lambeaux de chair rose et orangée. John se tait depuis le réveil, visage décoloré, rincé par la fatigue, les lèvres serrées dans un pli amer. Il stoppe parfois le vireur, met le moteur au point mort, me regarde d'un air exaspéré :

– Attends une minute…

Il rentre dans la cabine. La nuit pâlit. Sur l'horizon brumeux on pourra discerner bientôt l'ombre sombre de la côte, les bois noirs et obscurs de Kitoi, au nord. John ressort plus calme, son regard est flou.

– Je reviens John… C'est à mon tour de rentrer.

La bouteille est posée sur sa couchette, je la cache sous l'oreiller.

Le ballet des étoiles de mer écartelées sur le pavois a repris. John arrête la ligne à nouveau et retourne dans la cabine. Cette fois il est plus long. Je glisse un œil à travers le carreau. Il a retrouvé son whisky et boit éperdument, la tête renversée, paupières mi-closes. Je ne peux plus me contenir, je me rue à l'intérieur et lui arrache la bouteille :

– Non John, non, ça suffit !

J'ai lancé la bouteille à la mer. John est devenu livide. Un peu de whisky coule encore de sa bouche entrouverte. Il se réveille dans un sursaut, il jure et crie :

– Petite paysanne qui veut m'apprendre à pêcher ! Petite imbécile qui m'a pris ma bouteille…

J'entends un bruit sourd de chute. Les vagues contre la coque sont comme un halètement furieux. Je me laisse tomber sur le capot de la cale. Et là je pleure. Des lames verdâtres encerclent le bateau et se jouent du petit *Morgan*. Je pense au grand marin, à lui couché sur moi et son souffle de lion et sa bouche qui me faisait boire, à Hawaï que je ne verrai pas, l'ice cream baby que l'on ne fera plus. Je sanglote sous la pluie dans une aube très grise. Le ciel est lourd et malveillant. Je sens sous moi les beaux géants des mers couchés sur leur lit de glace, enveloppés de leur linceul sanglant – le moteur ronronne – nous avons trop tué. La mer, le ciel, les dieux sont en colère.

J'ai froid et faim. Je rentre dans le carré. John est agenouillé face contre terre, le cul en l'air comme les prosternés de La Mecque. Mais quelle Mecque est la sienne, mais qu'est-ce qu'il fait là... peut-être qu'il dort? Je m'assieds à la table. J'attrape le pain qui a roulé à terre, je mords dedans. John gémit doucement.

— Allez John, je murmure, faut retourner sur le pont, on a les palangres à remonter.

Je mange mon pain comme s'il n'y avait plus rien que cela au monde, plus rien que cela qui puisse compter vraiment. Le bateau dérive. John gémit toujours.

— Allons John...

Je me lève et m'approche de lui. Je tape sur son épaule doucement.

— Faut remonter le matos John.

— Est-ce que je t'ai perdue... Je t'ai perdue Lili.

— Non John, tu m'as pas perdue, personne ne peut me perdre, mais faut retourner pêcher.

— J'ai besoin d'aide, il crie, toujours le cul en l'air, le visage écrasé contre le plancher sale.

Et moi ce bout de pain que je continue de mâcher avec application.

— On a tous besoin d'aide John mais s'il te plaît, s'il te plaît, relève-toi... Là, il nous faut ramener les palangres à bord, on n'a plus que quelques heures avant midi.

John se redresse alors. Agenouillé il pousse un dernier long gémissement. Je l'aide à se relever et le guide à la table, je lui sers un café, je lui dis : John bientôt c'est fini, on rentre à Kodiak et on se repose, et même je t'offre une bière au Breaker's si tu veux...

— Arrêtons tout là. On coupe la ligne. Ça suffit. On rentre.

– Non John, on ramène tout à bord. Plus que quelques heures.

Midi. Les palangres sont toutes à bord. La pêche vient de se clore. Nous rentrons. John m'a donné la barre. Il débouche une bière.

– Est-ce que tu me hais ? je demande à John.

– Et moi, est-ce que tu ne me hais pas ? il répond.

– La prochaine fois que nous partons pêcher, d'abord tu m'apprends tout, manœuvrer le bateau, les hydrauliques, me servir de la radio aussi, tout quoi. Après tu pourras te saouler tant que tu veux… Si t'étais tombé à la flotte, j'aurais rien pu faire.

Le vent sera tombé avant la fin du jour. À l'approche des conserveries j'appelle John qui s'est endormi sur le pont, cul nu sur le seau blanc qui sert de chiottes. À regret il reprend la barre. Une file de bateaux attend déjà pour décharger. J'ai préparé les amarres, sorti les pare-battage*. Nous nous garons en douceur contre l'*Indian Crow*. La file des bateaux est longue. Notre tour pour décharger ne viendra pas avant demain. Je serai partie alors, et jamais je ne saurai à combien de tonnes de proies s'élève notre folle chasse aux flétans. John a retrouvé son assurance, regard perçant d'homme de la terre, et d'homme d'affaires. Nous nous asseyons à la table. Il sort un portefeuille. Ses traits délavés accusent durement la fatigue. Il signe un chèque et me le tend.

– Ça ira ?

– Oui, je réponds dans un murmure, ça ira.

On partagerait, il disait… Nous avons bien pris quatre mille livres ? Plus sans doute, bien plus. On partagerait…

– Merci John…

J'enjambe la lisse de l'*Indian Crow*, mon ciré roulé dans un sac-poubelle, le pont est désert, la radio est restée allumée, la porte ouverte… Je grimpe l'échelle et rejoins le quai. Je cours à grandes foulées, mes jambes m'entraînent presque malgré moi, souples et puissantes, devant moi les mouettes, le port, je cours, le ciel embrumé et le vent. Et le *liquor store* et le bar, je cours encore, le *Jenny* est à quai. Scrim est rentré. J'enjambe le bastingage et frappe contre la vitre, hors d'haleine. Il sort et me sourit :

– Alors kid t'as bien pêché ?

– Regarde mes mains… je dis dans un souffle.

Il serre dans les siennes mes mains tuméfiées.

– *Good girl…* Viens prendre un verre c'est moi qui l'offre.

Nous franchissons la porte du Breaker's. Le bar hurlant est plein à craquer. Je marche vers le comptoir tête haute. Je pose devant moi mes belles mains de pêcheur, les paluches informes que je ne peux même plus plier. Je n'aurai plus peur de personne et je bois comme un vrai pêcheur. Demain c'est Hawaï et le grand marin.

« Lili mon amour, tu n'auras pas cette lettre si tu es dans l'avion demain. Cela n'aura plus d'importance de toute façon. Je quitte un job dans une scierie aujourd'hui et m'en vais chercher une chambre bon marché sur les docks d'Honolulu. Le boulot n'était pas assez payé, les heures insuffisantes. Le mec pour lequel je bossais avait avec moi l'un des meilleurs travailleurs de nos pays développés – il n'a pas su l'apprécier. Si tu arrives avant mon départ je ferai ce que je désire le plus au monde, être avec toi. Mais jusqu'à ce que l'on se retrouve, si l'on y parvient un jour, cherche-moi dans les troquets miteux, les bars à danseuses, les files de soupe populaire du Pacifique – je retourne pêcher.

Je ne sais pas encore où et pour qui je vais embarquer. Mon chèque de paye devrait suffire à prendre l'avion pour Oahu, me trouver une petite chambre et y rester la semaine. Après je n'aurai plus rien. Que la faim de retourner pêcher. Ce n'est plus la peine de m'envoyer quoi que ce soit, lettre argent bouffe ou rhum. Je suis heureux. Fauché, sans travail, à la rue bientôt, mais avec ma seule raison de vivre enfin.

J'aurais aimé rentrer pour l'ouverture du flétan. Mais trop peu de temps, pas assez de thunes. Un gars m'a parlé d'une vaste opération de pêche autour de Singapour (peut-être pour plus tard). Je n'ai jamais encore franchi l'équateur en bateau, ni navigué au-delà du cent quatre-vingtième degré.

Lili, j'aurais vraiment voulu que tu viennes. Tu serais la seule personne à pouvoir encore me faire changer d'avis, à changer ce vers quoi il me faut aller aujourd'hui. Je t'ai attendue longtemps. Faut que j'y aille maintenant. Tu es dans mes pensées. Toujours. Je te tiendrai au courant. Peut-être vais-je travailler quelques jours sur un bateau local. Peut-être pouvons-nous nous retrouver encore, louer un mauvais petit meublé à Waikiki ou dans Chinatown, et essayer de faire un enfant – notre ice cream baby. Tu recevras certainement de mes nouvelles la semaine prochaine quand je chercherai un embarquement. À moins que quelqu'un ne me dise: Amène-toi, on quitte le port dans moins d'une heure…

Cherche-moi à Oahu, demande Jude à la criée de Susan. Fais attention à toi, je te tiendrai au courant,

Jude. »

Toujours le ferry qui m'appelle. Qui brame dans la nuit : Viens Lili viens… Et moi clouée au port. Les bateaux partent et reviennent. Le grand marin m'écrit d'Honolulu : Viens Lili viens… on va le faire enfin notre ice cream baby… Et moi liée au dock comme un bateau malade. Assise sur le quai, derrière moi la rue, le lavomatic, les douches trop chères, le coffee-shop des jolies serveuses, plus loin le bar et le *liquor store* avant les pêcheries d'Alaskan Seafood. Devant moi le port, la flotte des bateaux qui partent et reviennent. Les aigles planent dans un ciel trop blanc, les mouettes vont et viennent et crient, se moquent ou gémissent, clameurs qui s'étirent aigres et lasses, s'amplifient pour mourir dans des accents tristes.

Moi bonne à rien. Qui regarde les bateaux partir, les marées mourir et renaître, entends le ferry bramer deux fois par semaine : Viens Lili viens… Relis les lettres du grand marin, griffonnées au dos de vieux papiers tachés de graisse et de bière : Lili mon amour viens… Regarder les mouettes les aigles et les bateaux.

L'île a refermé sur moi ses bras de rochers noirs. L'anse verte des collines me domine, silencieuse et nue. Les épilobes en fleur ondulent comme une marée mauve. L'ombre d'un marin qui s'est couché sur moi ne m'a pas quittée lorsque lui est parti sous cette pluie très douce, sur un ferry blanc dans la nuit très noire. Elle marche avec moi quand je traîne la patte dans ces rues peuplées de grands hommes bottés qui vont d'un bateau à l'autre, puis d'un bar à l'autre, en tanguant, et s'en retournent vers la mer de leur pas balancé et souple.

La nuit revient. L'île referme sur nous l'anse obscure de ses bras. Je longe le quai désert, prends la dernière passerelle, c'est marée haute, je suis le ponton jusqu'au seiner bleu, le *Lively June*. L'odeur tant aimée du diesel et du ciré mouillé, de café et de confiture. Je n'ai pas faim. Je m'allonge tout de suite sur ma couchette, contre le flanc de bois rugueux de la proue. Il fait noir. Je lève la tête. Les lumières du port dansent et font des ombres. Je vois un ciel très sombre et vaste à travers l'arrondi des vitres du château. J'écoute résonner des pas sur le ponton, des éclats de voix, le halètement doux de la marée montante contre la coque. C'est l'heure où l'*Arnie* quitte la rade, le moteur enfle puis décroît, alors je sais que le remorqueur a franchi le goulet du port. Les yeux ouverts, immobile, je soupire. Le ferry qui appelle dans la nuit… Le soir où il est parti, le grand marin, il a pleuré comme ça le ferry, le son lointain d'une corne qui appelait dans la brume, triste, si triste… Viens Lili viens… Est-ce que je repartirai un jour ?

J'ai marché vingt mètres sur le dock. Le vieux seiner de bois bleu turquoise n'avait pas bronché depuis que nous étions partis, l'ancien bateau de Gordon où il m'avait menée un jour, lorsque j'avais perdu l'embarquement promis – Lili la clandestine, l'armateur ne voulait pas prendre de risques avec l'Immigration.

Je retrouve la clé cachée sous le rebord de la passerelle. La porte a gonflé encore, elle résiste et gémit. Je descends les trois marches étroites, me revoilà dans l'antre obscur. Ça sent le gasoil comme toujours. J'ouvre un placard : il reste du café, une boîte de fruits au sirop, trois conserves de soupe. Des biscuits. Je jette mon sac de couchage à l'avant du bateau, sur l'une des deux couchettes étroites, et qui se resserrent encore dans ses flancs humides jusqu'à l'étrave. Les pieds en équilibre sur le rebord des bannettes, je déplie le fauteuil escamotable et me hisse dessus. Assise face aux écrans mes jambes battent le vide. Devant moi la montagne, imposante et très verte, plus bas des mâts, les bateaux, le remorqueur rouge qui sort chaque nuit – et alors on entend son moteur qui vient vous chercher jusque dans vos rêves –, les docks, le ponton qui mène aux bars et à la ville. Tout autour, partout, les mouettes. Au-dessus les aigles. Entre eux, les corbeaux.

La rue est blanche de soleil – marée basse. De l'autre côté de la route, le remblai de terre et de roches est dénudé jusqu'à la vase. Au bout de la rue, adossés au petit bâtiment carré des chiottes publiques et du bureau des taxis, trois hommes sont assis sur la berge verte. Des gars du square. Ils attendent. Des jours des semaines des saisons, jusqu'à l'heure où le shelter ouvre ses portes tous les soirs à six heures, et alors il y a la soupe, le café les gâteaux les bonnes douches chaudes et le dortoir. De loin je reconnais Stephen, le petit homme grisonnant, ramassé sur lui-même – il m'a dit un jour qu'il était chercheur, un grand physicien, il attend un livre, « le livre », celui que sa fille doit lui envoyer, qu'elle n'envoie pas… Mais qu'est-ce qu'elle fait sa fille, elle l'a oublié son père ? Avec lui un grand Indien sombre et maigre, et l'homme blond au visage dévasté. Le gros Murphy les rejoint. Ils font tache noire sur le talus vert. Des aigles posés.

Les gars du shelter… Ils attendent au square, sur les berges du port aussi. Ils s'ennuient un peu. Depuis longtemps ils ont renoncé à la pêche. Quelquefois, ils vont d'un bateau à l'autre pour appâter des lignes, ça leur fait trois sous, pour l'alcool ou le crack. Alors ils boivent pour passer le temps. Ils tapent celui qui rentre de mer, s'il a bien pêché il donne sans trop compter. Les gars du square et les pêcheurs ont la même gueule, un peu plus rougie, usée peut-être chez les premiers, un peu plus d'Indiens parmi eux, de femmes aussi. Elles sont très fatiguées les femmes, souvent elles s'endorment, le front contre l'épaule de l'un qui n'est pas tombé encore, n'a pas roulé sous un banc ou dans un parterre, au bas du remblai quand la marée est basse. L'alcool ou le crack. Le grand marin, il était ami avec tous. Tous le connaissaient et le respectaient.

Le grand marin il m'emmenait au motel. Il me couchait sur un lit. Il se couchait sur moi – *Tell me a story* il disait. Oh Dieu… il murmurait. L'ombre d'un sourire fragile et incrédule passait sur son visage de grand brûlé – Raconte-moi une histoire… Tu es la femme avec qui je veux vivre toujours… je veux te baiser, t'aimer, être avec toi toujours, toi seule… Je veux un enfant de toi. Raconte-moi une histoire… Il était grand et lourd sur moi, lent et brûlant dans moi. Oui je murmurais, oui. Des histoires à lui dire je n'en connaissais pas… *Tell me a story* – oui je disais. Ses yeux de pierreries sur moi, ses yeux de poignard et d'amour très sauvage, ses yeux de fauve jaunes qui ne me lâchaient plus jusqu'à me faire sombrer – Je voudrais que cela me tue je disais. Et il me tuait alors, longuement, ses cuisses robustes et puissantes, ses reins de pierre, l'épieu qu'il enfonçait dans moi, qui poignardait d'amour mon ventre pâle et lisse, mes hanches étroites, comme deux semblants d'ailes plaquées à terre, clouées sur ces draps blancs maculés d'ice-cream. Les yeux fauves ne me lâchaient plus, les coups de harpon calculés, cette lenteur, cette brûlure. Sa bouche plongeait dans mon cou, le baiser carnassier qui me faisait trembler, toute ma vie qui me traversait dans un long frisson, qui remontait jusqu'à ma gorge, ouverte peut-être pour mieux s'offrir à ses dents, lui le lion moi la proie, lui le pêcheur moi le poisson au ventre blanc.

La nuit revient. La marée s'éloigne. Un oiseau crie sur la jetée. J'attends la corne du ferry. Il s'appelle *Tustumena* le ferry.

Le grand marin je l'ai connu en mer. Il criait face aux flots gris, noirs quand c'était la nuit – «Dernière palangre!» – «L'ancre est larguée!» –, il gueulait dans le fracas du moteur, quand le sillage rugissant engloutissait l'ancre sombre après l'extrémité de la dernière palangre, dans le hurlement des mouettes qui retraçaient notre sillage dans le ciel. Le navire d'acier noir prenait de la vitesse. Il criait encore le grand marin. Sa poitrine se gonflait, très large, de sa voix puissante et terrible il poussait un dernier rugissement. Il criait, il était seul face à la mer, debout contre l'océan immense, le front balayé de ses mèches sales, raidies de sel, la peau rougie, gonflée, ses traits brûlés, et le regard jaune, allumé d'éclats fauves... Il me faisait peur alors, il me faisait peur toujours, je me tenais dans son ombre, prête à m'effacer, à disparaître au moindre recul de sa part. Je suivais chacun de ses gestes, faisais passer les lourds baquets des palangres qui me faisaient chanceler, accrochait un sac de pierres sur chacun, les nouais ensemble par un nœud d'écoute qu'il vérifiait toujours, sans un mot, sans un sourire jamais.

J'ai rêvé que tout recommençait. C'était à nouveau le froid, l'eau dans les bottes, les nuits de pêche, la mer sombre et violente comme une lave noire, mon visage barbouillé de sang, le ventre lisse et pâle des poissons que l'on pourfendait, le *Rebel* plus noir que la nuit, rugissant, qui s'enfonçait dans un velours glacé, les tripes qui jonchaient le pont. Les heures défilaient, le temps ne voulait plus rien dire. Le grand marin criait, toujours debout et seul face à l'océan. Et moi j'avais décidé que ce serait toujours ainsi, avancer, dans l'encre la nuit et le velours, derrière nous un sillage d'oiseaux pâles et hurlants, ne plus jamais rentrer, ne plus jamais revoir la terre, et ceci jusqu'à l'exténuement – rester avec l'homme qui crie, pour le voir l'entendre toujours, et le suivre dans la course folle – mais le toucher non jamais, le toucher je n'y pensais même pas.

Un jour peut-être, la saison finirait et tous quitteraient le bateau. Mais ça je l'avais oublié.

Niképhoros a nagé vers le large. Ce soir il y aura ses funérailles au bar. Un prêtre pope viendra. Nous apporterons tous à manger et nous boirons très tard.

Ils ont fumé quelques joints de crack avec Brian, le matelot du *Dark Moon*. Ils se sont assis sur la jetée. Le soleil disparaissait dans leur dos. Niképhoros a écrasé sa cigarette entre ses doigts et s'est tourné vers Brian :

– Je suis fatigué, il a dit. Je crois que je suis vraiment trop fatigué. Je m'en vais. Je rentre chez moi.

Et il s'est laissé glisser dans l'eau. Brian n'a pas pu le retenir. Niképhoros nageait tout droit vers l'horizon. Brian a plongé pour le rattraper, a tenté de le ramener.

– Laisse-moi, a dit Niképhoros. Si tu es mon ami laisse-moi.

Et Brian l'a laissé partir. Ses cheveux roux pendent autour de son visage défait, hébété. Il n'a pas cessé de boire depuis trois jours et ne veut plus remonter à bord du *Dark Moon*. Il gueule et pleure et vocifère.

Ryan, l'homme fatigué qui appâtait un jour d'été sur son bateau usé, quand les Beatles chantaient «Emmène-moi naviguer au loin… », m'a repêchée quand je sortais du bar.

– Où vas-tu ?

J'avais trop bu. Je me tenais au bord du quai à regarder

l'eau noire, me demandant si Niképhoros était rentré chez lui ou s'il nageait encore.

— Je ne sais pas, j'ai répondu. J'ai peur de rentrer sur le *Lively June*. Peut-être que je devrais essayer de retrouver Niképhoros… Alors il m'a prise par la main.

— Viens, il a dit. Tu es fatiguée.

Nous suivions le ponton et j'ai lâché sa main. Un oiseau s'est envolé du mât quand il a enjambé le pavois du *Destiny*. Le froissement d'ailes m'a fait frissonner. Ryan m'a tendu le bras. Je l'ai suivi. Il faisait sombre et sale dans la cabine. La radio marchait en sourdine. Immobile dans le noir j'ai hésité.

— Enlève tes bottes…

Ryan m'a couchée gentiment sur le matelas encombré de vieux linge. Il a rabattu son duvet sur moi. Il s'est déshabillé et s'est couché à côté. Mon cœur tapait très fort. J'ai eu peur de mourir seule, comme un rat, terrée au creux d'une couchette froide. J'ai entendu l'*Arnie* qui partait dans la nuit, le ferry m'appeler. Je me suis serrée contre lui. Dans le noir j'ai posé mes mains sur le visage fatigué. Il avait une poitrine douce, soyeuse, ses poils blonds brillaient dans la pénombre. Il ne m'a pas touchée.

— Dors maintenant, il a dit.

J'ai pris sa main. Puis il s'est tourné et je me suis tournée aussi contre le dos massif. Je le tenais fort, mes jambes pliées dans le creux des siennes, enserrant le corps épais. Quelque chose est tombé sur le pont. Le vent se levait à nouveau.

— Ça souffle fort, j'ai murmuré, tu crois que ça va le déranger ? Est-ce que tu crois qu'il est arrivé chez lui ?

— Qui ça ?

– Niképhoros, j'ai soufflé.

– Tout est OK, il a dit. Tu as juste à ne plus écouter le vent.

Il s'est retourné, a posé un bras sur moi, de sa main me couvrant l'oreille. Je pleurnichais. La couchette était trop étroite pour deux. Il m'écrasait un peu. J'ai eu chaud à en suffoquer. J'ai dit d'une voix timide :

– Ryan, je te réveille encore… Ça me pèse sur l'estomac… Je crois que je vais être malade.

– Tu ne vas pas vomir ici ?

– Oh non.

– Alors tu sors. Tu te mets deux doigts dans la gorge et tu dégueules par-dessus bord.

Je me suis redressée. Assise sur le rebord de la couchette dans une semi-torpeur, j'ai laissé errer mon regard. C'était joli la lumière du dock à travers la vieille fenêtre de bois très sale. Je me suis sentie très seule. Me suis levée. J'ai retrouvé mes bottes à tâtons dans l'ombre.

J'ai rejoins l'extrémité du dock. Mes pieds pendaient au-dessus de l'eau noire. Je les y ai trempés pour me rafraîchir. Des mouettes faisaient des taches pâles sur la jetée. Est-ce qu'elles dormaient ? J'ai pensé au grand marin. Au monde nu et nous dedans. *Nothing, nobody, nowhere…* j'ai murmuré. Mais moi au milieu et vivante encore, vivante toujours. Et fort, si fort. Les lumières du port dansaient sur l'eau sombre.

Je me suis relevée. J'ai suivi le ponton, pris la passerelle, longé le quai. La ville était déserte. J'ai continué jusqu'à l'embarcadère du ferry. Le *Tustumena* était reparti. J'ai suivi la route de Tagura. Les bateaux dormaient sur le chantier naval, posés sur leurs épontilles comme sur des colonnes antiques. L'océan brillait sous la lune. Le son régulier des vagues emplissait le monde. J'ai continué en suivant le rivage jusqu'à l'Armée du Salut. De l'autre côté de la route, le Beachcomber. Le grand bâtiment était nu sous la lune, mais face à la mer, la grande fresque sur le mur paraissait plus sauvage encore à cette heure. Les bateaux et les vagues semblaient vraiment avancer. Ils m'ont fait penser aux tatouages de Niképhoros quand il faisait rouler les muscles dessous sa peau. Les vieux trucks pourris n'avaient pas bougé. J'ai tiré sur la porte du premier. Elle a résisté avant de s'ouvrir. La vitre était cassée. Je me suis recroquevillée à l'intérieur. Cela sentait le moisi. La banquette était défoncée et humide. J'avais froid pensant à Jude, à Niképhoros qui nageait encore – où était-il à présent –, à mon naufragé de Manosque-les-Couteaux. J'entendais soupirer la mer. Où étaient-ils tous à cette heure?

Le jour se levait. Je ne dormais plus depuis longtemps. Enroulée sur moi-même, les mains au chaud contre mon ventre je grelottais. Une lumière orangée s'est engouffrée dans le truck. Je me suis redressée. Une bouée incandescente crevait l'océan qui semblait vouloir la retenir. Elle montait, montait, elle s'arrachait à l'océan. La boule énorme est restée en suspens sur l'horizon avant de s'élever plus haut toujours. La fresque semblait vivre, incendiée par les éclats fauves que reflétait la mer. Je me suis levée, des taches rouges et noires dansaient sous mes paupières. La marée était partie. Elle aussi. Une brise légère faisait courir des vagues courtes au loin dans la baie. Le son de celles qui venaient mourir sur la plage me parvenait, régulier, et très loin ce halètement doux, comme un appel, le caquètement d'un oiseau qui rejoignait des huîtriers pies aux jambes rouges, et qui brillaient sur le sable blanc. Je me suis ébrouée. Mon corps était gourd. J'avais faim. J'ai marché jusqu'en ville. La vie reprenait dans les rues. J'ai pris un café et un muffin au coffe-shop des quais qui ouvrait. Me suis assise sur mon banc. Un corbeau est venu. Puis un autre. Ils attendaient le muffin. Une ombre était couchée sous le mémorial des marins morts en mer. Sid, Lena? Ils étaient rentrés peut-être… Ou bien l'Indien au visage tailladé? Quelqu'un. Un instant j'ai pensé à Niképhoros. Je n'ai pas osé aller voir.

J'ai rassemblé mes quelques affaires sur le *Lively June*, j'ai refait mon sac. Point Barrow ou Hawaï, peu importait à présent. L'un me mènerait toujours à l'autre. Le *Tustumena* serait là dans deux jours. J'ai pensé l'attendre sur le quai. Je me suis assise sur l'embarcadère. C'était long. J'ai eu faim de pop-corn.

J'ai marché longtemps vers Monashka Bay. Puis Abercrombie, le bout de la route. J'ai continué. J'ai rejoint la falaise. J'ai marché contre le vent en espérant qu'il m'emporte. Un vol de fulmars est passé presque à me frôler. Leurs cris rauques m'ont enveloppée avant de se perdre en rafales dans le grondement du vent, le halètement sauvage du flux qui assaillait la muraille. J'ai regardé au loin. Devant moi l'océan. Il frémissait depuis l'horizon, il avançait jusqu'aux confins du monde. Je voulais que cela m'engloutisse. J'arrivais au bout du chemin. Il fallait choisir à présent.

J'ai attendu très longtemps. La nuit est tombée. En ville il y avait les bars, des lumières rouges et chaudes, des hommes et des femmes qui vivaient, qui buvaient… J'ai voulu me rapprocher de l'eau encore, mon pied s'est pris dans la racine d'un pin chétif et torturé. J'ai cru m'envoler tant l'élan de ma chute était puissant. J'ai touché terre enfin. La douleur au genou, le souffle de ma peur m'ont traversée comme une lance de feu. À quelques mètres de moi il y avait le vide. Les genoux repliés contre la poitrine, entre mes bras serrés, j'ai écrasé mon front sur mes cuisses pour ne plus voir. Le bruit des brisants emplissait ma tête. J'ai pensé au grand marin qui m'attendait dans la poussière, sur son île brûlante de lumière, ou peut-être embarqué déjà, campé sur le pont d'un navire, hurlant les consignes derrière la ligne folle qui plongeait dans les flots, le vol sanglotant d'oiseaux blancs autour de son front, comme une auréole, sauvage celle-là.

La vague se brisait contre la falaise, interminablement. Je me suis blottie dans un coin de rocher, celui-là même où Jude s'était calé un soir, et buvait son rhum – le soir d'Abercrombie. Enveloppée de mon duvet, j'ai pensé aux poissons portés par les courants. Il devait faire si bon être un poisson à cette heure. Et nous on les tuait. Pourquoi? J'ai fermé les yeux. Sous mes paupières il y avait Jude. Il marchait, le pas mal assuré, la peau brûlée de son visage cachée en partie par des mèches sales, le beau regard jaune regardant au-delà de la file humaine, au-delà de ces hommes et de ces femmes qui attendaient pour un bol de chili – au-delà des terres, son grand front rougi tourné vers le large, vers le Pacifique Sud où il irait pêcher un jour… Puis il était dans un bar obscur. Des femmes lourdes à demi nues, épinglées dans le halo d'un projecteur rouge comme de pauvres papillons difformes, roulaient leurs hanches grasses, agitaient leurs fesses énormes et nues dans un simulacre d'amour – qu'il buvait avec rage, un verre de mauvais rhum aux lèvres. Est-ce qu'il se souvenait encore de notre ice cream baby?

L'océan qui avançait. Ce ciel béant. Le monde immense. Où le retrouver. Le vertige m'a coupé le souffle. Des ombres autour de moi remuaient avec le vent. Des arbres morts. J'avais peur. Le roulement de l'océan semblait s'être amplifié avec la nuit. Le ciel s'ouvrait comme un gouffre. J'ai cru entendre le cri douloureux du plongeon traverser la nuit. Il venait de si loin… Tout m'échappait. Tout était démesuré et voulait me broyer. J'étais seule et nue. Le rire dément de l'oiseau a résonné dans le rugissement du monde, comme s'il en était le cœur. J'avais trouvé ce que je cherchais. Je l'avais retrouvé enfin, le cri du plongeon dans la nuit. Je me suis endormie.

J'ai rêvé. Quelque chose gisait à terre. Une branche peut-être. Je me penchais pour la ramasser. Cela ressemblait à un cou d'oie sauvage. Celui du plongeon peut-être. Ou était-ce une sculpture de sable ? Je tentais de la saisir. Elle s'effritait entre mes doigts. Il n'y avait plus moyen de lui redonner une réalité préhensible. Ce qui se disloquait dans mes mains ressemblait à la vie et à la mort de mon naufragé, à celle de Niképhoros, à celle du grand marin un jour.

Glossaire

Glossaire

A and A: Alcooliques Anonymes

Anpec: cordelette de nylon qui relie l'hameçon au banc de ligne

Antenne Furuno: antenne des radars du navire

Bajoyer: paroi latérale d'une écluse, d'un radier

Beefstew: ragoût de bœuf

Beer and booze: bière et alcool fort

Bollard: bitte ou taquet d'amarrage

Boring sea: mer de l'ennui

Brailer: filet en épais maillage que l'on descend dans les cales, pour décharger la cargaison de poissons

Bro: abréviation de *brother* (frère)

Bum: clochard, gars de la rue

Bunkhouse: bâtiment de contreplaqué

Crabber: pêcheur de crabes

Équipet: petite étagère de bateau, possédant un rebord pour empêcher les objets de tomber

Fall: la chute, mais aussi l'automne

Fly till you die: «vole jusqu'à en mourir»

Free spirit: esprit libre

Green/Greenhorn: «bleu», novice, enfin «vert» chez eux

Gril: grosses poutrelles disposées parallèlement sur lesquelles on pose le bateau, lors du carénage à marée basse

Idiot fish: *Sebastolobus alascanus* ou *shortspin thornyhead*, poisson de roche rouge du Pacifique adapté pour vivre dans les très grandes profondeurs; ses yeux ronds et immenses lui ont valu ce surnom

Joystick: petit levier directionnel de commande du bateau

Kicking ass: «casser la baraque» («botter le cul» dans d'autres cas)

Let it go!: «laissez filer!», signal du skipper à l'équipage pour envoyer le matos à l'eau

Long johns: caleçons longs

Long-liner: pêcheur à la palangre ou palangrier

Long-lining: action de pêcher sur un palangrier

Loran: acronyme de *Long Range Navigation*, système de radionavigation utilisant des ondes d'émetteurs terrestres fixes pour établir la position

Lower forty-eight: expression commune pour désigner les 48 États d'Amérique contigus, à l'exception donc de Hawaï et de l'Alaska

May: le mois de mai, qui est aussi un prénom

Nable: bouchon du réservoir

Observer: employé de l'État chargé d'effectuer des contrôles sur les bateaux de pêche soumis à un quota de prises, mensurations des prises, etc.

Pare-battage: bouée dont on se sert pour protéger la coque du bateau pendant les manœuvres, ou amortir les chocs

Senne: vaste filet dont on se sert pour encercler un banc de poissons, avec l'aide d'une chaloupe, ou «skiff», qui en détient l'extrémité et effectue une boucle dans la baie

Senner ou seiner : bateau qui pêche à la senne

Set : coup de filet, de chalut, d'un ensemble de palangres

Shelter : asile de nuit, foyer pour les sans-abri

Sonar : Sound Navigation Ranging, système utilisant la propagation du son pour détecter et positionner les bancs de poissons entre autres, ainsi que pour mesurer la profondeur

Spam : conserve bon marché de jambon reconstitué

Spenard : banlieue d'Anchorage

Tender/Tendering : navire auprès duquel les bateaux de pêche peuvent se ravitailler en eau, carburant, nourriture, et sur lequel ils déchargent leur pêche du jour/action de ravitailler les petits bateaux et de prendre leur cargaison de pêche

The Last Frontier : expression pour désigner l'Alaska, «la dernière frontière»

Touline : nœud élaboré en forme de grosse balle, que l'on attache à l'extrémité de l'aussière avant de la lancer à quelqu'un à quai pour amarrer le bateau

Travel lift : puissant engin de levage pour bateaux

Tsuga : *Tsuga heterophylla* ou pruche de l'Ouest, conifère qui peut atteindre soixante-dix mètres de haut

Valhalla : contrée mythique que les grands guerriers vikings vont retrouver après leur mort

Victorinox : petits couteaux de pêche que possède chaque pêcheur, aussi célèbres en Alaska que les Opinel en France

Welfare : les allocations sociales

Working on the edge : travailler sur le fil du rasoir, terme utilisé pour parler de la pêche au crabe

Réalisation : PAO Éditions du Seuil
Achevé d'imprimer par Corlet S.A.
à Condé-sur-Noireau
Dépôt légal : février 2016. N° 0863-4 (180151)
Imprimé en France